Roman Fantastique

幻想と怪奇

6

夢境彷徨

種村季弘と夢想の文書館

新紀元社

〈幻想と怪奇〉アートギャラリー

ヨハン・ハインリヒ・フュースリー

象徴主義やシュルレアリスムの先駆者と目され、幻想的な絵画を数多く遺したスイスの画家、ヨハン・ハインリヒ・フュースリー（一七四一〜一八二五）。超自然的なモチーフを好み、肖像画や風景画には関心を示さなかった彼の志向は、代表作『夢魔』からも見てとれる。本欄では『夢魔』のヴァリエーションと、シェイクスピア『真夏の夜の夢』の場面を（ユーモラスに、そしてどこかしら無気味に）描いた二点を御覧にいれよう。

『夢魔』（The Nightmare, 1781）

『夢魔』（The Nightmare, 1781）

『夢魔』（The Nightmare, 1783）

『夢魔』
（The Nightmare, 1790-91）

『ティターニアとボトムと妖精たち』
(Titania, Bottom and the Fairies, 1793-94)

『妖精パック』
(Friar Puck, 発表年不詳)

A Map of Nowhere

Illustrated by 藤原ヨウコウ

06:「詩と神々」のパルナッソス山

＊作品は9ページから

Salonika
Salambria (Peneus)
Kissavos
Ossa
Larissa
Tyrnavos
Lake Karla
Volos
Plessidi (Pelion)
Kardhitsa
Trikala
Domokos
Pharsala
Almyros
Othrys Mts.
Phthiotis
Karpenisi
Lamia
Thermopylæ
Acarnania
Aetolia
Missolonghi
Salona (Amphissa)
Gulf of Lepanto or Corinth
Bœotia
Thebes
Euripos (Chalkis)
Attica
Athens
Piræus
Salamis
Ægina
Gulf of Ægina
Corinth
Corinthia
Argos
Nauplia
Argolis
Arcadia
Tripolitza
Megalopolis
Morea
Peloponnesus
Olympia
Andritsena
Triphylia
Gulf of Arcadia (Kyparissia)
Arcadia (Kyparissia)
Kalamata
Sparta
Astros
Kranidi
Methana Peninsula
Poros
Hydra
Spetsia (Spezzia)
C. Colonna Sunium
Kalmeni (Belopulo)
Gerakunia (Falconera)
Erimomelos (Antimilo)
Monemvasia
Napoli di Malvasia, Epidaurus Limera
Corfu
Paxos
Antipaxos

詩と神々

Poetry and the Gods

H・P・ラヴクラフト&アンナ・ヘレン・クロフツ

H. P. Lovecraft and Anna Helen Crofts

南條竹則訳

大戦が終わってまもない、四月のじめついた陰気な晩だった。マーシャは気がつくと一人で、不思議な考えや願いを胸に抱いていた。聞いたこともない憧れの気持ちが、広々した二十世紀の応接間から霧のこめる空の深みへ舞い上がり、東の彼方、夢にしか見たことのない遠いアルカディアのオリーヴの森へ飛んで行くのだった。彼女はぼんやりとして部屋に入り、煌々《こうこう》と輝くシャンデリアを消して、ふかふかした長椅子に横たわると、傍らにただ一つランプを灯《とも》した。ランプは、古い神殿の葉叢《はむら》を透かして射し入る月光のように和《なご》やかで快い緑の光を、書き物机の上に投げかけていた。襟《えり》ぐりの深い黒の夜会服だけを身にまとった彼女は、見たところ典型的な現代文明の産物のようだったが、今宵は自分の魂と索漠たる周囲の環境を隔てる計り知れぬ距離を感じていた。それは彼女が暮らしている奇妙な家のせいなのだろうか——人と人の関係がいつも張りつめていて、同じ屋根の下に暮らしながら赤の他人と変わらない冷たい住居の？　果たしてそのせいなのだろうか？　それとも何か、もっと大きくて説明のし難い時間と空間の掛け違い——そのために彼女があまりに遅く、あるいは早く、あるいは魂の憩う地からあまりに遠く離れて生まれてしまい、同時代の現実の醜い事物と折り合ってゆけない、そういう間違いのせいなのだろうか？　刻一刻と自分を深く呑み込んでゆく憂鬱を追い払うために、彼女はテーブルから雑誌を取り、慰めになる詩が何か載っていないかと探した。詩はいつも何にもまして悩む心を楽にしてくれるのだったが、彼女が読んだ詩の中では、さまざまなものがその効果を損ねていた。いとも崇高な詩句でさえ、ところどころに興ざめな醜さと束縛の冷たい靄がかかっていて、まるで素晴らしい日没の見える窓ガラスに埃がついているようだった。

　容易に見つからない宝を探すように、物憂く雑誌のページをめくっていると、突然何か倦怠を追い払うものに出会った。傍らで誰かが見ていたら、マーシャの考えを読んで悟っただろう――かつて見た如何なるイメージや夢よりも、未到の目標に自分を近づけてくれるイメージや夢を見つけたのだと。それはちょっとした自由詩、散文の域は越えながら、神々しい韻文の調べにはいまだ到達できない詩人の哀れな妥協にすぎなかった。だが、そこには生き、感じ、露わになった美を恍惚として探り求める歌人《うたびと》の巧まざる音楽があった。一定の秩序はなかったが、翼を持つ自発的な言葉の奔放な諧調、彼女が知っていた形式的で約束に縛られた韻文にはない諧調があった。読み進んでゆくうちに、周囲の光景は次第に薄らいでゆき、やがて彼女のまわりには夢の霧があるだけになった――神々と夢見人だけが歩く、時の彼方の、星を鏤《ちりば》めた紫の霧だけに。

「日本の空にかかる月、
白い蝶の月よ！
郭公の声を聞きながら
重い目蓋の仏陀達が夢見るところ……
月の蝶の白い翅《はね》は
街の通りにひらめき、
乙女らが手に持つ円い提灯の役に立たぬ灯心は、恥じ入って黙り込む。

熱帯の空にかかる月、
白い湾曲した蕾が
天の熱気のうちにゆっくりと花弁をひらく……
あたりは香りと
けだるく暖かい音に満ち……
一管の笛が虫の音楽を闇に低く奏でる、
天の湾曲した月華のもとに。

支那の空にかかる月、
天の川に浮かぶけうとげな月、
柳に揺れる光は千匹の銀色の小魚が
黒い群の中に閃くよう。
墓と朽ちゆく寺院《てら》の瓦はさざなみのように輝き、
龍の鱗に似た雲が空にまだらに浮かぶ。」

夢の霧のさなかでマーシャは律動する星々に向かい、歌の新時代の到来、パーンの再誕の喜びを高らかに叫んだ。彼女は目を半ば閉じて、繰り返した——夜明け前の川底に眠る水晶のように隠れているが、朝日が射し初《そ》めれば燦然《さんぜん》と輝き出《いづ》る調べを持つ言葉を。

「日本の空にかかる月、
白い蝶の月よ！

熱帯の空にかかる月、
白い湾曲した蕾が
天の熱気のうちにゆっくりと花弁をひらく……
あたりは香りと
けだるく暖かい音に満ち……

支那の空にかかる月
天の川に浮かぶけうとげな月……けうとげな月よ！」

＊　＊　＊　＊

霧の中から、一人の若者の姿が神々しい光を放って現われ出た。翼のある兜とサンダルを身につけ、神杖《カードゥーケウス》を握って、この世の何物にも喩《たと》え難い美しさである。若者はアポローンが九絃の甲羅の竪琴と引き換えにくれた杖を、眠れる者の顔の前で三度《みたび》振り、その額にミルテと薔薇の花冠をのせた。そうして讃美しつつ、ヘルメースは語った。

「おお、黄金《こがね》なす髪のキュアネーの姉妹《はらから》にも、天に住まうアトラスの娘らにもまさって美しいニュムペーよ、アプロディーテーの寵愛を享《う》け、パラスに嘉《よみ》されしニュムペーよ。そなたは実《げ》に美と歌のうちにある神々の秘密を見出した。おお、アポローンが知り初《そ》めしクーマエの巫女よりも眉目《みめ》良き女預言者よ、そなたは正しく新時代のことを語った。というのも、マイナロス山では今も眠れるパーンが吐息をつき、身を伸ばして、早く目覚めたいと——薔薇の冠をかぶった小さきファウヌス達や、古きサテュロス達をまわりに見たいと願っているのだから。汝は憧れの思いによって、世に容《い》れられぬ少数の者を除いては、何人《なんぴと》も憶えておらぬことを見抜いた——神々はけして死んではいない、ただ黄金色の夕陽の彼方、ロートス生《お》うるヘスペリデスの園で神々の眠りを眠り、夢を夢見ているだけなのだということを。そして今、目覚めの時は近い。冷淡と醜悪は滅び、ゼウスがふたたびオリユムポスの玉座につく時が。すでにパポスの海は震えて、かつて太古の空のみが見た水泡《みなわ》を立て、ヘリコーンの羊飼いらは夜毎不思議なつぶやきと、半ば憶えている歌声を聞く。黄昏の野や森は、舞い踊る白い姿のきらめきに顫《ふる》え、久遠の大海はかぼそい月の下に奇しき光景をあらわす。神々は辛抱強く、長いこと眠っているが、人も巨人も神々を侮ることは永遠《とわ》に許されまいぞ。ティーターン族はタルタロスに身悶え、燃えさかるアエトナ山の下で天空《ウーラノス》と大地《ガイア》の子らは呻《うめ》く。人間が幾世紀にわたって神々を否《いな》んだ責めを負わねばならない日が、今訪れるのだ。だが、神々は眠っている間に寛容になった故、神々を否む者のためにつくった大穴に人間を放り込みはすまい。神々の復讐は、そのかわり、人間の心を歪《ま》げて来た蒙昧と誤謬と醜悪を討つであろう。そして鬚を生やしたサートゥルヌスの統治のもとに、死すべき人間達はふたたび彼に犠牲を捧げ、美と歓喜のうちに棲むのだ。今宵そなたは神々の好意をうけて、神々が自らの死せざることを示すため、世々にわたって地上に送った夢達とパルナッソス山にて見《まみ》えるであろう。何となれば詩人は神々の夢であり、いつの時代にも誰かが夕陽の彼方なるロートスの園からもたらされる神託と約束とを、それと知らずして歌い継いで来たのだから」

　こう言うと、ヘルメースは夢見る乙女を腕に抱いて、空を翔《か》けた。アイオロスの塔から吹く微風がかれらを温かく馨《かぐわ》しい海の上に吹き上げたと思うと、突如として双頭のパルナッソス山に宮居を敷くゼウスの姿が現われた。その黄金の玉座の右にはアポローンとムーサ達が、左には常春藤《きづた》の冠をかぶったディオニューソスと、喜びに頬を染めた酒神信女《バッカイ》達が侍《はべ》っていた。マーシャは夢にも現《うつつ》にもそれほど輝かしい光景を見たことがなかったが、その光は高きオリュムポスの光とは異なり、彼女を傷つけはしなかった。神々の父は、この小宮にいる間、死すべき人間の目が耐え得るように光輝を抑えていたからである。月桂樹に蔽われたコーリュキアの洞窟の前に、形は人間だが神々の面ざしを持つ高貴な人物が六人、一列に並んで坐っていた。マーシャは以前《まえ》にかれらの絵姿を見たことがあったので、誰であるかを悟った。他でもない、神のごときマイオニア人《びと》ホメーロス、冥府を歌いしダンテ、死すべき人間の域を超えたシェイクスピア、渾沌《カオス》の探求者ミルトン、宇宙を擁するゲーテ、そして詩神《ムーサ》の愛《いと》し児《こ》キーツであった。かれらは、パーンは死せず、眠れるのみと人間に伝えるため神々が遣わした使者達だった。なぜなら神々は詩の中で人に語りかけるからである。やがて雷神は語った。

「おお、娘よ――果てしなきわが血脈に連なるそなたは、まことにわが娘なのだ――栄光《はえ》ある象牙の玉座についている気高き使者達を見るが良い。かれらは、人間の言葉と著述のうちに天上の美の俤《おもかげ》が偲《しの》ばれるようにと神々が遣わした者達なのだ。他の歌人は、人間たちが相応に不朽の桂冠を授けたが、この者達にはアポローンが冠を授け、そしてわしが神々の言葉を語る人間として、それぞれ別な地に置いたのだ。われらは長いこと西の彼方なるロートスの園に夢見、ただ夢を通して語りかけて来たが、われらの声が沈黙を破る時は近い。それは目覚めと変革の時だ。パエトーンはふたたび馬車を低く駆って野良を焦がし、川を干上がらせた。ガリアの地では、寂しいニュムペー達が髪をふり乱して、今はない泉のほとりで泣き、人の血に赤く染まった川で嘆いている。アレースとその従者らは神々の狂気に駆られて出陣し、恐慌《ディモス》と恐懼《ポボス》を異常なる歓喜に満腹させて戻って来た。大地の女神《テルース》は嘆いて呻き声を上げ、人間らの顔は復讐の女神《エリーニュス》達の顔のよう、アストライアーが空へ逃げ去った時の顔のようである。われらが命令の波は、この高き山頂を除いてすべての土地を取り巻いた。かかる渾沌のさなかにあって、自らの到来を先触れしつつ、その到着を隠す用意をして、われらのもっとも新しく生まれた使者が今も辛苦している。彼の夢の中には、他の使者達が以前に夢見たすべての形象がある。かつてこの世界が知ったあらゆる美を壮麗なひとつのものに溶け込ませるため、そして過去のすべての叡智と美が研する言葉を書かせるために、われらが選んだのは彼である。われらの再来を告げ、ファウヌスやドリュアス達が住み慣れた美しい森に姿を見せる、来《きた》るべき日々を歌うのは彼である。われらはコーリュキアの洞窟の前で、今象牙の坐についている者らの導きにより、この男を選んだ。この者らの歌のうちにそなたは崇高な調べを聞き、それによって、これより数年の後、より偉大なる使者があらわれた時、彼を認め得るであろう。かれらがここで一人一人歌って聞かせる故、その声に良く耳を傾けよ。来るべき詩、そなたの魂に平和と愉楽をもたらす詩のうちに、そなたはふたたびそれぞれの歌声を聞くであろう。ただし、何年かのわびしい月日、そなたはそれを探し求めなければならないのだが。心して耳傾けよ。顫えて消えてゆく和音のひとつひとつが、地上に戻ったあとで、そなたの前にふたたび現われようから。アルペイオス川がその水をヘラスの土に浸み込ませて、遠いシケリアの水晶の如き泉アレトゥーサとして現われるように」

ゼウスがこう言うと、歌人の長老ホメーロスが竪琴を取り、アプロディーテーの賛歌を歌った。マーシャはギリシア語を一言も知らなかったが、詩人の言葉は空しく彼女の耳に落ちたのではなかった。謎のようなそのリズムには、すべての人や神々に語りかけるものがあり、通訳を必要としなかったからだ。

ダンテとゲーテの歌もそうだった。かれらの未知なる言葉は、読み易く讃嘆するに易い調べで天空を分け開いた。だが、最後に聞きおぼえのある言葉が、聴き手の前に響き渡った。それはかつて人の中の神であり、今も神々の中の神であるエイヴォンの白鳥であった。

文《ふみ》を、文をお書き下さい、血腥《ちなまぐさ》い戦から、
わが愛《いと》しの君が、貴女様の御子息が急いでお帰り下さるように。

平和なわが家であのお方を祝福して下さい。私は遠くから
ひたむきな熱意を込めて、その御名を清めます。

もはや盲《めしい》ではないミルトンが不滅の諧調を詠じると、さらに親しみ深い言葉が聞こえた。

或いは真夜中、
寂しき高塔に明かりを灯せ。
そこにて我は三重に偉大なるヘルメースと共に、
熊座の沈みゆくを幾度《いくたび》も待ち、
またプラトーンの魂を天球より呼び寄せて、
如何なる世界、如何なる広漠たる領域が
肉身《うつそみ》のうちなる棲家を捨て去りし
不滅の心を宿すかを明らめよう。

＊　＊　＊　＊

時に、華麗なる悲劇は
王者の掛け無垢を被《かず》きて通り抜けるが良い、
テーベの、はたペロプスの血統を、
はた聖なるトロイの物語を見せながら。

最後に、すべての使者達の中で、美わしきファウヌスの族《うから》にもっとも近いキーツの若い声がした。

耳に聞こゆる調べは甘し。されど、聞こえざる調べ
は
いやさらに甘ければ、優しき笛よ、奏でつづけよ
……

＊　＊　＊　＊

老いがこの世代を滅ぼす時も、
汝は我等の悲しみとは異なる悲しみのさなかに残り、
人間の友として、かく言わむ、
「美は真実《まこと》、真実は美――」――そは汝らが
この世で知るすべてにして、知らねばならぬことの
すべてなり。

歌い手が歌を終えると、アウローラが殺された息子メムノーンのために夜毎ナイルのほとりで泣く遠いエジプトから、風に乗って、一つの音が聞こえて来た。雷神の足許に薔薇色の指をした女神が飛び来り、跪いて言った。「大神様、東の門を開ける刻限にございます」すると、ポイボスは竪琴をムーサの一人にして彼の花嫁であるカリオペーに渡し、宝石が鏤《ちりば》められ、柱の立ち並ぶ太陽の宮殿へ向かう用意を始めた。そこでは駿馬たちがすでに日の黄金の馬車に繋がれ、待ちかねているのだった。すると、ゼウスは彫刻の施された玉座から下り、マーシャの頭に手を載せて、言った。

「娘よ。夜明けは近い。人間どもが目覚めぬうちに家へ帰るがよかろう。泣くではないぞ。誤れる信仰の影はやがて消え失せ、神々は今一度人の間を闊歩するであろうから。われらの使者をつねに探し求めよ。その者のうちにそなたは安心と慰めを見出すであろう。その者の言葉によってそなたは幸福へ導かれ、その者の美しい夢のうちに、そなたの魂は求めるものをすべて見出すであろう」ゼウスがそう語り終えると、若いヘルメースは乙女を優しく抱き、消えゆく星々に向かって、空高く彼女を運んでいった――空高く、西の方《かた》へ、未知なる海を越えて。

＊　＊　＊　＊

マーシャが神々とパルナッソスの集いの夢を見てから、何年もの歳月が過ぎた。今宵、彼女は同じ広々した応接

間に坐っているが、独りではない。昔の不安な魂はもはやない。なぜなら彼女の傍らには、輝くばかりの名声をまとう者が、全世界を足下に置く、うら若い詩人の中の詩人がいるからだ。彼は原稿を読んでいる。その言葉はかつて誰も聞いたことがないが、一度《ひとたび》耳にするや、幾世紀も前に失った夢と幻想を――パーンがアルカディアに伏して微睡《まどろ》み、より偉大なる神々がヘスペリデスの地の彼方なるロートスの園に退いて、眠りについた時に失ったものを人間にもたらすのだ。歌人の精緻な韻律と隠された調べのうちに、乙女の心はついに安らぎを見出した。そこにはトラーキア人《びと》オルペウスのいとも崇高な歌声が、ヘブロス川のほとりで岩や樹さえも動かした歌声が谺しているからだ。歌い手は歌をやめ、熱心に意見を求める。しかし、マーシャに一体何が言えよう――その歌は「神々にふさわしい」ということの他に?

　そして彼女が話している時、ふたたびパルナッソスの幻が現われ、遥か遠くから力強い声が言うのが聞こえる。

「その者の言葉によってそなたは幸福へ導かれ、その者の美しい夢のうちに、そなたの魂は求めるものをすべて見出すであろう」

「詩と神々」解説

南條竹則

本篇はラヴクラフトの活躍の舞台だった「統一アマチュア出版協会 The United Amateur Press Association」の刊行物「ユナイテッド・アマター」(一九二〇年九月)に、アンナ・ヘレン・クロフツとヘンリー・パジェット=ロウの共作として発表された。ヘンリー・パジェット=ロウはラヴクラフトの筆名である。

共作者のクロフツについて、あまり多くのことは知られていない。研究者らの調べによると、マサチューセッツ州ノースアダムズに住んで教師をしており、本篇が書かれた当時、ラヴクラフトと共に統一アマチュア出版協会の役員をしていたという。

共作の過程についてたしかなことはもちろん言えないが、クロフツの草稿にラヴクラフトが手を入れる形で進められたと想像される。クロフツの書いた内容は前段、すなわちヘルメースがマーシャを迎えに来るまでの部分に多く残っているのではないかと研究者のケン・フェイグ氏は言う。例えば、マーシャが「襟ぐりの深い」夜会服を着ているというくだりなど、ラヴクラフトの筆とは到底思えないからだ。

詩を愛する孤独な娘がギリシアの神々の宮居で六人の詩人に会うという構想もクロフツの立てたものかもしれないが、これはいかにもラヴクラフトが好きそうな話である。なにしろ、彼は幼い頃、ギリシア神話の神々が本当にいると思って、パーンやアルテミスの祭壇をつくったというくらいだから。

フェイグ氏は、作中に引用される英詩を選んだのもクロフツかもしれないと述べているが、これにも頷ける点がある。というのも、ミルトンの詩は初期の傑作「沈思の人 Il Penseroso」、キーツの詩はあまりにも有名な「ギリシアの古甕に寄せる歌 Ode on an Grecian Urn」で、神々の前で朗誦するにふさわしい作品と言えるが、シェイクスピアの引用には首をひねるからだ。それは「終わりよければすべて良し」(第三幕四場八-十一)の台詞だけれども、どうもこの場にはそぐわない。この詩句への特別な思い入れがクロフツにあり、ラヴクラフトもそれを尊重したのではないかと考えられる。

　引用に関していうと、じつはそれよりも重大な問題がある。

　マーシャが雑誌で読む自由詩は、本篇の作者の詩だと読者は当然そう思うだろう。古典主義者のラヴクラフトは自由詩など書きそうにないから、クロフツの作だと筆者もずっと思っていた。ところが、これはエリザベス・ジェーン・コーツワースの詩「Sky Lotus」であることが、近年の研究により明らかになった。

　コーツワース（一八九三―一九八六）は九十冊を越える児童書の作者として知られ、ニューベリー賞をとった「極楽に行った猫」（一九三〇）は邦訳もある。「Sky Lotus」はAmerican Asiatic Associationが発行する雑誌「Asia」一九一九年七月号に掲載され、のちに詩集「Fox Footprints」（1923）に、各聯が三つのセクションの冒頭を飾る詩として用いられた。ラヴクラフトが他人の詩を故意に無断引用するとは思えない。文筆家としての心得に乏しかったクロフツが出典の明記を怠り、ラヴクラフトはこれをクロフツの詩と思い込んでいた可能性が高いだろう。

　「詩と神々」は、御覧の通りの愛すべきファンタジーでありながら、ラヴクラフトの後期の神話世界と一脈通じるものを筆者は感じる。

　物語が第一次世界大戦直後の話だという点が、ミソである。

　ヨーロッパを荒廃させた大戦争は幻想文学の世界にも大きな影響を与えた。例えば、アーサー・マッケンの「恐怖」は動物が突如人間を襲い始める話だが、そこに大戦の影がさしている。人類は愚かしい振舞いによって、万物の霊長たる地位を自ら揺るがした。そのために、今まで大人しくしていた生物たちが叛乱を始めたという趣向なのだ。

　「詩と神々」でも大戦の惨禍が神々の復活の先触れとなっており、そのことは文中のゼウスの言葉「パエトーンはふたたび……」以下に仄めかされている。人と神々を巻き込んだ世界秩序の変革――その前兆ないし結果である人間界の混乱――この発想はクトゥルー教の信者たちの予言とも共通していないだろうか。

　翻訳のテキストにはDelphi Complete Works of H. P. Lovecraftを用い、解説執筆にあたっては、Ken Faig. Jr.「The Strange Story of "Poetry and the Gods" by Anna Helen Crofts and Henry Paget-Lowe」（United Amateur. September 1920）を参照した。

映画「カリガリ博士」（一九二〇）より

夢想の文書館へ

ボルヘスが言う「すべての文学ジャンルの中で最も古くて複雑なジャンルをつくり上げている」ものとは——そう、「夢」です（『夢の本』序文）。夢をテーマにした怪奇と幻想の文学を、という企画は、一見は明確なようでも実は茫漠としたもの。種村季弘氏の未発表翻訳原稿をお預かりしなければ——そして、それが夢についての物語でなければ、考えもしなかったことでしょう。無謀な試みながら、それでも夢の物語で一冊をお届けすることができました。

種村氏が訳した、夢と現実のあいだの揺らぎを語った作品もあれば、作者が見た夢をそのまま書いた物語もあります。偉大なる詩人たちとの邂逅も、妖精郷での冒険も、夢ならばこそできること。さらに、目覚めの領域を侵食し、夢なのか現実なのか、わからないまま読者を置き去りにしてしまう物語もあります。

夢想の文書館が開館時刻を迎えました。小さいながら、愉快な夢も楽しい悪夢も収蔵しております。皆様、お目が覚めるまでのひとときを、どうぞお楽しみください。

（M）

目次

表紙：ひらいたかこ（Pen Studio）

装丁：YOUCHAN（トゴルアートワークス）

『幻想と怪奇』題字：原田治

種村季弘とドイツ夢幻譚

商務顧問官クーノ・ヒンリクセンと贖罪者ララジュパットーライ

Der Herr Kommerzienrat Kuno Hinrichsen und der Büßer Laládschpat-Rai

グスタフ・マイリンク　Gustav Meyrink

種村季弘 訳

種村季弘氏は長年にわたり、ドイツ・オーストリア幻想文学の本邦における第一人者であった。本作は、氏の遺稿から齋藤靖朗氏により発見された、未発表の翻訳である。グスタフ・マイリンク（一八六八―一九三二）はオーストリアの小説家で、『ゴーレム』などの長短編が邦訳されている。本作はやはり種村氏が訳した「こおろぎ遊び」「レオンハルト師」などとともに、短編集『こうもり』*Fledermäuse*（1917）に収録されたもの。現実と夢とで別の人生をおくる物語はいまや珍しいものではないが、両者の相違と思わぬ関連が笑いを誘う好編である。なお、傍線や種村氏が残した疑問点は、原稿のままとした。

遠く地平線に暗雲がわだかまっていた。「公共福祉事業」商会——脂肪、ラード、機械油大量販売——の社長、商務顧問官クーノ・ヒンリクセン殿は、王侯貴族のそれもさながらにしつらえた書斎のなかをせかせかと大股の足取りでいささか興奮気味に横切った。豪勢な指輪に飾られた右手は、それと知らぬ間に一冊のパンフレットをくしゃくしゃに丸めていた。パンフレットは、最近創設されたばかりの「公共利益の哲学的結社、東方の光」の新任会長として受け取り、工場からの帰途チラリと目を通しておいたものである。これにざっと目を通しておけば夜の宴会の客に二言三言気の利いたせりふを浴びせて、古代インド哲学の構想した世界像についての、自前の、するどい意見を準備しておけるはずだった。それというのも一面で商務顧問官殿は、機会さえあれば、きびしく一途に理想を仰ぐおのれの思想のあり方を表明するのにやぶさかではなく、反面また、その性質上重要なすべての問題に対しては、いわんやそれがこの種の学問上の――どころか哲学上の――問題であってみれば、応分に熱弁をふるい、この手の問題においても彼のいわゆる「状況の主」たり続けようものと、かねがね用意おさおさ怠りなかったからなのである。

くだんの専門学者の書いたパンフレットを読み進むうちに、商務顧問官殿の口の辺《へ》にはときおり何やら考え深い笑《えま》いが漂うようだった。世界はそれ自体としては現実には存在せず、それは感覚のまやかしにすぎぬ、という文句がわけても執拗にくり返される。その箇所にくると、「おやおや」だの、「インド人というのは善良だけれど無気力な人種だな」だの、といった辛辣な声が唇から洩れ出た。商務顧問官殿はしかし思わず片手で書類入れをまさぐると、しまいに「まあ、銀行口座はまちがいなく現実だからな」となかば声に出して思いをつぶやき、パンフレットをポケットにねじ込むと理論的沈思黙考の呪縛から逃れ、またもや「状況の主」に強引に舞い戻った。

パンフの冒頭の話――それはインドのある贖罪者の話だった――を商務顧問官殿はいわば無表情な目をして好意的に受け取った。というか、自分の無意識が値踏みするがままにまかせた。そうしているうちにさまざまの好ましい思いが胸中にめざめてきたからである。

アフリカから長兄のフリッツが電報を打ってきた。「ホンジツ　50ヒキメノ　サイヲ　イトメル」それに――吉報はこれだけではなかった――「公共福祉事業商会」南オーストラリア支店の商用書簡が一通届いていた。内容は、とてつもない巨大釜設置に成功、とある。一度に一万羽のペンギンをぶち込んで、わずか数時間以内にこれを高価なグリースに化けさせる釜だそうだ。

というわけで商務顧問官殿はその田園別荘で、気分も薔薇色に贅美のかぎりを尽した夕食をしたためた。それからもう一度例のパンフレットを持ち出して、可視の世界の非現実性を論じた、すこぶる面妖なあの論文を奥方に読んで聞かせようとした、そのときのことであった。突然、私用電話に呼び出されて、工場から恐怖のメッセージを受け取るはめになったのだった。聞けば、マイヤーという名の下級社員が大金庫から三マルク半の金を引き出しており、その金の合法的な使いみちを明らかにすることができないのだとか。

この事実そのものより腹が立つのは、何を思い上がってか商会の経理課長が、あれも金に困って追いつめられておりまして、と横領現行犯をとりなすような口ぶりだったことで、こんな話は前代未聞である。商務顧問官殿はかたわら特に「民族性向上の会」の会長の地位《ポスト》も占めていたので、何が起ころうとすこしも動じなかった。どういう形の盗みであろうが、ことは同断だった。彼の良心はこの点に関して、じつに広範な範囲にわたっていわば無垢の具体的な象徴と化していたのである。

電話のヨブ記的メッセージを耳にして、商務顧問官殿が文字通り色をなしたのも無理はなかった。商務顧問官殿はこう口に出すのがやっとだった。「警察だ！　マイヤーのやつを即刻ブタ箱にぶち込まにゃならん。」

黒い空の上に火の蛇が痙攣した。と、もう雷鳴が脅かすようにごろごろと唸っていた。「さ、公共福祉事業団さん――せめて一口だけでも、私のためよ。」奥方が手ずから作って、商人仲間の愛称でやさしくあやすようにそう勧めてくれた清涼飲料水のグラスを、せめてわずかなりといきどおろしい感情をなだめようとばかりに商務顧問官殿はぐいと空けた。それから奥方は彼を安楽椅子にやさしく押え込み、念入りに窓の戸締りをすますと、稲妻が射し込まぬように刺繍飾りたっぷりのカーテンを引いてから、足指を爪立たせてそっと部屋を出ていった。

やがて清涼飲料水の鎮静作用がおもむろに効いてきて、睡眠《モルフェウス》の神が商務顧問官殿の傷ついた心を腕《かいな》に抱き取った。

重ったるい雨滴がぽとぽと降りはじめた。と、迫りくるつむじ風のさきがけが轟《ごう》と吼えたけり、贅沢なロココ風の窓の鎧戸をガタガタとゆすった。しかしそれはもはや眠っている男の耳には聞こえなかった。

いましがた読んだばかりのパンフレットの、いくつものごたごたした文章が目の前で無礼講じみた輪舞を踊り、盤石のように安定し切った現在からゆらめく夢の国へと彼を連れ出した。あのパンフレット冒頭のインドの贖罪者の物語にはかなりぞんざいにしか目を通していなかったというのに、それが突然、内的体験と化したのだった。かすかな疑惑の念にともなわれながらも、商務顧問官殿は自分が一転みすぼらしい風体の、無一文の断食行者に変身しているのを目のあたりにした。彼はその断食行者であり、ひるがえってまたそうではなかった。

指にはもう例の指輪がなかった――胸に下げたブローチはいうまでもない――いつもなら分厚い、畏敬の念をかき立てるような金時計を手にしているはずが、たった一本の杖しかない。それにみじめたらしい腰巻きを巻いているだけ。

　こうして彼は真っ黒なざんばら髪を肩の上までばさりと垂らし、太陽の光に非情に焼きただれた砂漠によろめき出て、どこかに60ＨＰの自家用車がありはしないかとむなしくあたりを窺った。硬い枯れ草が裸足の足裏をむごたらしく切り裂き（夢を見ながら商務顧問官殿は無意識のうちに右足を左の半長靴にこすりつけた）、一歩一歩、歩を進めるにつれて「公共事業団」社長の貫録は片鱗だに見えなくなっていった。

　かわりに彼の胸内はかつて経験したことのない、おそろしく下劣（?・）《原稿ママ》な感情に満たされた。さよう、積もりにつもって、もはや倒錯とまで化したある精神的認識をもとめ、地上世界の破壊者たるシヴァ神との合体という驚くべき神秘の最終目的をもとめる、やむにやまれぬ餓渇の感情、荒涼たる無人の草原を何十年となく、安住の地も計画も目標もなくさまよい歩く、贖罪者の流浪の感情に満たされたのである。

　商務顧問官殿である飢餓行者は、一万羽のペンギンを容れるすてきな大釜に一心不乱に思念を凝らし、豪商たる人の身についた、いつもの醒めた意識に立ち戻ろうとしてみたがむなしかった。――戻れはしなかった！　容赦のない、目に見えぬ刺《とげ》にひたすら前へ前へと駆り立てられて、やがて自分がインドの贖罪者意外の何者でもないと感じるまでになっていた。その贖罪者のまずしい不毛な脳髄では、神をもとめ、生涯かけて精神の救済を待ちながら憔悴して行く身を焦がすような憧憬の念が、行き当たりばったりに転々と場所を変えながら時計のようにからっぽになった時間を呑み込み、ついにはあの聖ヴェーダの言葉、「犀がさすらうがごとくに――孤独に――ひとりにさすらうがよい」が真理となってしまうような、そんなやみくもな流浪につぐ流浪に明け暮れるようになってしまうのだ。

　何時間も何時間も目もくらむばかりに白い一点を指して、商務顧問官殿である飢餓行者はどこまでも足を引きずっていった。白い点は近づくにつれていよいよ大きくなり、しまいにはさざなみ寄せる泉のほとりの寄生木のからみつく一基の石柱の形姿をとった――かの崇めうやまうべきリンガムの姿である。リンガムについては、禁欲僧の魂がエクスタシーの最後の段階に昇りつめて宇宙霊の呼吸《いき》に呑み込まれると、禁欲僧の肉体はリンガムの姿に変身するというい伝えがある。

　商務顧問官殿である飢餓行者は、サンニ-アッシンの生贄儀式に則ってリンガムに数滴の水を注ぎ、臍、心臓、喉、額に、神秘の呪文、ブール-ハムザ・ブールを唱えると、石柱にくだんの呪文の文字が燦然として顕われた。こうして彼は、この石柱がその昔《かみ》はかの偉大なるヨーガの師マツュエンドラ・パラマハムザの肉体であるのを知った。マツュエンドラ・パラマハムザは、かつてシヴァ神おんみずからの口から耳へ「タト　トゥヴァム　アシ」——合一——の秘伝を伝授され、ものいわぬ魚から一人の人間へと化せしめられた人だった。

　やがてリンガムは茅葺きの一軒の小屋に変身し、そこから声となってこう問うた。「そなたは何者か、何という名か?」

「私は神にいたる道をもとめております、贖罪者のラララジュ・パットーライでございます」、商務顧問官殿が「ハロー、こちら、公共福祉事業団」というまもあらばこそ飢餓行者がすかさずそう答えた。

　贖罪者が歩み寄る聖者の前にひれ伏し、聖者に、涅槃《ニルヴァーナ》に行き着くための、胸も張り裂けんばかりにむごたらしい小道を案内してくれる導師《グル》——精神の指導者——になって下さい、とお願いしているのにも、嘆かわしや、商務顧問官殿にはどうにも手の下しようがなかった。

　導師マツュエンドラはしかし飢餓行者の頭頂ににこやかに指をふれた。そして導師はいった。「これでつながりができた。では、修業を授けよう。汝《なんじ》、盗むことなかれ」——商務顧問官殿の耳をうれしくくすぐることばだ。

　これまでの生涯に自分は一度として盗みを犯したことなどありはしなかった、心中おそらく贖罪者はそう考えたのであろう。それでも彼はうやうやしくその場を立ち去り、何日も何日も懊悩と祈りに明け暮れる日々を送ってからようやく戻ってきた。

　いままで何を食べて生きてきたのだ、と導師が問うたのに、「谷間に草を食んでいる牝牛のミルクで」と答えると、おまえは盗んだのだ、あの牝牛はさる富裕な商人の持ち物なのだから、という。

　尋常な状態にあれば商務顧問官殿はいうまでもなく、そう指摘されただけでも、ここできっぱり飢餓行者におさらばするのにやぶさかではなかった。だが、いかんせん、彼は夢の網に逃れようもなく巻き込まれており、つなぎ留められていたのである。

　それからまたかなりの時が経って、贖罪者ラララジュパットーライは聖なる導師の前に出た。盗みは濡れ衣でございます、とラララジュパットーライは申し立てた。自分はただ、乳を飲む仔牛の口から滴り落ちるミルクの泡を飲んでいただけでございます、そう報告した。ところがこの度《たび》も、おまえはやはり盗人《ぬすっと》だと告げられた。なぜかといえばおまえは、土中の盲いた虫どもから、あらゆる生命の偉大な養い手たるヴィシュヌが、あのミルクの雫《しずく》という形で虫どもに慈悲深く手渡された糧をくすねたのであるからな。

　そこで飢餓行者は、それからというものは唯々諾々として、そこらにぽつぽつ芽を出している草しか食わなくなった。ところが聖者のいうには、それすら泥棒なのである。あれは牛の餌だ。牛の体内で、彼らの寄る辺のない仔牛たちを養うミルクになるように定められているものではないか。

「何を馬鹿な！」商務顧問官殿はぶつくさ寝言をいい、背凭せ椅子のなかで不快そうに身をよじった。しかし贖罪者は石と化したリンガムの前に物いわずにうずくまったままだった。胸中には、自分には盗みの罪を雪ぎ、この崇高な存在の面前に汚れなき生き物としてまみえることができないのだという、いうにいわれぬ悲哀感が忍び込んできた。

　眼《まなこ》をひたと凝らして朝から晩まで、夜から朝まで、彼はひたすらあの一語を何度も何度も声ひくく唱えた、「ハリ」――死の神シヴァの聖名を――涯しのない、へりくだりの祈りを唱えるように。ハリよ、我より肉体を奪い給え、永劫に渇き餓《かつ》える、猛獣もさながらのこの肉体を。

　臓器のなかの身を焼くような劫火、人間たることの絶望と苦悩――そのすべてを彼は「ハリ」の一語のうちに押し込め、渾身、骨肉がこれに和して、ついにはそれが救済を求めるたった一つのたえまのない叫びにまでふくれ上がり、不可視の宇宙をまるごと満たすかにみえた。

　四十日目に太陽がふたたび血のように赤く冲天に懸かると、飢餓行者は胸中に雷鳴を、脳内には暴威をふるいはじめた嵐の気配を感じて、ついに終わりがきたことをさとった。

　舌はこわばり、もう「ハリ」の御名を唱えることもできなかった。眼には死苦のおぞましい影が宿った、――身体がゆらぎはじめ、いまにもつんのめりそうだった――と、このとき突然、眼前に、宇宙の構造もさながら巨大に、聖者にして完全者たるマツュエンドラが千の顔をもって立ち現れた。星空の銀河も、マツュエンドラのこめかみのただ一本の髪の毛にすぎなかったのである。天上のパンとワインで元気を取り戻した。パンは肉体の元気を、ワインは精神の元気を。

身内に入り、そして彼自身と同一化した。

彼は贖罪者に向かってその唇で語りかけた。「たとえ盗もうという気を起こしても、汝はもう盗むことはできない。汝が己のうちに、また己の外部に、見るものすべてが『タト　トゥヴァム　アシ』――すべてのものが汝自身、なのだ。世界が汝の肉体と化したのだ。『タト　トゥヴァム　アシ』――すべてのものが汝自身。たとえ汝が汝の両親を殺し、汝自身の子供たちの肉を食ったとしても、汝は殺していないのだ。『タト　トゥヴァム　アシ』――すべてのものが汝自身。タト　トゥヴァム　アシと化した者がどうして殺し盗むことができようか？　その肉体が世界と化した者が？」

電報を手渡す奥方の手にやさしく揺り起こされて、商務顧問官殿は目を覚ました。頚《うなじ》と額に手をやるとぐっしょり汗をかいているのがわかった。

戸外では霰《あられ》がシャワーのように窓ガラスにぶつかり、部屋のなかは深い黄昏に浸されていた。ときおりそれが、何かの拍子に硫黄色の稲妻の光にギラリと照らされた。

いったい何事かと、商務顧問官殿は電報を開封した。だが一瞥を投ずるがはやいか、その彫りの深い顔にあわい蒼白の色が走った。胸中からふくれ上がる、ことばにならないうめき声が、すんでに失神を免れたことを打ち明けた。かりに失神していたら、ご立派な太鼓腹ゆえ由々しい結果を招来しかねなかっただろう。

すさまじい落雷一発、豪壮な別荘が根こそぎぐらりと揺らいだ。「破産だ」、商務顧問官殿の苦しげな口許から洩れたのは、たった一語、この重大なことばだった。証券取引所の恐慌が、わずか数分のうちに彼のほぼ全財産をむさぼり食ってしまった、と電報は報じていた。

手足のどれも一肢だに動かすことができなかった。ましてや明晰に頭を回転させることもできぬまま、商務顧問官殿はひたすら空に目を凝らした――と、なんという奇蹟、ふいに耀く手――どうやら魂のものである手であるらしい――が現れて、かつてバビロンのベルシャザール王の目の前で起こったように、火の文字で壁の上に、「『タト　トゥヴァム　アシ』――すべてのものは汝なり！　公共福祉事業屋さんよ、やっとお分かりになったかな？」――と書いて消えた。

と突然、商務顧問官殿は途方もない啓示に見舞われた。

ここ何年来というもの、彼はさる親類の寡婦に見込まれて莫大な額の遺児扶助料と遺産の全権管理人となり、かなりの程度までならどんな権利を行使しても構わなかったのである。当の寡婦に対しては金銭上の面倒を見てやる習慣を、年来、本能的にやりつけていた。

　それなら有価証券口座をちょっと前日付けにしさえすれば――そう、ほんのちょっとした帳簿操作だ――全損害の命中先は大丈夫――あちらだ。

「そうだとも！　分かりきった話じゃないか。『タト　トゥヴァム　アシ』――あれも私につながっているんだものな！」商務顧問官殿はぴょんぴょん躍り上がってそう叫んだ、「それにだ、世界なんて現実じゃないんだからな。インド哲学にこうも真理があろうとは思いも寄らなかったわい！」もみ手をしいしいこれに加えて、「特にあの『タト　トゥヴァム　アシ』のトリックときたら、まったくもってみごとなものじゃわい。」――戸外のいやな天気は、やってきたときと同じくすみやかに去ってゆき、最後の雲のヴェールの合間から太陽がにっこりと黄金色に顔をのぞかせ、よみがえった自然は燦たる虹にいやがうえにも美々しく装われた。商務顧問官殿は駆けつけてきた従僕に満足気に命じた。「マツュエンドラさまに乾杯だ、シャンペンを一瓶冷やしておけ。」

　このときからというもの、商務顧問官殿クーノ・ヒンリクセン殿はいかなる苦境にあっても「状況の主」を通し、その至福の末期に至るまでインドのヴェーダンタ教説の断固たる信奉者たり続けたのである。

種村季弘・未発表翻訳作品 解説

齋藤 靖朗

神奈川県足柄下郡湯河原町の、真鶴駅にほど近い山の上にあった種村季弘邸が処分されることになり、家族および数人の関係者で蔵書の整理に行ったのは二〇一九年の夏のことだった。時間的制約やトラブルもあり万全とは言えなかったが、生前に作成された種村の覚書に添ってできる限りのことはしたつもりだ。

筆者は学生時代から種村季弘書誌を作成、最晩年や没後の著作に協力していたこともあり、初出のスクラップを一括して譲り受けた。当日は時間もなく棚にあったものをまとめて送ってしまったのだが、後日届いたものを確認してみると資料や原稿類が紛れ込んでいた。その中の一点が本作である。

B5横の紙にワープロで縦書（33字×24行）で印字されたものに赤ペンで修正が入っている。タイトルの次の行には「1912年　グスタフ・マイリンク作」、改行して「種村季弘訳」。このように体裁が整い推敲もされていることから、発表を前提とした原稿と判断し、著作権者と相談の上公表することにした。旧『幻想と怪奇』誌の第三号には種村訳のマイリンク「レオンハルト師」が掲載されたこともあり、本誌はもっともふさわしい舞台ではないかと思う。

種村がワープロを使い始めたのは一九九〇年刊行のクライスト『チリの地震』の翻訳からである（「ワープロ外人体験記」、『東海道書遊五十三次』所収）。パソコンの導入時期は不明だが、二〇〇〇年前後にはインターネット環境が整っていたと記憶しているので、一九九〇年代に翻訳されたことは間違いないだろう。

「翻訳は頼まれなくてもやる」（「種村季弘に聞く七つのキーワード」、『別冊幻想文学　種村季弘の箱』所収）と語っていたとおり、前述の覚書にはフリードリヒ・グラウザーやオスカル・パニッツァ、フロイト『機知』の冒頭部分（A部 分析部「機知の技法」まで）の訳稿の存在が明かされていた（前二者はすでに刊行済み）。本作は短編一作のみということもあり抜け落ちてしまったのかもしれない。

種村が翻訳したマイリンク作品は七編、翻訳年代順で「チンデレッラ博士の植物」（『現代ドイツ幻想小説』一九七〇）、「レオンハルト師」（「幻想と怪奇」三号、一九七三）、「こおろぎ遊び」（『ドイツ怪談集』

一九八八）、「J・H・オーベライト、時間‐蛭を訪ねる」「ナペルス枢機卿」「月の四兄弟」（以上三作『バベルの図書館12　マイリンク』一九八九）、「ヨブ・パウペルスム博士はいかにしてその娘に赤い薔薇をもたらしたか」（『澁澤龍彦文学館5　綺譚の箱』一九九〇）である。『バベル〜』以外の四作は『怪奇・幻想・綺想文学集　種村季弘翻訳集成』に収録された。また自身の訳ではないがアンソロジーで「蠟人形館」（小岸昭訳、『ドイツ幻想小説傑作集』一九八五）を採っている。

　さらに「白いドミニコ僧」のまえがき部分の翻訳草稿も見つかっている。桃源社の原稿用紙に万年筆で書かれており、おそらくは七〇年代のものであろう。

　著作では一九六七年発表の「巨人ゴーレムの謎」（『怪物のユートピア』所収）、一九七三年発表の「ゴーレムの秘密」（『怪物の解剖学』所収）で『ゴーレム』に言及しており、早くからマイリンクに関心を持っていたことがうかがえる。

　原著の初出および翻訳底本は未詳。垂野創一郎氏にも問い合わせてみたが、単行本では一九一七年に刊行された全集版『こうもり』に収録されたものがもっとも古いものだということまでしかわからなかった（『こうもり』初刊本は一九一六年刊行で七編収録、全集で本作を含む二編が追加）。

　ボルヘス編集による『バベル〜』に収録された三作はいずれも『こうもり』から採られている。日本語版担当編集者だった礒崎純一氏によると、翻訳を依頼した時点で種村は『こうもり』は読んでいなかったが、刊行時には全訳してみたいと語っていたという。実際に『ドイツ怪談集』、『澁澤龍彦文学館』でも『こうもり』収録作を採っている。本作を含めると種村は『こうもり』の九編中七編を訳しており、全訳を目指していた可能性は高い。

　グスタフ・マイリンク（一八六八―一九三二）はヴュルテンベルクの大臣と女優の間に生まれた庶子で、銀行家として出発したが詐欺の嫌疑をかけられるなど不運に見舞われ挫折、作家となった。種村は両親の対照性に注目し、「現実にも超自然にも、そのどちらかに決定的に加担することができない」（「道化服を着たマイリンク」、『詐欺師の勉強あるいは遊戯精神の綺想　種村季弘単行本未収録論集』所収）と評している。

　本作は初期短編に多くみられる俗物性への風刺の色濃い作品だが、同時に東洋神秘思想の英知をダシに、現実をしたたかに生きぬく市民の図太さを描いていると読むこともできる。まさに種村好みの一編といえるだろう。

種村季弘とドイツ夢幻譚

怪人タネムラを追って夢の世界へ

垂野創一郎　編訳

はじめに

風の便りによれば『幻想と怪奇』の本号には種村季弘の未発表訳稿が掲載されるという。すばらしいニュースではないか！　万有を縦横に踏破し、おびただしい貴重な知見をわれわれに撒き散らしてくれた巨人にして怪人に、まだ知られざる原稿が残っていたとは。

さらに本号の特集は「夢境彷徨」だそうだ。わたしも及ばずながらその驥尾に付し、夢とかかわり、種村季弘ともかかわるもの、すなわち夢と種村が交錯する作品を六つばかり集めて翻訳してみた。

もう三十年も前になるが、『澁澤龍彦文学館』なる好叢書が筑摩書房から出版されたことがある。そこでは各巻が「綺譚の箱」「迷宮の箱」というふうに箱に擬されていた。この種村版がもしあったら「夢の箱」はこうもなろうかという気持ちで編んでみたものが本編である。

以下に各篇を簡単に紹介する。

1　パラケルスス「睡眠中の幻影や顕れについて」

歴史的人物を扱った種村季弘の一連の評伝は一九七七年に出た『パラケルススの世界』（青土社）から始まった。対象は誰もが知るオカルト界の大立者である。

その浩瀚な著作（ただし偽書もかなりあるといわれる）の随所でパラケルススは夢について語っている。それらは断片的ながらアルベール・ベガンの手により集成され、ブルトン編『セリ・シュルレアリスム2　夢の軌跡』（青土社　一九七〇）の冒頭に掲載された。

本稿は「隠秘哲学」第四章の全訳で、翻訳にはヴィル‐エーリヒ・ポイケルトによる現代語訳を用い、ロバート・ターナーの英訳と上記『セリ・シュルレアリスム2』を参照した。

2　ビンゲンのヒルデガルト「眠りと夢について」

『愚者の機械学』（青土社　一九八〇）で種村が論じたゾンネンシュターンやエンマ・クンツにも相通ずる幻視画を描き、「修道院に蟄居ししかも病身の身で何でここまで知っているのだろう」と驚くくらいの博識家で、幻視三部作の著者で、作曲家で、時の教皇らを相手取った交渉のかけひきにも長けていた稀代の人物ヒルデガルト（一〇九八―一一七九）を、種村は『ビンゲンのヒルデガルトの世界』（青土社　一九九四）で活写している。ヒルデガルトの名は『パラケルススの世界』ですでに言及されていて種村偏愛の人物とおぼしい。

ここに訳出した断片は『病因と治療』の一節で、睡眠と夢を扱った部分である。原文はラテン語だが、この翻訳はハインリヒ・シッパーゲスのドイツ語訳を底本とし、バーガーの英訳を参照した。独訳には「アダムの目覚め」等の小見出しはないが、英訳に倣って付加した。また臼田夜半編訳『聖ヒルデガルドの病因と治療』（ポット出版　二〇一四）も参照させていただいた。

3　H・C・アルトマン「緑色の封印がされたお告げ」

二重帝国崩壊後のオーストリアは幾多の奇矯な作家を生んだが、ハンス・カール・アルトマン（一九二一―二〇〇〇）もその一人である。パラケルススのように放浪し、無数の言語を駆使して作品を発表した。彼が独訳したラヴクラフトは原文より怖いらしい。

種村訳『サセックスのフランケンシュタイン』（河出書房新社）が出たのは原本のわずか三年後である。この種のナンセンス作品への種村の入れ込みようがしのばれる。関連する種村の著作としては、評伝集『ナンセンス詩人の肖像』（竹内書店　一九六九）がある他、やはりナンセンス詩人の一人モルゲンシュテルンの『絞首台の歌』が晩年に翻訳されている。（書肆山田　二〇〇三）

『緑色の封印をされたお告げ』は一から九十までのそれぞれの数字にちなんだ夢のお告げがデタラメかつ無責任に説かれる、日本でいえば橋本治の『アストロモモンガ』みたいな本である。『サセックスのフランケンシュタイン』でも顕著だったコラージュ志向がよりつきつめられている。原著では夢のウィーン幻想派の鬼才エルンスト・フックスが夢の一つ一つに挿絵を添え、実質的には二人の共著といえるものになっている。

4　オスカル・A・H・シュミッツ「十八世紀の一夜」

ヨーロッパを股にかけた快漢の生涯を描く『山師カリオストロの大冒険』（中央公論社　一九七八）はめっぽう面白い本である。ここにもなんとかカリオストロと夢をあつかった短篇を入れたいと思ったが、適当なものがない。そこで代役としてサン・ジェルマン伯爵にお出ましを願うことにした。自称錬金術師であり、予言の才があり、支配者階級を手玉にとる山師である等、カリオストロとサン・ジェルマンにはいくつもの共通点がある。

この「十八世紀の一夜」はアルフレート・クビーンの挿絵を付した『ハシッシュ』（一九〇二）という連作短篇集の第三話にあたる。語り手の青年は旧知のイタリア貴族アルターカッラーラ伯爵とパリで偶然出会う。伯爵に連れていかれたハシッシュ愛飲家のクラブで彼の見るさまざまな幻夢がこの連作短篇集を構成している。ちなみに作中でサン・ジェルマン伯の口走る「似タモノハ似タモノデ」はパラケルススが『奇蹟の医書』で述べた五つの治療法のうち第二のものである。

関連する種村の著作では『悪魔禮拝』（一九七四）が見逃せない。この本で論ぜられる悪魔礼拝者とは連帯と集団陶酔を好む幼児退行者の謂《いい》であり、彼らが必要とし崇める悪魔とはその中心にあって独り醒めた父性的存在である。この短篇に出てくるサン・ジェルマン伯はこの定義による悪魔の好例といえよう。のみならずこの悪魔と悪魔礼拝者の関係は、たとえば国家元首と民衆にも適用されうるし、神と信徒にも適用されうる（種村パラドックス！）。

5　ゲオルク・ハイム「夢日記（抄）」

季村敏夫・瀧克則・間村俊一の三氏の主宰による同人誌（というにはあまりに瀟洒な雑誌）『たまや』四号（二〇〇六）に掲載された種村の「夢記」を読んだときの不思議な気持ちは今も忘れがたい。現在では単行本未収録論集『詐欺師の勉強あるいは遊戯精神の綺想』（幻戯書房　二〇一四）の冒頭を飾っている。

それにあやかってここにも夢日記をひとつ入れることにした。わずか二十五歳で亡くなった夭折詩人が晩年の数年間に見た夢を記録したものである。

作者のゲオルク・ハイム（一八八七—一九一二）は邦

訳短篇集『モナ・リーザ泥棒』（本郷義武訳　河出書房新社　一九七四）が大変な稀覯本となっていることもあいまって、幻想文学愛好家のあいだでは一種伝説的な存在となっている。この機会にその片鱗を紹介することができてうれしい。残された夢日記には大小三十程度の夢が記されているが、ここではその四分の一ほどを訳出した。

　表現主義時代の卓越した詩人としてハイムは将来を嘱望されていたが、一九一二年の冬、スケート中に氷が割れて、湖に落ちた親友を救おうとして共に溺死した。一九一〇年七月二日の夢はそれを予言しているようで痛ましい。ともあれこの早すぎた死のため作品の多くは死後に遺稿として出版された。「モナリザ」を盗む男・フランス革命の群衆蜂起・病院から出てきた殺人鬼・死体解剖・船内に蔓延するペストなどを扱った七篇を収録した『モナ・リーザ泥棒』（一九一三）もその一冊である。

6　シェーアバルト「新しい生　建築的黙示」

　パウル・シェーアバルト（一八六三—一九一五）という忘れられた作家の一巻本選集がドイツの小出版社から出たのは一九六一年のことだが、そこに収録された一長篇は早くも四年後に種村の手によって、桃源社の「世界異端の文学」の第二巻『小遊星物語』として訳出された。種村の目配りの広さと速さはここでも恐るべきものだ。

　ヴァルター・ベンヤミンも初版本を蒐集していたというこの特異な幻想作家への種村の関心はその後も続き、『永久機関　附・ガラス建築』（作品社　一九九四）等が訳出されたほか、前に触れた『愚者の機械学』ではシェーアバルトの永久機関について論じている。

　ここに訳出した「新しい生　建築的黙示」はすでに『永久機関 附・ガラス建築』の中に種村訳があるが、捨てがたい珠玉作であるので不遜をかえりみずあえて新訳した。これは全八十三話からなる短篇集『つねに勇気を！（Immer mutig!）』（一九〇二）の第十三話目の物語である。この短篇集は枠物語の形式になっていて、語り手は岩壁を登っている最中に一匹の河馬に出会う。二本足で歩き、人の背の半分くらいしかないその河馬は、語り手を自分の住み家である洞窟に案内して、お前が持っている原稿を読ませてくれとせがむ。そこで河馬が読む原稿の中身が八十三の短編を構成するわけである。一つの短篇が終わるたびに河馬はいろいろコメントする。

　常人には理解しがたいシチュエーションだが、シェーアバルトの奔放な作品群の中ではむしろ普通なもののうちに属する。

睡眠中の幻影や顕われについて

Von geistlichen Gesichten und Erscheinungen im Schlaf

パラケルスス　Paracelsus

　これには自然のものと超自然のものの二種がある。睡眠中すなわち夢に現われるさまざまな幻影のうち自然のものについては、ここで詳しく扱うまでもあるまい。なぜというに、それらのものは日々の悲哀や鬱屈や血の濁りや思考の拘《こだわ》りから生じるもので、すなわち日々の心情の作用であり、日中にその者が心を砕き、頭を一杯にしていたものから生ずるものだからである。たとえば博奕《ばくち》打ちはしばしば博奕の夢やサイコロやカルタの夢、あるいは大金を儲けたり失ったりする夢を見ることだろう。兵士はいくさの夢や銃口、火薬、甲冑、武器の夢、あるいは勝敗の夢を見る。同じくバッカスの輩《やから》つまり大酒呑みはよいワインの夢、大ジョッキ一杯のワインを飲み干す夢、さもなければ色々なもので腹を満たす夢を見る。同じく強盗は強盗の夢、厩番をたびたび味方につけた夢を見る。人殺しは人殺しの夢、泥棒は泥棒の夢、好色男や好色女は色事の夢を見る。それらはすべて彼らの夜霊《ナハトガイスト》の仕業であり、夜霊はそんなふうに人をもてあそび、さらに煽動し教唆し、彼らの欲望に消しがたい火をつける——とりわけ恋する者にみられるように。

　ここで黒魔術を弄する色事師らが腐心してきたのは、意中の者を激しい恋のとりこにしようと、夢の中に、つまり睡眠中に己の姿を見せて意中の人を恋させる試みだった。多くの者が文字や言葉を、たとえば漉きたての羊皮紙に己の血で自分の名を書いて、寝台や枕の下に置いた。娘たちは若者に対し、同じことを自分の帯や髪飾りやヴェールを使って行った。かくの如き行いはしばしば試みられたものの、それによって常に変わらぬ真正の愛が得られたためしはなく、またその中で信仰もなおざりになった。

　また芸術家たちは、たえず激しい渇望に身を焦がしている芸術について、眠りと夢の中で、多くの教えを受け啓示を授けられた。彼らの想像力は奇跡を重ね、哲学者のエウェストルム（誕生とともに人に備わり、将来を予知するアストラル体）を眠りのうちで味方につけ術を教わった。これは今もしばしば起こる。

だが多くは目覚めると忘れてしまう。朝起きて「昨夜はすばらしい夢を見た。メルクリウスが、あるいはあれこれの哲学者が生身の姿で現われて、さまざまな術を教えてくれた。でもすぐに忘れてしまった」という者がいる。

そんなときには目覚めたあとも部屋から出ず、人と話さず、何もかも思い出し夢を再構成できるようになるまで、一人でじっとしているがいい。

以上は日々現われる自然の夢の話である。その話を終わるにあたり、あと一言言い添えたい。そうした夢の中で霊はわれわれを喜ばせたり悲しませたりするが、往々にして後に反対のことが起こる。したがってそのような夢はかならずしも信頼できるものではない。

いっぽう別種の夢、すなわち超自然の夢は、主御自らによって整えられ、われわれに使わされた一種の使節でありお告げであり、まごうことなき天の御《み》使いであり有益な霊である。それはわれわれが困りはてたとき、ちょうど東方の三博士のもとに現われたように現われる。三博士は新生児を探して遠くまで旅をした。その子を見つけたとき、博士たちはヘロデ王のもとに戻り、王にその話をせねばならなかったのに、夢に主の御使いが現われて、二度と王のもとには帰らぬよう、他の道を行くよう勧告した。なんとなれば主はヘロデ王が偽りの心で語っているのをよくご存じで、王が謀《たばか》られるのを望んでいたからだ。似た夢はヨセフのもとをも訪れ、エジプトに赴こうとしたヤコブのもとをも訪れた。アナニアスやコルネリウスの場合も同様で、その他にも多くの例がある。彼らはすべて超自然の夢を見たのだが、そうしたことは今のわれわれにも起こる。しかしわれわれはそれに注意を払わない。しかしそれらは真実の夢であり、われわれを欺くものではない。

だがこのお告げ――その現出、その顕現は、困り果てたときに神の慈悲を乞うことによりもたらされるものであることを忘れてはならない。真に神を信じ口と心を用いて祈りをなすなら、主は御使いを送り、その伝令は霊のかたちでわれわれのもとに現われ、われわれを諌め、慰め、教導し、約束をする。

この夜の幻影や顕れをバラムはたびたび経験していた（旧約民数記第二十二章）。聖書によるとバラムは、望みさえすれば毎晩でもその種の幻影を招き見ることができたという。だが聖書は彼を妖術師という無礼な名で呼んでいる。だがそれを気にしてはならない。超自然のものを経験しながら聖者にあらざる者を、ひとしなみに聖書は妖術師と呼ぶからだ。だがそれには特に大きな理由がある。主はわれわれが使徒のごとく素朴であることを望まれ、厳重に秘された超自然のものごとに心を煩わし、探求し、濫用して隣人に災厄をもたらし、道に迷い、心身ともに呪われることを望まれない。であるから聖書が妖術師と呼ぶ者すべてが妖術師であるわけではない。というのは、もしそうであるなら、東方の三博士は真正の妖術師にならざるをえない。なにしろ彼らは術において、なかんずく超自然の術において、彼ら以前の、あるいは同時代の誰もおよばぬ高度の心得があったのだから。だが聖書は彼らを妖術師ではなく博士《マギ》と呼んでいる。これはどう理解すべきか。それは博士たちが、大いなる秘法としての智慧を誤用しなかったということに他ならない。というのも魔術《マギア》とは、その最高度の力は信仰によって生ずるような術であるからだ。しかしそこからは妖術も生まれうる。正しい使い方がされねばそれは妖術となる。

　それはさておき、さらに睡眠中の幻影や顕われについて述べるとすれば——われわれの中には、眠りの中で霊により神に召され、神の偉大さを、祝福された者の喜びを、神に呪われた者の苦悩を見て、その後もそれを忘れられず、死ぬまでそれを心に抱く者がいることを知るがいい。というのも霊にはそれらはすべて可能だからだ。信仰をもって神の慈悲を祈願するなら、神の秘密《ミステリア・ディ》をすべて、イザヤやヨハネが見たと同じく見ることができよう。これこそまさしく真の幻影であり顕われである。それを信頼することは、鏡や水晶やエメラルドや指の爪や石や水など諸々のものを用いるいかなる黒魔術《ニグロマンティア》にも優る。なんとなればそうした黒魔術はいかさまであり偽りであるからだ。そうしたものの中に現われる霊が、いかに指を延ばし千の誓いを立てようとも、それが説いたり答えたりすることに信を置いてはならぬ。神の命すなわち導きに従うものだけが真実を語るからだ。

　だが先に述べた幻影からは真正の予言がなされる。その言はあらゆる預言者のものと一致し調和する。どこから預言者たちはその予言を得たのか。いかにして彼らに神の秘密《ミステリア・ディ》が啓示されたのか。ひとえに眠りの中で霊がもたらす超自然の幻影としてである。したがって肝心なことは、まず根源のものを求め、礎《いしずえ》をその確たる岩盤の上に、すなわち主の御言葉と約束の上に築くことである。そして揺るがぬ信仰をもって祈りのうちに主を求めねばならぬ。そのとき主はその御言葉で約束されたものを全てわれわれにお与えになるであろう。

　さらにここで述べておかねばならぬのは、眠りの中に現われる死者のエウェストルムについてである。それは五十年前から百年前に亡くなった者の霊であることも珍しくない。これにもまた格段の考慮が要され、多くの者によって論ぜられている。だが長くなるゆえここでは省略し別な折に述べよう。ただ一言だけ注意しておきたい。そのようなことが起き、エウェストルムが出現したときは、そのエウェストルムが何を示し、何をわれわれと語り、あるいはわれわれと何を霊的に交渉したか、それらに注意をはらうことがきわめて重要である。それらを荒唐無稽と思ってはならない。もし眠っている間も目覚めているときと同じくらいの悟性を保つことができたなら、エウェストルムが出現したとき、聞きたいことを尋ねれば、あらゆることに関する真実が告げられるであろう。だがそれについてここでこれ以上語ることはふさわしくない。

眠りと夢について

ビンゲンのヒルデガルト

Der Mensch zwischen Schlaf und Wachen

Hildegard von Bingen

アダムの眠り　アダムが神の命に背くまでは、睡眠は単にアダムに沈思をもたらすものにすぎず、また生の糧は瞑想によってのみもたらされていた。だが堕罪のあと、アダムの体は、死者の肉が生者の肉よりも脆《もろ》くなるように、弱々しくなり脆くなった。睡眠により気分を爽快にし、食事により力を回復するようになったのはそれ以来のことである。今はそれがすべての人間の正常な状態になっている。というのは、人の肉が食物により育つように、髄は睡眠によって育つから。

眠り　睡眠のたびに髄は回復し成長する。目覚めていると髄はいくぶん痩せて弱くなる。ちょうど月が満ちて丸くなり、欠けて細くなるように。植物の根が冬のあいだその緑の力を保持し、夏に花を咲かせるように。労働による疲労や夜更かしで髄が消耗したとき、人は眠りに襲われ、立ったままでも、座っていても、たやすく寝入ることができる。これは魂が体の要求を感じるからである。

すなわち目覚めていることで髄が消耗し衰弱すると、すぐに魂の力が、穏やかで心地よい息吹を髄から引き出す。これが首のあたりの血管とうなじを通して額にいたり、頭部の血管を満たす。そのようにしてそれは生の息吹を抑圧する。すると人は、単にそこに横たわるだけの存在になる。何も感じず、何も意識できず、体を動かす力が失われたようになる。自分自身の思考の流れや感覚が意識できなくなる。それらの生の息吹を入り込ませたり流れ出させたりするのは魂だけであり。それは目覚めているときと同じである。魂こそ目覚めのときも眠りのときも人を統括しているものであり、起きているいないにかかわらず、生の力を与えているものである。それゆえ先に述べたように人は眠る。魂が力を集めて髄を育て力をふたたび与える。この髄を通して魂は骨を強くし、血流を安定を保ち、体の組織を鍛え、四肢の連携をよくし、そのうえ体がもともと無意識のうちに持つ知恵と知識も広げる。そんなわけで眠りの状態でも、起きているときより内的には暖かい。人は起きていると髄が痩せて粘つき乱される。だからこそ眠りにつく。眠ると髄は燃える。なぜならそのとき髄は肥え育ち、澄みきるから。

夢精　またここで髄はその熱の結果として、しばしば血を溢れさせ性欲を刺激して、汚れの泡を生殖器に送り、本人の知らぬ間に放出させる。同じく髄はときたま暴飲暴食によっても煽られる。なぜなら節度のない飲食は髄の火を助長しがちであり、その流体は髄ばかりでなく血も活発にさせるからだ。かくて熱せられた髄は血に性欲を目覚めさせ、その者が知らぬうちに汚れの泡を生殖器に送りこむ。それはまれな場合をのぞけば、夏の暑さや暖かい服によってもたらされるものではない。

夢と予言　体が目覚めているとき、魂はさまざまな用事にかかずらっているが、体が休息していて無為なあいだは、魂は夢の中で知力をまるで目のように使い、あちこちを見晴らす。魂はいまや体の細々とした活動に煩わされることがないからだ。その昔、神が眠りをアダムの上に垂れ給うた頃は、アダムの魂は睡眠中に将来のものごとをたびたび見た。アダムはまだ罪を犯していなかったからである。したがって今でも、眠る者の魂は、その者が罪の重荷を荷《にな》ってさえいなければ、多くのものを見られるはずなのである。とはいえ魂は神に由来するものであるから、体が眠っているあいだに、ときには将来本当に起こることを見ることができる。魂は、人がやがて直面するものを認識し、それは往々にして実際に起こる。だがさらにしばしば起こるのは、悪魔のまやかしに抵抗できず、あるいは心の不調が負担になって、魂がものを明瞭に見ることができずに、たやすく欺かれてしまうことである。というのもしばしば目覚めているときに頭にあった思考の流れや意見や計画が、夢の中にまで入り込み、そんな懸念は良いものであれ悪いものであれ、酵母がパン生地を膨らませるように夢を膨らませるからである。懸念が良いものであり神聖なものであるならば、神の慈悲は人にしばしば真実の夢をもたらし給う。懸念がつまらないものであれば、悪魔がそれに目をつけて、魂を不安に陥らせ、悪魔自身の嘘をその人の思考に紛れ込ませる。

悪魔の惑わし　悪魔はしばしば聖人をさえ嘲って、彼に恥ずべきものを見せる。寝る前に羽目をはずしすぎたり、悲しみや怒りや不安や支配欲などが強すぎたりすると、悪魔の妄想喚起力は夢の中にも同じものを出現させる。

それはまさに人が目覚めているとき見たいと思っていたものであるから。人が好色な想像をしながら眠りについたときにも、悪魔はしばしばまやかしをして、まだ存命の人や生前親しく交際していた故人のまぼろしを見せ、あるいは現実に会ったこともない人を見せさえもする。するとあたかも自分がその人と罪を犯しているかのように感じて泡の放出をする。まさに自分が今起きていて、そしてその故人がまだ存命でそこにいるかのように感じられ、そして泡の放出のとき夢見た恥知らずなことが実際に彼自身の身に起こったかのように感じられるのである。悪魔が目覚めている人に耳打ちして、共に邪《よこしま》な世界に身を委ねるように、悪魔は夢の中でも人を落ち着かせない。

魂の影響　魂は体に固く結びついているので、起きているときと同じく寝ているときも、魂は、ときにはみずからの意向に反してでも、体と協調して、しばしば体の内に散漫な活動をさせる。ちょうど水の流れが水車を回して臼に粉を挽かせるように、魂は体を刺激して、目覚めているときと同様眠っているときもさまざまな活動を促す。太陽が日中の光であるように、魂は目覚めている体の光である。そして月が夜の光であるように、魂は眠る体の光でもある。すなわち眠る人の体が真に調和のとれた状態にあって、その結果髄が均等にほどよく体を温め、邪《よこしま》な攪乱や礼節への反逆を感じていないときには、たびたび真実が見られる。そのとき魂の知は調和のとれた安らぎの内にある。それはあたかも風も雲もない夜に、月が十全で生粋の光を送り出すようなものである。しかし雑多で乱れた思考が目覚めているときの心と体を捕えていて、その嵐のような気分のまま寝入ったときには、たいてい偽りの夢を見るといってよい。魂の知が乱れのおかげで曇り、そのため真実が見えなくなる。それは風の強い曇りの夜には月がはっきり見えないのと同じである。

緑色の封印がされたお告げ（抄）

H・C・アルトマン　Hans Carl Artmann

Grünverschlossene Botschaft

1

蟋蟀《こおろぎ》の心臓のなかでチェロを弾く夢はしばしば見られる。もしその蟋蟀が鶉《うずら》に食べられ、鶉が羊に食べられ、羊が狼に食べられ、狼が腹を空かした提督に食べられ、艦隊が謀反を起こして提督がオレゴンの浜に打ち捨てられるなら、やがて金が転がり込むと期待していい。チェロはボイズ提督の臓物《はらわた》で鳴り響き、目覚めた君はなお耳に残る君自身の音楽である数字の一を書きとめる。

2

君が帽子の夢を見て、そこから羽が生え、君の頭にくっついて共生するようになり、やがて首に君の全体重をかけて食人種の村に君を運び、そこではすでにきらめく刃が君の目の前で研がれ、ナイフ使いがにやにやと金を数え、コックの女房が白い丸帽を君の頭に押しつけようと王冠のようにかかげ、そして実際にそうしたとき、帽子のてっぺんに小窓が開き、そこから野生の白鳥の群れが飛びたったなら、数字の二を書きたまえ。

6

もし原油の柱が信じられないほどの高さでカナンの地から吹きだし、目も彩《あや》に輝くその柱が成層圏で雄牛の角のような形に分かれ、しかも落ちてこなければ、そしてあわやというとき遠隔操作されたジープが助けに来て、危険地帯から君を連れ去り、君が葡萄でお礼をし、酸い安物のワインをジープからお釣りにもらい、何日も旅したあげく、アラスカのどこかの町で車から降りると、旧友たちが――すでに故人かもしれない友たちが君を迎え、歯を剥きだして威したなら、起きたあとも忘れないように、枕に六の字を書きたまえ。

7

もし朝方の夢で陶器の人形たちが手術用のメスを手に現われ、君が男性自身を失う不安をおぼえたなら、あるいは君が女性なら陰核を失う不安をおぼえて、いっそのこと無垢のダイアモンドの彫像になったらどうだろうという考えがひらめくと、たちまちそうなって、まわりに群がる人形どものぴかぴかする器具をへし折ったなら、そのときは意地悪く、そう、人形たちの目が灰になるほどの悪意で笑いたまえ。マニトウ（北米先住民の信じる超自然力）らしきものが空をおおう雲から現われ、ロープを伝って地に降りてきて、人形どもの目から灰を、あたかもそれが塵でプレーリー（ミシシッピー河流域の草原）がぴかぴかのテーブルであるかのように吹き飛ばしたなら、一言も言葉を発さずに、起き上がって緑の七を君のメモ帳に描きたまえ。

10

もし君が駱駝庭園の管理人になった夢を見たなら、雄を雌から分離して、雌を西に雄を東に追いたてたまえ。そしてもし移牧のさなかに真の愛が紅茶を飲む女性の姿で現われ、彼女と幾夜かを過ごしたのち君が彼女の眼鏡を割り、空色の目から涙がこぼれ、君が彼女に「ばちかいちか！」と言い、彼女の心は破れ、おかげで君の心も破れ、君と彼女は雄と雌、二頭の駱駝にはさまった輿《こし》に乗せられ墓場へ連れていかれたならば、誓いはすべて忘れたまえ、忠誠はすべて忘れたまえ、屍衣を引き裂いて飛び出して、四方の風に向かい君の幸運の数字十を叫びたまえ。

11

火炙りにされた魔術師の灰を腐ったワインに混ぜて飲まねばならないほど悪いことはない。このひどいしろものをぺっと吐き、君の庭に出現した洗濯場の壁にかければ、この汁は幸運をもたらす十一の形になるだろう。

13

十三本の脚を一度に持つのは単純な夢である。起き上がり、雨傘を手にして、それを十三回開きたまえ。

16

もし君が夢で鰐に乗っていて、その鰐が肉や硬い鱗《うろこ》がないゴム製みたいに感じられ、それにもかかわらず鰐が君の右脚を食いちぎり、君はナイロビで手当てを受け、黒人の看護師が君に献血するとたちまち君は縞馬《しまうま》男になり、発砲されながらも緑の目を光らせ嵐のように逃げたなら、河のほとりの泥地に行き、泥に指で十六と番号をつけたまえ。

21

もし髭のはえた中国人が君に近づいて、食器を北京に忘れたのでナイフとフォークを貸してくれと言ったなら、そしてその人がいつのまにか電話のダイアルに変わっていたなら、ためらわず二と一を回したまえ。それは幸運を運ぶ二十一だ。

22

夢の中で放尿していると、いきなり自分がアイルランドの主な河川すべての発生源であるのに気づき、そして空になった膀胱の中でサファイアやトルコ石がカラカラ鳴るように感じ、新聞に君は水の神として信仰されるであろうと書いてあったなら、君の名を誰もが聞こえるように世界中で二十二回叫びたまえ。

26

もし聖シメオンが来て、君に音高くびんたをくらわし、その振動でカザンのあらゆる鐘がひとりでに鳴り出し、さらにそれが白樺と刺草《いらくさ》の花の祭であるイースターの日あたりのできごとで、若々しい野兎が聖シメオンの髭から飛び出してきたら、君の次の幸運の日は二十六日だ。

28

自動循環エレベーターが暴走をはじめ、もはや君は階に飛び降りる勇気が出ず、そしてエレベーターの壁が段ボールのようにパタパタ鳴り、売り子たちが異口同音に「いいいい」と叫び出し、十二月の青いウール地があらゆる平台からあふれ出てエスカレーターが止まり、作り物のクリスマスツリーが氷山のように燃え、百貨店の神が目を開けたなら、二十八時の鐘が鳴るだろう。

33

三十三は美しくて切りのいい数字で、夢に不意に現われた映画スクリーンにこの数字がチカチカしていたなら、君はふるいつきたくなるような双子に誘惑されるはずだ——もっとも翌朝二人が一本の茎から伸びる二輪のチューリップに化けていても、あわてふためいてはならない。

36

君はシャーロック・ホームズ風の古風な探偵として登場するが、たちまちそこはレーニン広場（旧東ベルリンの広場。当時まだドイツは東西に分裂していた）になり、君のディアストーカーは寄生木《やどりぎ》におおわれ、朝早い空も君の頭の冠に劣らず淡い緑色をしている。だがこの帽子飾りは誰がくれたのか、どこから来て、なぜ頭に乗っているのか。五階の窓から鳩の死骸と黒い時計の針が、雪のない冬めいた朝の静けさの中、羽毛か枯葉のように落ちてくる。君はぴかぴかしたケースからルーペを取りだし、仄かに光る鳥の命を奪った首の傷を観察し、散らばった針を数えると、ちょうど三十六あって、君はそれらを拾い集めて小さな山を作り、鳩の犠牲と時間と数と寄生木の頭飾りのつながりを調査する。

37

君の夢に鵞鳥《がちょう》が入り込まないようにしたまえ。それでも入ってきたらシャンパンをふるまい、君は水を飲みたまえ。すると奴は小さな爆発音とともに裂け、露わになった臓物《もつ》は数字の三十七になるので、もし君が一儲けしたいなら、ロトの売り場にそれを投げ出すがいい。

40

君は夢でヒアシンスになり恋人の庭に植わり、恋人は涙で君を育て、君の香りに包まれて、開封されずに返ってくる手紙を書くけれど、忘れてはいけない、手紙はすべて君に宛てたもので、君は行方不明で、誰も君が植物と化したのを知らず、恋人は手紙をみんな君の周りに埋めて、黒土の中で腐るにまかせ、青い文字は君の球根に集まってから空中に飛び散り、花の姿の君は信じられないほどの速さで、十五センチの大きさで、四十日と四十夜のあいだ恋人の庭の上空にただよい、そのうち恋人が首をくくるのを見るだろうが、君にはどうしようもない。

43

（青、紫、あるいは海の緑の色をした）傘を忘れる夢は乾いた夏のしるしであり、数字の四十三と同じく、七月の夕べに迫る雷雨に用心したまえ。それのみならず、君の目に入る白鳥をすべて数えて、四十三羽目のものを殺せば、その胆嚢にめったに見られぬほど大きな真珠が見つかるだろう。それは君を透明人間にする。

44

もし君が単純な、公園のベンチと雀の夢か、ささやき声で話す未亡人と煙を出して出航する外輪船の夢を見たなら、自転車に乗って四十四回自宅の周りを回ってから、ロトの売り場へ向きを変えたまえ。

47

ある夏の日の夢で、二つの精神病院のどちらを選ぶかで悶々と悩んだなら、少額のコインを河に投げたまえ。もし河が亀を投げ返したなら、最初のほうにしたまえ。魚を投げ返したなら、二番目のものにしたまえ。その河はザンベジ河（アフリカ南東部の河）でなくてはならず、四十七は「二つの精神病院から選ばねばならない」を意味する。真昼ころに幸運が訪れよう。

48

黒人の夢は白人や黄色人のものとは違う。夢の中で君が黒人で、その夢で君が夢の中の第二の夢に落ち、そこでは君が白人か黄色人であったなら、君は自分が黒人のための革命を煽って、逮捕され手錠をかけられ連行されて、白人か黄色人かの総理大臣が君をゴロツキと呼び、君の頭から帽子を払い落とした時点で、君は最初の夢に、ちょうど自分の庭から隣の庭に飛び移るように戻り、その夢の中で君は自分の黒い肌をひどく恥じ、そのため皮膚を剥いで白か黄色の革をかぶせるなら、翌朝君は縮んだ黒人の皮膚でできた四十八をベッドに見出すだろう。それは近い将来につぎつぎ幸運が舞い込む確かなしるしである。

50

君が夢でケープとシルクハット、目にきらめくモノクル、脇にステッキをかかえて娼館を訪れ、奇跡のように美しい骸骨たちが絹とチュールの服で君を迎え、その一人一人が値のつけられないほどの娘で、彼女らのかつての肉が銀の皿に載って君に供され、炙った胸肉や薄桃色の太腿、むっちりした腕、アスパラガスを添えたぶつ切りの腹肉の煮込み、各種取り揃えた尻肉のグリル、唇の砂糖漬け、軽く焼いた指、そして鐘状の蓋の下に固く禁じられた珍味——こんなものが出されたら、どれほど女将《おかみ》が勧めても手をつけず、ピストルを取りだして、広間に吊られた五十のガス灯を撃ちたまえ。一灯も残してはならない。すると骸骨はみなふたたび肉をまとい、とりあえずその夜は救われるだろう。

52

若々しい革命家が血を流して君の家を訪れる。負傷して追われているのだ。もし君が夢で同情を催したなら、彼を入れてやり、屋根裏部屋にかくまって面倒をみるけれど、新しい軍需品は提供しない。君の（夢の中での）娘が革命家に惚れ、君に知られず一か月間ベッドを共にする。九か月すると君の娘は機関銃を手に取り、助産婦は君と君の娘を裏切って密告するだろう……

だがもし君が同情を催さないなら、君は青年に言う。隣の家に行きたまえ。隣はここより広いし、君に共感もするだろう……その場合君の夢は全然違う道をたどる。

若い革命家はつらそうに足をひきずり君の家を去り、隣家に向かうが、おびただしい血を後に残し、そこに鴉《からす》が群がる。それを見た人は思う。ただならぬことが起きたようだ、警察に知らせよう……すると諜報機関の者が来て君に訊ねる。これはどういうわけだ？　君は答えに詰まり、男は君を打ち据え、最後に君は燃える五十二、つまり万事休すの数字が目の前で踊るのを見るだろう。

53

夢の中で夏の夕べにぶらぶら歩いているうち、偶然のように蠟人形館に行き当たり、広間から広間へと絨毯の上を滑るように歩いていくと、君自身の過去と将来の五十三の成り行きが、良いものも悪いものもひっくるめてそこに見られたなら、あらゆる隅に火を放ち、その奇妙な場所から逃げたまえ。消防車のサイレンが静けさを乱すまで足を止めてはならない。

54

水に溺れる夢を見て、ヘラクレスの腕を持つ魚が君を抱きしめて水中の王国に連れて行き、周りは揺れる海藻と環状の陽光の欠片《かけら》なのに、釣鐘草のように頭上をおおう青空の下にいるみたいに、なんとか呼吸ができるようになったころ、水中の鳥小屋の戸が開いて、変な腕を持つ魚が君をそこに押し込め、君は翼を生やし、といっても鳥の翼ではなく、ヘルメスのように踵《かかと》から生えた翼で（そこには君と同じ変身をとげた者がすでに大勢いるだろう）、新しい仲間のあいだを一巡したなら――ひたすら夜の訪れを待ち、恐ろしい闇に乗じて、鍵のかかった戸の左から五十四番目の柵を探りたまえ。それは外すことができる。どこかの海水浴場の救命灯にたどりつく君を誰も邪魔しはしないだろう。

55

そして君が午前中ずっとベネズエラの地を夢見て、危険なラグーンで海水浴をしている気分になり、鸚鵡《おうむ》めいた鳥に観察され、雷雲が天にひろがり、鳩の卵ほどもある雨つぶが落ちてきて、君が水面に顔を出し激しく息を吸うたびインディオが指笛を鳴らし――そのうち君の服と武器が（ついさっきまで海辺のどこそこに置いてあったのに）盗まれたのに気づき、水から出て大きな葉を帽子代わりにかぶり、裸のまま村まで行って族長に訴える……セニョール、と君は言う。僕は泳いでいて、鳥が僕を見ていて、雷雲が広がって、鳩の卵ほどの雨が降ってきて、僕が水面で息継ぎするたびにインディオが指笛を吹いて――僕が脱いだ服と、保弾帯と、山刀と、カービン銃を弾ごと取られました。すると族長は（夢の中で）彼の一番美しい娘を君に妻としてくれ、持参金に五十五ドルの緑色のアメリカ紙幣を持たせるだろう。

58

ふたたびインディオの夢。君はパラシュートである村の小屋の上をただよっている。木の葉と枝でできた屋根を突き破って、族長の娘の寝床に落ちる。悲鳴、驚愕、松明《たいまつ》と武器の蜂起……

そこで何と言えばいいか――君の知るアラワク語の全語彙、五十八の概念をすべて口に出したまえ。全然知らないのなら適当にでっちあげたまえ。ヤ、ヤプ、ヤプルイマ、ヤプルイマカ等、等、等。いうならばそれは若返りの泉、新鮮な露でできた鳥の声とでもなるだろう。

59

ハープ奏者でない者は夢でしばしばピアノを弾き、厚いレンズの眼鏡を（夢の中で）かけ、礼儀正しく静かに咳ばらいし、田舎の空気と耕されたばかりの土にあこがれる。一続きの夢の中でこんなことに起こったなら、数字の五十九は君には絶対に何の役にもたたないだろう。

60

大陰謀を阻止しようと、馬車《パエトン》に乗ってドラキュラの住む城に向かう夢を見て、君とは別のスーパーマンが途中で現われ、やはりその陰謀の阻止に興味を持ち、二人とも（ドラキュラが大いに満足したことには）互いの足をひっぱり、夜の偵察中に頭をひどくぶつけ、その音があまりにも大きかったので、暗い広間に響きわたり、伯爵は死のような眠りを覚まされ、たちまち状況を把握するや、残忍に笑い、それが君の血を一瞬凍らせるなら、六十はほんとうに切りのいい数字になる。

62

君が三十一枚の金歯を持つチェコスロヴァキア人の夢を見て、その男が緑色に塗られた柵を一飛びで越えながらズボンを破かず、追いかけてくる犬からもやすやすと逃れ、一軒のバーに入って、服を整え、ネクタイを締め直し、生《き》のウィスキーをダブルで頼んだなら、すぐさまロトで六十二の番号を選びたまえ。ただし売り子の名はＫで始まらねばならない。

63

君の夢の中でこの夢の本がブロセリアンドの森にある苔蒸した大きな捨て子石（氷河で運ばれた石が氷河が溶けたあと残ったもの）に変わり、トリスタンとイゾルデがそれにつまづき、おかげで二人が愚かな愛から醒めたなら、彼らを最寄りのロト売り場に番号六十三とともに遣わしたまえ。二人は一山当てて、先ほどの森の先ほどつまづいた場所に行くだろう。君は白い小さな鳥に変身し、二人をお菓子の家に案内し、その小屋に誘い入れると、魔女の君は、トリスタンを炙り、イゾルデを煮て、汗まみれで目がさめると、賞金は全部枕の下にある。

66

ふたたび去らねばならぬ故郷の夢。荷積みが終わり、船は君を乗せ、湾の外に連れ出す。陸からの風には、風呂の後に替えた肌着のような暖《ぬく》みが感じられる。音楽の響きがなおも切れ切れに聞こえ、サロンの電燈がつき、船客が殺到する。君の心で鐘が鳴る。オーストラリアのカンガルー園への出航！　なお一本の灯台と何個かのブイ、岸の銀灰色の帯、霧間から上がる月……ああ友よ、これらはすべてひっくるめて六十六のしるしだ。いつか故郷に戻ったあかつきには、それは幸運をもたらすだろう。

71

この本に七十一にあたる夢はない――七十番目の夢から来た山猫に散り散りにされたから。

73

軽率な夢はつねに七十二を意味する。

その例。友人同士の七人が古いイギリスの修道院の庭を散歩していて、ぽかぽかした初秋の一日をまさしく満喫している。一人残らず背が低く、もじゃもじゃの頬髯《ほおひげ》を誇っている。君は彼らに近付いて、こんにちはと言う。一人は第二次大戦以来の知り合いだった。君はいっしょに散歩しようと誘われる。一度は断ったけれど承諾し、君は自分が背が高くなったように感じていい気持になる、等、等、等。

76

君は何か相談事があって自由教会の牧師の応接間にいるが、ちょうどが牧師が少し席を外したとき、巨大な蛇が机の引き出しから這い出る――ふたたび牧師が戻ってきて、驚いた君の顔を見て言う。ああ何某さん、これはアダムとエヴァを誘惑した蛇なんですよ。捕まえて苦労して飼いならしたんですが、ごらんのように手におえないときもありましてね……。これは一考に値する夢だ。夢はスウェーデンのどことも知れない村が舞台で、色は橙、灰色、青、緑。室温は摂氏約十八度。この本には七十六の番号がふってある。

77

アラライラウ嬢が虚《うつ》ろな柳の幹の中に座り、その目が闇で猫じみて光る夢を君は見る。君は（夢の中で）猟師で、二匹の犬を従え、山刀といつもの猟銃を持っている。君のポケットカレンダーの表紙には一八七七とあり、君の犬はアラライラウ嬢に吠えかかる――令嬢は大公の狩猟用別荘に行くところだ。夢はすべてロシアが舞台で、君は酔っていて、君の血は（こう言ってよければ）沸きたっていて、この六月の夜に君を襲った熱は、もうどうにもならない。君は（夢の中で）どうすればいいのか。まず犬を二頭とも呼んで「伏せ」を命じる。そして近寄りながらこう声をかけるのだ。「アラライラウ・セミョーノワ、柳の中にあなたがいるのが見えます。どうか自由意志でそこから出ていらして、僕と緑の苔の上に寝転びませんか。今は六月で、僕の血は沸きたっています……」でも彼女は答えない。そこで君は言う。「ア……・セ……、僕の言うことを聞いてください。さもないと犬をけしかけますよ」それでも彼女は答えないので、大公が怒るだろうに、それを少しも意に介さず、君は犬を吠えさせて威す。すると彼女が木から出たので百種類の毛皮からなる服を脱がすと、令嬢は月に照らされた遊歩道のように輝いて、君はすかさずその遊歩道を歩く。そして彼女を（夢の中で）はずかしめ、大公は彼女のうめきを夢で聞いて（夢の中で）目覚めて激昂のあまりにグラスと壁の時計とをたたき割り、母と祖母は身を投げ出して大公が正気に戻りますようにと天に祈るが、君は七十七露里の彼方にいて、同時にこの数字の夢は将来起こるできごとを示している。もっともいつ何が起こるか君が自分で見つけなければならない。

79

七十九はどこかのカテドラルの尖塔からの銃撃だ。それは（夢の中で）街を歩いていた君の脳を頭蓋から吹き飛ばす。目が覚めた君は頭が痛む。

83

もし仮面をつけた四人のヴェネツィア婦人の夢を見て、彼女らに繻子のリボンを結んでもらい素敵なラグーンの町を案内されているうち、自分がピエトロ・ロンギの犀に――肥えて不格好で青黒い、ナイル下流のヌビアから来た化け物で、王女の右手の中指にとまる優しい燕の対極にあるものに――化けているのに気づき、この苛酷な運命を避けがたいと見たなら、早く目が覚めますようにと辛抱強く祈りたまえ。そのあと君とベッドを共にしているのが朝の光だけだったとしても、それはそれで喜びたまえ。

88

鯨の背に乗って旅するとことさら夢が刺激されるとは、つとに大プリニウスの『博物誌』で報告されている。だから君が船が難破した夢の中で避難する道すがら、水を噴きあげるそんなものに出会ったら、大洋の聞き分けのいい鳥に、嘴《くちばし》で少しずつ土を運ぶよう言いつけたまえ。やがてささやかな庭をつくるに足る土地ができるだろう。そうしたらお人よしの鳥に薔薇の若枝を持ってくるよう言いたまえ。かき集めた土に植えれば成長してきれいな大きな藪になるはずだ。もし鯨が満開の花のかぐわしい香りを吸い込めば、長くご無沙汰だった人魚たちへの、やるせないあこがれをかきたてられて、ロサリント堆《たい》とペドロ堆のあいだの海域へ赴くだろう。そこで君はかねてから用意していた網を投げる、なにしろ鯨のあこがれは君のあこがれでもあろうから……だが三匹ではなく八十八匹の人魚が君の網にかかるだろう。カリブ海はたいそう荒れていて、鯨はボートのようにひっくり返り、君の庭は薔薇もろとも、夜の荒れた波間に沈むだろう。だが君は夢の海上ハーレムから命からがら逃げだしその先の夢の番号は

89

これもまた君にすさまじい恐怖をもたらすことだろう。なにしろ君は八十九歳になっていて、死の天使が寸分の隙もない服を着た美男の姿で玄関に立つのだから。天使は表札を見て呼び鈴を鳴らす……君「どなたですか。まだズボンもはいていないのですが」天使「わたしの名はシュヌルツラフェル。あなたにお話があります……」君「ちょっと待ってください。ズボンだけでもはかなくては……」天使「どうぞおかまいなく。ズボンなしの人には何百万人と会っていますから」君「そうかもしれません。でもパンツさえはいてないんですよ。あなたはいったい誰ですか」天使「わたしはシュヌルツラフェル、死の天使です。ちょっとした散歩にお誘いにきました……」君「おやおや、とんでもない。そんなことはできませんよ。パンツさえはいてないんだから！」

この恐怖の叫びで君の目は覚める。滝のような汗をかいて。しかしすっかり若返って。

90

ああ君たち、夢を夢見る人よ。君たちは僕の見る夢は見ない。君たちの見る夢を僕は見ない。僕の見る夢を君たちはこれからも見ないだろう。僕は僕の夢を見て、君たちは君たちの夢を見るのだから。

十八世紀の一夜

オスカル・A・H・シュミッツ

Eine Nacht des achtzehnten Jahrhunderts

Oscar A. H. Schmitz

（挿絵　アルフレート・クビーン）

誰かが来て明るく晴れやかな音楽を鳴らした。十八世紀のガヴォットやパッサカリアのような心躍る曲だ。あたりは輝く教会になり、太ったキューピッドがあちこちに浮かんで、果実の花輪を座席から座席へ移している。金で飾られた湾曲する柱が青と薔薇色の祭壇画を囲み、その前で侯爵夫人らがいかにも楽しげに跪《ひざまず》いている。白粉の匂いがぷんぷんただよう。一同が笑いさざめきながら見ている祭司は、みごとな奇術の手わざで皆を楽しませている。僕は通りかかった寺男に説明してくれと言った。寺男は世故にたけたイエズス会士のように愛想よく、ここにいる人の名をすべて教えてくれた。祭司は名高いサン・ジェルマン伯爵で、目も彩《あや》な衣装の女性はシャルトルの公爵夫人だという。どうやって僕はここに来たのだろう。知り合いの一人もいないここで何をしろというのか（もっとも伯爵の銅版の肖像をいつか見たことはすぐ思い出した）。伯爵とは他ならぬ今日、食事をともにしたのを思い出した。どこかに連れていって友人に会わせてあげましょうと言っていた。置き去りにされた僕は気を悪くした。

「アルタ-カッラーラ」腹だちまぎれに呼びかけてみた。

「しっ」寺男が落ち着けと言うようにささやいた。「ここでその名は禁物です。名前なんてずっと同じでなくてもいいでしょう。あの方はここではサン・ジェルマン伯爵です。察するところ十九世紀であの方とお会いしましたね。あそこではアルタ-カッラーラと名乗られていますから。先日十四世紀から参られたさるご婦人は、あの方をブオナコルソ・ピッティとお呼びでした。このとおり絶対のものなどないのですよ」賢《さか》しげに寺男はそう言った。

「ならお前、ぺちゃくちゃ喋るお前は」僕は聞いてみた。「自分がどの世紀にいると思ってるんだい」

「わたしですか」声は誇らし気だった。「むろん十八世紀ですとも。ところであなた、あなたの不作法は十九世紀にしか似合いませんね。はばかりながら今日は一七六八年九月十五日でございますよ」

いかにもきどった歩き方で寺男は去っていった。アルターカッラーラへの憤懣は抑えがたくなった。見ればあいかわらず祭壇の前で手品をやっている。いずれ機会を見つけて問い詰めてやろう。そう決めると、さしあたって、柱についている長くうねうねした渦巻細工を引きちぎって輪を作り、教会扉の脇に立った。ほどなく伯爵は一礼して、見世物の終わりを観客に示した。満足の笑みを浮かべて教会を歩いていく伯爵を、公爵夫人の讃嘆のまなざしが追っている。外に出かかった彼の頭めがけて輪を投げつけた。彼は面食らったようだが、いかにも世慣れた男らしく微笑み、皮肉めいて言った。

「ご立派な服装からすると、どうやら十九世紀からいらした方ですね。何か御用でしょうか」

「他人のふりをするのはよしてください」僕はむっとして言った。「約束を忘れたのですか……」

「おやこれは失礼。ご婦人方に引き留められたもので。でもこれからわたしは全部あなたのものです。幸い時間もたっぷりあります」――そう言うと懐中から時計を引っぱりだした――「革命が起こるまでには二十年以上もありますから。まだ当分楽しめますよ」

僕の怒りはたちまち燃えるような放蕩への渇望に変わった。

「笑いたくて、叫びたくて、深紅の幻を見たくてたまらない」僕は頭に血をのぼらせて言った。伯爵は少し驚いたらしい。

「もう少しの辛抱です」僕をなだめるようにそう言った。

僕たちは幌馬車《カブリオレ》を走らせてマレ（パリ中心部）へ向かった。夜なのに街はとてつもなく賑《にぎ》わっている。カーニヴァルに違いない。けばけばしい仮面をつけた一行にぶつかると、連中は馬車に花を撒き散らした。酔っぱらってはしゃぐ声がそこここで聞こえる。

「みんなあと二十年と知っているのです」サン・ジェルマンが言った。「でも実際よりひどく想像しています。なにしろわたしが言葉巧みに、ジャコバン党がパリ中を火の海にして逃げようとする者は皆殺しだと信じこませましたから」

サン・ジェルマンは自分のジョークに笑いそうになるのをこらえていた。

「なぜそんなことを」腑に落ちず僕は聞いた。

「連中のお祭り気分をどこまでも煽るためですよ。他意はありません。世界史の中のこうしたささやかな見世物は、わが人生のただ一つの慰みなんです。あなたはわたしがプチ・ブルジョアのさまよえるユダヤ人ほども退屈

したいとでも思っているのですか。わたしのしでかした一番の傑作はアルビ派の例の件でしょうね。なにしろ罪は罪によって癒されると吹き込んでやりましたから。十九世紀にはたしかホメオパシー、『似タモノハ《シミリア・》似タモ《シミリ》ノデ《ブス》』と呼ばれている考え方です。悪はすべて悪の暴力で駆逐せねばと、あの善良な人たちは本気で考えました。どんなことをやらかしたか、あなたも想像できるでしょう。わざわざお聞かせしてあなたを疲れさせようとは思いません。今晩は似たものをご自分の目で見られますから」

「お手並み拝見といきましょう」本当かなと思いながらも僕は言った。

「ええ。厳選した少数の方々をジル・ド・ラヴァル伯爵（ジル・ド・レーの別名）の宴会に招いたのです。たしかドイツでは青髭と呼ばれる人です。客たちは何が起こるか知りません。すばらしく愉快なことが待っていると期待しているだけです。あなたもばらさないでくださいね。なにしろわが友ジルはカプチン僧に化けて正体を隠そうと思ってますから。友は十八世紀がさほど好きではないのです」

　そんな話をしているうちにヴォージュ広場に着いた。人目につかぬようしばらくアーケードをぶらついたあと、椅子駕籠《いすかご》でマレのオテル・ド・ギースに向かった。駕籠が十分遠ざかったのを確かめてから、僕たちは狭い横丁に滑り込んだ。突き当たりに何ともみすぼらしい木の門扉があった。伯爵がノックした。醜悪な老婆が扉を開けた。僕たちは寒くて薄暗いじめじめした玄関に入った。灯りの乏しい不気味な廊下をサン・ジェルマンのあとをついて進んでいくと、やがて彼は歩を止め、マントを脱いで瀟洒な正装姿になった。そして蠟燭の火の下で手鏡に顔を映し、髪粉をかけた頭髪を絹のハンカチのように皺寄せたり伸ばしたりして納得のいく形に整えた。僕はじれったくてたまらなくなった。とうとう彼は扉を開けた。そこは黄と銀の控えの間だった。蠟燭の光に輝く巨大な鏡の前を、華やかに着飾った紳士淑女が行きかっている。広々とした階段が上に伸び、その先の天井近くに両開きの扉があった。誰もが期待の目で扉を眺めている。波を打って溢れる光、贅をつくした華やかな衣装、そして花々の強い芳香。その氾濫に僕は放蕩への渇望を忘れた。官能が呪縛されたように全てに浸されるままになった。とつぜんオーヴェルニュ風の人が扉を開けて現われた。

「カステル＝バジャク」誰かが呼びかけた。

「お待たせしました」新しい菓子を発明したシェフのような抜け目ない表情でカステル＝バジャクは告げた。次いで大広間の天井桟敷に通じる左右の扉を開けた。瀟洒な人々も今は激しい興奮に身を任せて、階段を昇り扉を抜けた。僕もその中に混ざった。桟敷の椅子に腰をかけると、何もない下の大広間が見下ろされた。僕たちのいる桟敷は十八世紀趣味の明るくきらびやかな金と鏡の装飾がなされ、招待客の豪華な衣装《なり》にふさわしかったが、肝心の大広間は陰気な過去の場違いな雰囲気があって、尖ったアーチ窓の周囲に野生の蔦《つた》が震え蛇が群がる無趣味なゴシックや、絞首刑吏の荒んだ快楽の溢れる瀕死の中世の暗い野放図な幻想を彷彿とさせるものだった。大広間には教会用の長い蠟燭が幾本となく灯り、黄ばんだ光が茫《ぼう》と広がっていたものの、人影は絶えてなかった。中央に据えられた長く立派な食卓に並ぶ金の食器は教会から持ってきたものらしい。息を呑むようなガラスの置物が珍奇な植物の間に置かれている。不思議なことに周囲の賓客たちは誰ひとり下の食卓に向かおうとしない。明るい桟敷から見下ろしているだけだ。不意に外から人の声が聞こえた。この広間に近づいているらしい。二枚の広い扉が大きく開き、不格好な晴れ着姿のオーヴェルニュの農民たちが大挙して、おっかなびっくりな様子でカステル‐バジャクに案内されて入ってきた。農夫とその女房らは華やかな食卓に座るよう促されても、口をきく勇気もろくに出てこないようだ。ときおりおずおずと桟敷に目を向けると、そこにいる人は喜び、励ますように親し気に手を振った。愉快なことを彼らに期待しているようだ。場慣れしていない農夫の中には、生真面目ないかめしい者も、不作法で粗野な者もいた。食事が進むにつれて皆一様にのびのびと大胆になっていくのは面白い眺めだった。給仕が静かにうやうやしく料理を配り続け、すぐに農夫らも自分らがここにいることを奇異に思わなくなったようだ。誰にせよ内心は自分はお大尽《グラン・セニョール》の生活をする権利があると思っているものだ。

「こんな見世物もまた格別ですわね」小柄な侯爵夫人が言った。

「二十年後にあの人たちの子供らが、われわれを皆殺しにすると思いますとね」サン・ジェルマンが言い添えた。

「明日は悪魔にくれてやる
　騒々しい世界を」

侯爵夫人がもどかしそうに口ずさんだ。桟敷の人たちもじりじりしている。いつまでも起こらない何かを待ちわびているらしい。農夫らは控え目ながらも粗野な上機嫌に身を委ねている。そこに給仕が六人現われて、濃い色のワインが入った丈高いカラフェを「美食家シャルル十二世ご愛用の飲み物でございます」と告げて運んできた。いらいらじりじりしていた桟敷の人たちのお喋りが一斉に止んだ。皆とめどのない興奮にとらえられたようだ。

ひそかな了解の目くばせが交わされた。客たちの目が、とりわけ御婦人方の目が、恍惚と輝いている。僕には見えない幻に誰もが眩惑されているようだ。周り中の人が固唾を飲んで湧きあがる興奮に身を任せている。きっと恐ろしいことを示し合わせているのだろう。この人たちがやにわに短剣で殺しあったとしても、思ったよりはましだったと僕は思うだろう。もっとずっと恐ろしいことが控えているはずだ。並の娯楽には不感症になったこの人たちは、自分たちでさえ味わったことのない何かが起こりかけているのを知っているらしい。落ち着いているのはサン・ジェルマン伯爵一人だ。彼は笑みを浮かべて僕のほうに身を寄せた。

「何が起こるのです」僕は聞いた。「どこに連れていこうというのです。すでに革命が起こったとでも」

「まだ当分はありません」伯爵は穏やかに言った。「あの善人たちにアロフを少し飲ませるだけです」

下では黒い飲料がめいめいのグラスに注がれていた。すでに口をつけた者もいる。誰の目も輝きだした。まずは不安げに、自分の感覚が信じられないというように、きょときょとあたりを見回している。互いに励ましあって何かしようとする素振りも見える。まだ躊躇《ためら》いはあるものの、いつ何どき憤怒が爆発してもおかしくない雰囲気がある。

「革命だ！」僕は恐くなって叫んだ。「あの農民らは僕らを殺そうとしている。サン・ジェルマンは皆を慰みものにしようとしている。ギロチンにかかるところを見るつもりだ」

憤《いきどお》りに満ちた、そして言い知れぬほどの侮蔑の視線が僕に向けられた。最高潮に達した悲劇の舞台がナッツを齧る音で邪魔されたときのような目だ。

「革命だ！」僕は繰り返した。

「だからどうしたとおっしゃいますの」僕の叫びに耐えかねた侯爵夫人が言った。

「何も心配はいりません」伯爵が言った。「そもそも革命などではありません」

いきなり一人の農夫が隣の男の腕をつかんだ。つかまれた男は嫌らしい大声で笑った。その声こそ皆が待ちかねた合図らしかった。おどおどと用心していた者たちがけたたましい喚《おめ》き声で笑いだした。このときまで誰もが、自分一人だけが低劣な獣だと内心考えていたのだが、とつぜん誰もが同じであることに気づき、嬉しくなったのだ。誰もが知る、教会が禁じたあの欲望を、驚いたことに隣の者も赤裸々に満面に表わしている。とつぜん誰もが互いの獣性を発見したようだ。彼らは貪欲に体を押しつけ合った。さしあたり性別はどうでもいいらしい。

「この畜生め……ろくでなし……」農夫たちは叫んで腹を殴りあった。

「ご覧のとおり、わたしたちに危険はありません」にこやかに伯爵がささやいた。

「脱がなくちゃ」若い農婦が叫んだ。

男の手が次々に伸びて服をむしり取った。

「あたしも……あたしも！」叫び声が入り乱れた。

皆が席を立ち、椅子が倒れ、食器が飛びかい、ごった返した集団から気の触れたような叫びが聞こえた。桟敷にいる者はあられもなく有頂天になっていた。貴婦人たちも興奮して下の男に叫びかけた。闘牛場で闘牛士を励ますとき、女性はよくこんな声を出す。紳士の何人かは剣を抜いて下に投げ込み「血を……血を見せてくれ」と呼ばわった。誰もが狂乱する桟敷の中央に、いきなり黒髭のカプチン僧が押し入り、息せききって人をかきわけ、手摺りから恍惚として叫んだ。

「おお生よ！　栄光の生よ！　わたしは生に湯浴《ゆあ》もう！」

そして褐色の山羊皮の衣を脱ぎ捨てた。欄干の上にちらりと見えた逞しい裸は、すぐ跳躍してひしめきあう下の群れに消えた。名状しがたい激情が農夫らを支配していた。体から血が流れ、服はずたずたになっている。男たちの血管は膨らみ、襲われて屈した女たちは飽き足らなげに傍らに横たわる体に爪を立てている。何人かは静まらぬ狂乱を癒そうと死なせてくれと叫んだ。そしてガラスや陶器の欠片をつかんで、狂ったように笑いながら、自他の目を潰《つぶ》し命を奪おうとした。歓喜に沸き立った桟敷の人たちは、もうどうしていいかわからず、手当たり次第のものを下に投げだした。壁に掛けた鏡、シャンパンのグラス、椅子、果ては垂れ幕まで引きちぎり、燃える蠟燭を放り投げた。ただ一人サン・ジェルマン伯爵だけがほがらかな笑みを浮かべていた。そして何度か周囲に話しかけようとした。

「十四世紀のロンドンではずっと面白いものを見ましたよ」

誰も聞いていなかった。

「わたくしを下に投げ込む度胸のある殿方はいませんの」小柄な侯爵夫人が呼びかけた。「してくれた方は愛してさしあげますわ」

誰もが冗談と思ったようだ。そこにいきなり大広間の人波からカプチン僧の両腕が突き出た。

「来たまえ、侯爵夫人、あんたのひい婆さんはわが初恋の人……」

「ジル・ド・ラヴァルじゃないの」侯爵夫人がわれを忘れて叫んだ。「知ってるわ……あの気味悪い肖像そっくり……」

　侯爵夫人は服を引き裂くと下に身を投げ、ジル・ド・ラヴァルとともに群衆の波に消えた。

　ジル・ド・ラヴァルですって！　この名は女たちに魔の効果を及ぼした。とつぜん誰もが侯爵夫人にならって、投げおろしてちょうだいと叫びだした。不思議な力に駆られでもしたのか、男たちは一人また一人、お祭りのように手近の女を欄干越しに投げ飛ばした。フランス屈指の名門の公爵夫人や侯爵夫人がまたたく間に裸になって宙を飛んだ。

　床に着きざま手足の骨が折れた。それでもふらついて身を起こし、不自由な足で歩き回ろうとした。そのあいだに周囲の熱狂は消えたらしい。貴婦人らはややとまどった目で、散らばる四肢の山や割れた食器を見やった。どうしていいかわからなくなったようだ。先ほどまで勇みかえって、常軌を逸した狂宴に飛び入りしようとしたのに、いざ降りたら何もかも終わっていた。残忍な楽しみを少しばかり味わいたかったのに。だがおそらく勇気を奮うのが遅すぎた。ワルキューレの小部隊のように戦場をさまよう華奢な白い体に、死の痙攣に震える手がときおりしがみついたり突きかかったりする。指がたまたま体を傷つけると、可愛らしい恍惚の叫びがあがった。良家の子が冷たい水で体を洗われたとき「ひゃあ……あったかいや」と震えて叫ぶ悲鳴をそれは思わせた。女たちは遅れをとったのに気づいた。すでに召使たちがシャベルを手にして大広間に入ってきていた。裸の侯爵夫人たちは隅に押し固まり、恥ずかしそうに胸や腰を手でおおった。召使たちは窓を開けて宴の残骸をシャベルで外に放り出した。先ほどのジル・ド・ラヴァル伯爵の乱痴気騒ぎの名残の四肢が中庭で朝一番の光に照らされるのが見えた。侯爵夫人たちは悄然として、恥じらいながら小さな脇扉から這うように出て行った。はしたない振る舞いを女たちは悔いた。裸になった甲斐は何もなかったから。

　桟敷に残った者たちはぐったりと、口もきけずに押し黙っている。だんだんふだんの呼吸が戻ってきた。そろそろお暇しますと言って何人かが立ちあがった。握手が交わされ、次の日の予定が取り決められた。疲れを知ら

ぬ者は食事に行こうとしていた。サン・ジェルマン伯爵はしきりに引き留められたが、微笑んで辞退し、今夜は家でアクシャラ・パラ・ブラーマ・ヨグを何章か翻訳しなければならないのですと言い訳した。学識ある伯爵のこんな口実にはふつう誰も異議をとなえない。僕たちは礼儀正しい人たちに別れを告げた。

「わかりましたか」表に出ると伯爵が聞いてきた。

「いやというほど」僕は答えた。

「そうではなくて、わたしがジル・ド・ラヴァルなのがわかりましたか。十五世紀にはそういう名だったんです」

伯爵は得意げに僕を見やった。

「そんなばかな。あなたはずっと桟敷にいたじゃないですか。ロンドンではどうとか言っていたでしょう」

「ええ、たしかにそのときは。でもジルとわたしを同時に見たことが一時《いっとき》だってありましたか」

「いえ。でも……」

「次の機会には鞭打行者の行進を見にイタリアにお誘いしましょう」

伯爵に助けられて馬車に乗ると僕はすぐ眠りに落ちた。

＊　＊　＊

目が覚めると――これまでの人生より長く寝ていた気がした――前に果物の皿があった。欲しくてたまらないが手を伸ばす力も出ない。涙が目にあふれた。希望も分別もなしに渦を巻く人生が嫌になった。今そこから奇跡のように逃れられた。手さえ届けば果物は僕は癒してくれるだろう。瘧《おこり》のような情欲ではなく、濁りのない、楽に実現できる望みをもたらしてくれるだろう。誰かが善意から、だが少々荒っぽく、いつのまにか僕が立っていた奈落の淵から引き剥がしてくれたらしい。

「自分がどこにいるかわかりますか」アルタ‐カッラーラが笑みを浮かべて聞いた。僕と向かいあって同じくディヴァンに横たわっている。

部屋で何人かが談笑していた。一人が僕に大丈夫ですかと聞いた。助言をしてくれた人もいた。

「この人たちとはずっと一緒だった」僕は考えた。「贋物の戦慄で僕が人生を無意味に浪費していたときに」それでもうれしかった。ついぞ知らなかった感覚が身の内にあるのを知ったから。それは悔悟に近い何かだ。苦い味を感じながら、僕は人生をふりかえった――煮えたぎる空想と熱病で壊れた理性の上に築かれた僕の人生を。

誰かが僕の望みを察したらしい。りんごの冷えた酸味が唇に感じられた。嚙んで飲みこむと朝のすがすがしい風になぶられる心地がする。人生をやりなおさなくては——まだ少し残る厭わしい陶酔とはおさらばだ。困難な試練がほしい。耐えるべき苦悩がほしい。何も試練を与えなかったことで、僕の人生から最良のものをだまし取った人生に、率直にそれを要求したい。自分を恥じそうになった。それでもそんな感覚が、僕みたいな人間の魂にもわずかながら残っていたのがうれしかった。

だが伯爵はふたたび小声で話をはじめた。

夢日記（抄） Meine Träume

ゲオルク・ハイム Georg Heym

一九〇七年八月二十六日　「いつも生き生きとした夢を見るためには、夢のいくつかを書き記《しる》すだけでいい」ある賢者がそう言った。なるほど。僕の願いはたびたび夢を見ることだ。だからこの助言に従うことにしよう。

同日。僕らは名付けようもない罪をおかした。深い恐怖が僕たちに残っていたが、行為自体は覚えていない。どんなに苦労しても思い出せなかった。今僕たちは拷問部屋に座っている。執行人が仲間の一人の腕を万力ではさんで折った。彼はされるがままだった。執行人は恐ろしそうに見えた。服装は今風で、医者のような白衣を黒いズボンの上に着ていた。顔にはぜんぜん表情がなく、上機嫌に近かった。まさにそれが僕には恐ろしく見えた。抵抗力を失った仲間に包帯を巻いて、執行人は静かに立ち去った。

　僕と三人目の仲間は片目をくり抜かることになっていた。僕は仲間にいっしょに逃げようと合図した。街道に通じる扉が開いたままになっていたからだ。だが仲間はそれに気づかない。ただ静かに座っているだけだ。

　執行人が彼の前に立ち、尖った小さなコルク抜きを先に付けた四センチほどの丸棒を彼の左目の涙嚢に刺し、目の中にぐいぐいとコルク抜きを回し入れた。やがてそれが抜かれた。しばらくすると涙が溢れ、目玉が転がり出た。僕は逃げた。街道沿いに走るつもりだったが、盲《めし》いた者が戸口に立った。その眼窩は黒ぐろとしていた。彼はそこをハンカチで拭っていた。恐ろしくて底知れない悲しみに襲われたが、それでも僕は逃げた。どこへともなく。

　そこで目がさめた。

一九〇七年十月九日　夕方一人の子供が、もう一人の半分子供で半分老人の人と遊んでいた。「あなたはどなたですか」と聞くと、「わたしは不滅の悪だ」と答えた。

〇八年二月二日　愛する娘と遊歩道の木蔭をそぞろ歩く夢を見た。目覚めたあともしばらくとても幸せだった。

九月五日　これからも夢の幻を書き続けるつもりだ。

　それは饗宴の席上だった。無名の頃のナポレオンが不意に自分はエジプトを征服すると明言した。

　そしてすぐ友のダミエをローマに派遣した。のちに彼はダミエットと呼ばれることになる。

　それから僕はナポレオンをそれと知らずに侮辱した。どうやってかはもはや覚えていない。見物人の居並ぶ中で決闘が行われた。ナポレオン（トゥーロンの中尉のなりをしている）はサーベルを抜いたが、僕はフェンシングの剣しか持っていない。

　第一ラウンド。僕は彼の手を突き刺し、僕自身は手の甲を三度斬られた。

　目が覚めると手に小さな裂傷があった。

一九〇九年三月三十一日　僕はネロの側《そば》付きの奴隷だった。ひそかにキリスト教を信じていた。考えを同じくする仲間が一人いた。

　ネロは二人の友といっしょに小ぶりの食卓についていた。僕らは火刑にされた同志の復讐をしようと、一束の薪を手にしていた。僕はそれに火をつけて、燃える薪を寝椅子に投げた。炎が広がるさまが見えた。ネロが「俺は焼け死ぬ、焼け死ぬ」と叫ぶ声も聞いた。

　それから螺旋階段を下って逃げた。僕は奴隷仲間にこう声をかけた。「街へは逃げないようにしよう」それから彼を見失った。ふと気がつくとまた鉄道列車の中にいて、目的地を乗り越し、湖の上にも鉄道はあるのだろうかといぶかった。

七月六日　僕らはロシア内地の鉄路のそばに宿営している。まわりは果てのない平野で、空は曇っている。もうすぐツァーリのお召列車が来るはずだ。

　一人の女がやって来て線路の上に座り、三角形の鉄塊をレールにとりつけようとした。僕らの一人が立ち上げり、鉄塊をまじまじと見てからそれを取り外した。女は鉄塊の背後に座っていた。

　もう一人の男が轢死しようとした。彼は絶望した顔でレールに身を横たえた。僕は彼をレールから離そうとした。彼は逆らった。だがとうとう引き離せた。遠くからお召列車の近づく音が聞こえた。僕の心臓は歓喜の嵐でどよめいた。

一九一〇年五月七日　長いあいだ何も書いていない。ときには夢の脈絡がなさすぎ、ときには僕があまりに不精で、そして何より、寝覚めたとたんにあらかた忘れてしまうから。頭から血が引くと幻影がぼやけて散りぢりになってしまう。

　今日はとても単純で短い夢を見た。A・M・が僕によこした手紙に、あなたの天才の勝利を祝うと書いてあった。僕がたちまち名声を博したのに彼女は驚嘆していた。僕はすぐ立ち上がって表に出た。そこに彼女がいて、僕たちは互いの首玉にかじりついた。幸福が波うち、嵐のように僕を襲った。目覚めたあともしばらく、それが夢だとは思えなかった。

　引き続き見た夢を書きとめておこう。

一〇年六月十日ころ　日曜の午前に動物園に行った。とつぜん知らない一画に出た。雑草のはびこる運河に古風な橋が渡され、周囲は荒地なのに、そこだけ青々とした木がいくつも生えている。運河の中に小さな島がある。そこに行こうとすると、いつの間にかそこに立っていた。だが景色はもとのままだ。釣り竿が一本置いてあった。僕は釣り針を投げた。たちまち濁った水から大きなカマスが釣りあがった。だがカマスは身をもぎはなして宙を飛び、また水中に戻った。僕はまた釣り針を投げ、小さなすばらしい魚をつかまえた。だが魚を地面に置くとすぐまた水に飛びこもうとした。僕の座っているのは広々とした泥濘地帯だ。そばに大きな四辺形の（ボートの形をした）箱があるのに気づいた。僕は魚をその中に入れて陸に押していった。

　なぜそうしたのかは忘れた。どういう意味があったのだろう。

七月一日　そうだ思い出した。

七月二日　僕は広い湖のほとりにいる。湖は石板めいたものにおおわれている。表面が凍っているようだ。ときどきミルクに張った膜にも見える。人が何人かその上を歩いている。荷物や籠を持っているから、おそらく市場に行くところなのだろう。思い切って足を踏み入れると石板が支えてくれた。でもとても薄そうだった。歩くたびにぐらぐらと揺れる。しばらく歩いているうち一人の女に出会った。引き返しなさい、と女が言った。もうすぐ板が割れるから。でも僕はさらに先に進んだ。とつぜん足元の板が消えたのを感じた。だが僕は落ちなかった。そのまましばらく水の上を歩いた。落ちるかもしれないとふと思った。そのとたんに僕は沈み、緑色のどろどろの海藻でいっぱいの水の中にいた。でも僕はあきらめず泳ぎ出した。奇蹟のように遠くの陸地がどんどん近づいてきた。数回のストロークで日の照る砂地の湾に着いた。

一九一〇年八月八日ころ　熊の夢

イエナ。小路。溝に橋がかかっている。僕は知り合いの学生に出会う。学生は大きな茶色の熊と話しながら橋を渡ってくる。熊は雨傘で体を支えている。不思議に思っているうちに、熊が暇乞いをするのが見える。熊は僕のほうにやって来る。僕たちはいっしょに橋を渡ってお喋りする。

　熊は右の前足を僕の肩に起き、僕を押し倒しそうにする。熊の開いた口が僕の頭の上で揺れる。僕は生きた心地がしなかったがこらえた。熊は僕の知人についてたずねた。僕は何人かの名を挙げてナソヴィアのH・ヨストも知っていると答えた。とても感じのいい男だ。昔から僕の友だった。

　熊は金を見せた。モンテ・カルロに同行するつもりだ。

一九一一年十一月一〇日　二夜の夢。僕は自宅の食堂にいる。大きな百足《むかで》が入ってきて、僕を追っていつも僕の後ろにいる。僕は自室に駆け込みドアを閉めようとする。だが百足はすでに頭をのぞかせた。そこで目がさめた。

新しい生――建築的黙示

パウル・シェーアバルト　Paul Scheerbart

Das neue Lenen - Architektonische Apokalypse

老いた地球が老いた太陽をゆるゆると巡る。太陽には昔の光も輝きもない。
老いた太陽は暗い紫色をしている。今は昼もない――昼は地に二度と来ない。
あまねく静かな夜。
音もなく静まった夜。
天は黒天鵞絨《びろうど》のように黒い。
だが星はなお瞬《またた》いている――おそらく昔より明るい。
前より大きくなったからだ。
黄金に輝く星ぼし！
地球は純白で――白い雪に――輝く雪に――すっぽりおおわれている。
丘も谷も星のさやかな冬の夜。
死んだ地球はますますゆるゆると回る。
だが黒天鵞絨の天に生の気配があらわれた。
大いなる首座天使たちが来る。
白い大きな翼をはばたかせて、みるみる近づいてくる。

天がざわめく。

騒々しい音が大気を乱すさまは、まるで数百万の大群衆が新たな生に目覚めたようだ。

しかし来たのは首座天使だけだ。とほうもなく大きな天使が十二人。うち六人が地球の半分をはばたき囲み、残りの六人が別の半球を囲む。両半球ともろくに見えなくなる。

首座天使らは翼をはためかせながら、ゆっくりと身を屈め、頭《こうべ》を垂れる。足が両極の上空を高く揺れる。十二の頭で揺らぐ金の巻き毛は、たちまち地球を取り巻く髪の環をかたちづくる。

めいめいの首座天使たちは脇にかかえていた聖堂をかかげ、雪の積もる高山に据える。それから厚い毛皮の手袋を脱ぎ、しなやかな指で、海ほどにも広いリュックサックの中を探る。

リュックサックから光輝く宮殿が幾百となく取り出される。大きな雪玉――地球と呼ばれる雪玉は――宮殿で飾られる。地球が色とりどりに輝く。首座天使の目も輝く。良い子にあげようとおもちゃを散らばらせたように。

リュックサックが空になると、首座天使らはふたたび舞いあがり、ほどよい間隔を保ち、賑やかにお喋りしながら、美しい円弧をつくってただよう。

地球は色とりどりになる。珍しい蝶の羽や、凍った極楽鳥や、まばゆいダイアモンドを鏤《ちりば》めたように見える。

やがて宮殿が明るむ。邸内の百万のランプが点《とも》される。高くそびえる聖堂の色とりどりのガラス窓から、そしておびただしい城のひとつひとつから、仄かな光が千の色合いで紫の雪の夜にあふれる。

紫の太陽がひときわ暗くなる。遠い黄金の星ぼしも光をあらかた失う。黒天鵞絨の天が穏やかに輝く地球をおごそかに包みこむ。

あらゆる聖堂の鐘が響きわたる。

憧れが雨のように白い雪原に降りそそぐ。冷たい地球を蝕《むしば》む重苦しさをはねのけて、新しい生が身動きをはじめる——永遠の生が。

死者が起きあがる。

あちこちで雪が盛りあがる。地上に生を享《う》け、そして死んだ人たちが皆、墓から起き出し、体を震わせ雪を払い、驚きのまなこであたりを見る。自分がよみがえったことに気づくと、嬉しくなって互いの首玉にかじりつく。

無理もない。新しい生のはじまりを喜ばぬものがあろうか。

地球の回転が速まる。

だが厳粛であるべきこの大いなる時は、おどけた仮装大会をも思わせる。誰もが生前に一番着馴染《きなじ》んだものを着ているから。乞食が王様と、僧が兵士と、職工が学者と隣りあう——あらゆる時代のあらゆる衣服。毛皮の腰布からアイロンをかけたワイシャツまで、あらゆる衣装が揃っている。

よみがえった人々は、城や聖堂の金の段《きざはし》をのぼる。なんという犇《ひし》めきだろう！

地上のあらゆる言葉が渦巻いてもつれあう。鐘の音も耳に入らぬほどの喧噪が天まで響く。

上のほう、城と聖堂の扉の前に幾千もの天使が立っている。背丈は人とさして変わらない。薄緑や薄青や薄赤の柔らかな服で待っている。

改まった挨拶。握手と頬のすり合わせ。頭が頷き腕が揺すぶられる。盛んな笑い声。親愛の微笑。

大きな無垢のダイアモンドの城が色彩を薄明に溢れさせる。広々とした柱廊広間をかたちづくる他の宝石もダイアモンドに劣らず輝いている。聖堂から生える珍しい岩石植物もまた驚くべきものだ。城のエメラルドの丸屋根はすべて内から照明がなされ、黒天鵞絨の空にゆるゆる動く光の円錐を投げかける。そこにサファイアの塔がひときわ高くそびえる。千の色のガラス窓から光が静かに外に流れて、希望にあふれた神々しい色で輝く。宮殿はとほうもない数で連なり、それぞれ巨大なオパールのアーチで囲まれている。目を反対に向けてもやはり同じ輝きに心が奪われる。建築の魔術に圧倒されすぎ、よみがえったとき頭がおかしくなったのかといぶかる者もいる。しかし――それほど驚きながらも実のところは、ほとんどの者の頭をよぎるのは、聖堂や宮殿の中で急ぎ支度されているはずのおいしい夕食のことだ。

　おびただしい輝く城に食べ物がないのを知って、皆どれほど憤ったことだろう。男も女もいぶかしげにあたりを見回すが、何もみあたらない。外に樹木も果実も野菜もないのは悲しいことにもう見ている――そして今、室内にあるのも実りをもたらさぬ鉱物ばかりだ。大理石とルビー、金と銀、色とりどりのランプと色とりどりの壁、恍惚とした曲線を描く丸屋根、わずかに見える天鵞絨と絹、重々しい花崗岩の柱、きらめくガラスの洞穴。そんなものならば見渡すかぎり数かぎりない――だが羊の炙り肉、エスカルゴのサラダ、ブランデーはどこにも見えない。

「天使さん、夕食はどこにあるのですか」

　たちまち群衆はみんなして、異口同音に呼びかける。

　宮殿や聖堂の天使らは無言で小さな脇扉を開ける。それまでは目につかなかったものだ。当然ながら誰もが思う――ようやく食べ物や飲み物や煙草にありつける。なんとうれしいことだろう。

　ところが――今度の失望はいっそう大きい。

「もとのまま」の生があざけるように笑いかけている。

「すべて」がふたたびそこにある。

　だが「もとのまま」の悲惨は、太陽がまだ明るく輝いていたころほど惨めには見えない。外枠が異なるからだ。まわりにあるのは宮殿の装飾だ。誰もがもとの仕事に携わねばならぬ広間や部屋は光を放つ多くのものに囲まれている。そこで「善き」者たちは、もとの生活に嬉々として戻った。たとえそれが汚れた肌着のようにぞっとしないものであっても。

　そのとおり。もとのままの生だ、

　ある者はたえまなく呻《うめ》き嘆く病身の妻を世話せねばならず、苦悩の踊りを平静に、またあらためて踊りはじめる――本当に善良な男だ！　また別の善き者はあいかわらず上流社会との交際を続けながら、永遠の孤独への止みがたいあこがれを語る——前とそっくり同じに。三人目も以前と同じく自己の名声に満足しない。いつも違う名声を求めるけれど、もちろんうまくいかない。自分が何になりたいのか、自分でわかっていないから。四人目は自分のすさまじい性欲衝動ともとのように勇敢に戦い、禁欲主義の指導者になり、ふたたび自分の意志の強さに感嘆するが、われに返るといつも己《おのれ》を笑わざるをえない。なにしろその力はすべて放蕩のあと自然にやってくる嫌悪感の結果にすぎないから。五人目は黄金の入った袋を見つけたいとかねがね願っていた——そして何を見つけたか。毒のある機知が入った袋だ。六人目はいつも空しく金銭の算段をする——つまりけして手に入らない。七人目は何であれ「はい」とか「同意《アーメン》」と言わざるをえず、前からそれが嫌でたまらない。その他何百万もの人たちが労働したり監督したり、命じたり従ったりする——これも前とそっくり同じだ。機械はふたたびガタガタ動き、思想家の頭はふたたび煙草の煙を吐き、じゃがいも畑はまたホクホクの収穫を結び、飲んだくれはまた前と同じ流儀で飲み、盗人はふたたび物持ちの家に押し入る。

　何もかも前と同じだ！——ただ見渡せぬほど広く美しい宮殿や聖堂という枠に囲まれているだけだ。他に違いはない。

　善き者はもちろんすべてに満足した——だが悪しき者はもちろんすべてに不満だ——建築の太陽がすべてを生き生きとさせるだけでは足りない——牡蠣と強い酒が出る夕食が欲しい——安キャバレーと橇《そり》遊びの娯楽が欲しい。

　善き天使たちは悪しき者どもを宥《なだ》め慰めようとして、親しさをこめて行った。「子らよ、お前たちは役に立つのは何なのか知らぬ。苦と楽とはいかなる者の生にも等分に与えられている。人の生はそれなしには考えられない。冷静になるのだ。あらゆる望みが叶えられるわけがなかろう。心地よい環境が与えられただけでは不十分というのか。お前らは決まって娯楽だけを求める——だがそれではいけない」

「なぜいけない」悪しき者どもが叫ぶ。

「退屈するではないか」天使らが答える。そして「永遠の」幸福を思って欠伸《あくび》をする。

だが悪しき者どもは笑う——その嫌らしさに、善き天使らも本気で憤る。

「本当なら懲らしめるべきだ——燃える鋏《やっとこ》で。愚昧は炎と剣で根絶やしにせねばならぬ。お前たちにはけしてわかるまい。立派に『住まう』ことは立派に『生きる』

ことより大切なものだ。地に育つ草木が、主に光と空気で生きるように、お前たちも今は周りにあるものを——真の術である神の建築術の光と空気を——主な糧《かて》として生きるがよい。天上の光の城に住めれば十分ではないか。夢の世界を住処《すみか》にするだけで十分ではないか。まだわからないのか。これこそ貧という刺激味のある牡蠣だ。兎が殖えるように富を殖やしてどうする。がらくたの山——ただそれだけだ。お前たちの生は天界の音楽に和しさえすればいい——天界にはお前たちが苦しむ声もなくてはならぬ。それが欠ければ天の音楽は粥のように柔《やわ》になってしまう。まったくお前たちときたら、信じられぬくらいの河馬どもだ」

悪しき者どもは体を震わせ、腹をかかえて笑う。だが天使たちは真剣そのものの面持ちで、いっそう悲し気な声で言う。「お前たちは誰も貧乏籤《くじ》など引いてはおらぬ。乞食の苦しみにせよ喜びで報われている。憐れな王にはわからぬ喜びでだ。しかも驚くべき宮殿の華やかな夢の世界がお前たちを待っているのに」

「それこそ俺たちが本当に欲しいものだ。自己欺瞞はもうたくさんだ」

愚かな悪しき者どもは口々に叫ぶ。いつも愉快に一杯機嫌でいたがる者たちだから。

「自己欺瞞が嫌というなら」天使たちが大音声《だいおんじょう》を出す。「墓に戻るがいい。せっかくの輝かしい世界が、お前らの食人種並みの愚かさでだいなしになってなってはならぬ」

濃緑色の樅の枝を手にした薄緑の天使たちが現われて、文句をたれる者どもを一人のこらず樅の枝で触れる。

触れられた者は倒れて息絶える。

そしててきぱきと運び去られ、また雪の中に埋められる。

悪しき者の痕跡はまたたくまに消える。

だが善き者らは、輝かしい至福の夢の世界で生きていけると聞いて、それだけで感謝し、もとの生活の労苦をこよなきものと思う。

薄緑色の天使は戻ってくると、善き者の賢明な頭を愛しげに撫でる。

色とりどりのガラス窓から、新たな幸福が雪の夜にただよい出る。何とも不思議な眺めだ。

エメラルドの丸屋根が緑の円錐の光を黒い宇宙に放つ。

サファイアの塔はぐんぐんと背丈を伸ばす——化け物がはしゃいでいるように。

巨大なオパールのアーチの仄かな光は、百万の蝶が舞い散っているようだ。

おびただしい数の小ぶりの城は、地球と呼ばれる白い雪玉の上で、蛍《ほたる》のように見える。

そして永遠の薄明の中では、万物があまりにおごそかで心動かされるながめなので、誰の心も安らかになる。

首座天使たちがまた地球の上に身を屈める。

ふたたび金髪の巻き毛が壮麗な環をつくる。

巨大な天使たちがおごそかに輝く宮殿をリュックサックに戻し、手袋をはめて、聖堂を腕に抱え――はばたいて去る。

たちまち地球は元と同じく、ゆるゆると回る大きな雪玉――雪だるまをつくろうと子供が転がすような雪玉になる。

紫色の太陽が、油の切れかかった信号灯のように遠くで光っている。

金色の星が黒天鵞絨の空に瞬《またた》く――幸《さきわ》う光の城のように。

夜は静まる――墓地のように。

書き留められた夢

セイレーンの歌

The Song of the Sirens

エドワード・ルーカス・ホワイト

Edward Lucas White

夏来健次 訳

エドワード・ルーカス・ホワイト（一八六六―一九三四）は、アメリカ幻想文学史においても特異な作家の一人に数えられるだろう。彼は古代ローマに材を取った長編歴史小説を書くかたわら、自身が見た悪夢を見たまま小説に書いていたのだから。その悪夢の数々を、私たちは短編集『ルクンドオ』で読むことができる。ここでは、もう一冊の短編集 *The Song of the Sirens and Other Stories*（1919）の表題作を新訳でおくる。こんな悪夢、一度でいいから見てみたい――そんな思いさえしてしまう傑作である。

初めて見たとき、その男はボルティモア港の埠頭で休んでいるところだった。緑色のかなり大きい古ぼけた船員用衣装箱に腰かけていた。ネイヴィーブルーのフランネルのシャツの上に灰色のジャケットを着て、サイズが合わず傾き気味の付け襟の内側に、派手な赤色のバンダナをゆるく結わえてつっこみ、灰色の軟らかなフェルト帽は頭にかぶらず、膝の上で両手に持っていた。髪は淡い色の細い直毛で、瞳は青緑色で鼻は高く、肌は日に焼けていた。知性のありそうな顔立ちをしてはいるが、表情には知的さが感じられない。というより、そもそも表情が欠落しているようだった。その表情のなさこそが、わたしの目を惹いた。謂《い》わば空白の表情だが、いわゆる虚無感というようなものではなくて、本当に心が空無であるふうだった。まわりではうるさくしゃべりあう黒人の日雇い人足や動きまわる沖仲仕《おきなかし》（港湾労働者）や大声をかけあう埠頭人夫や、唸る滑車索具や軋《きし》るクレーンなどなど、瞑想する青銅の仏陀像のごとく不動に鎮座する四隻の船の荷役《にえき》作業が巻き起こすあらゆる喧騒と多忙が、その男をとり囲んでいた。男の視線はひたすらまっすぐ前方へ向けられ、遥か遠いところにあるなにかを凝視しているかのように見えた。湾内のより広い景色では、さまざまな船が行き交っている。曳《ひ》く船もなくただうるさく走りまわるタグボート、しぶしぶ強いられるようにゆっくり進む平底貨物船、行き来する大小の帆船、それらすべてが織り成す模様のような光景に、タグボートに牽引される船の威厳ある姿や、大型蒸気船の勇壮な進行がときおり交差する。それらことごとくが男の視界にも入っているはずだが、しかしそうした眼前の景観には目を向けていないばかりか意識しているようすさえなく、といって故意に無視したりほかのなにかに専心しているふうでもなく、ただ単純にまったくの無意識あるいは無感覚を思わせる表情でいるのだった。わたしはその初めての朝に辛抱強く出港待機をつづけるあいだ、ときどきではありながらもかなりの時間をこの男への注視に割いていた。太ったにきびづらの水夫請負師が一度埠頭を見まわりにやってきて、男の前で立ち止まって目を合わせ、少し言葉を交わしていたが、それ以外はだれも男に注意を払っていないようだった。男自身ほどんど身動きせず、六月の日差しの下でもずっと帽子をかぶらずにいた。やがてその日はメドルス号が出港しないことをようやく知らされると、わたしは船を離れて埠頭を去ったが、そのときもあの男はまだ同じ場所に腰をおろしていた。

　翌朝もほとんど同じところに男がいるのを見つけた。挙措挙動も前日とまったく同じだった。ひと晩じゅうそこにいたのかもしれないと思えた。

　二日めのその朝、わたしがメドルス号にたどりついたとき、人目を惹く例の太った水夫請負師が、アメリカ人水夫を一人つれて船に乗りこんできた。わたしは船尾楼甲板の明かり採りに近いあたりに腰をおろし、左右にはそれぞれグリスウォルドとコリンズ氏が坐った。ベンソン船長は締まりのない顔をした目つきのよくないずんぐりした男で、昇降口の蓋の上に坐りこみ、音階も意味もなさそうな単調な口笛を聞こえよがしに吹いていた。件《くだん》のアメリカ人水夫は乗降梯子を昇ってくるなり足を止めて、すぐ後ろにつづく太った水夫請負師へ振り向き、不満声を垂れた。

「なんだ、けだものベンソンじゃねえか！　けだものベンソンの船ならまっぴらだぜ！」

　そう言うなり梯子をおり、埠頭から去ってしまった。

　ベンソン船長はなにも言わず、また口笛を吹きはじめた。甲板上で不面目を受けても平気でいるのが、この男の悪名高い無策ぶりの一面だった。無能であれ悪辣であれその両方であれ、船長とはたいがい船長室でふんぞり返ったり休憩室のテーブルに陣どったりしているものだが、このベンソンはつねに人前にいて、相手が船員であれ日雇い人足であれ旅客であれ、自分の無策ぶりをだれかれかまわず人目にさらす癖があるのだった。

　水夫請負師はコリンズ氏に近寄っていき、こう話しかけた。

「おわかりでしょう、コリンズさん。今のはわたしにもどうにもできません。あんたの船で足りない人手が二人だけで、しかも二等航海士一人とすでに契約してたのは幸いでした。一等航海士にゃウィルソンがいちばんだと思いますね。本人も乗り気だし、わたしになんとかできる水夫といったらあの男しかいません。ほかの請負師だったら、ここまではやれませんぜ」

　コリンズ氏は顔に貼りつけている苛立ち気味の笑みを崩さず、痩せた顔から吝嗇《りんしょく》そうな小さな目を光らせている。口もとを覆う胡麻塩混じりの無精髭が鼻にこすれそうだ。水夫請負師にはなにも応えず、グリスウォルドへ顔を向けた。

「きみは医者だったな？」と問いかけた。

「いえ、まだ正式には」とグリスウォルドが答えた。

「そうかもしれんが」とコリンズ氏は苛立ち気味に、「医者の知るべきことはほとんど知っているんじゃないか？」

「たしかにそれなりの知識はあります」とグリスウォルドはうれしそうに答えた。

「だったら、人を見て耳が不自由かどうかもわかるかね？」とコリンズ氏がたたみかける。

「わかると思います」グリスウォルドは得意げに言った。

「あそこにいる男で、ひとつ試してみちゃくれないか」

コリンズ氏は親指を突きだし、船員用衣装箱に腰かけている茫然とした風情の男をさし示した。

　グリスウォルドは凝視した。

「ここから見るかぎり、たしかに耳が不自由なように見えますね」

「もう少し近くで見てくれ」とコリンズ氏が促す。

　グリスウォルドは船尾楼甲板から立ちあがり、乗降梯子まで悠然と足を進めて、ゆっくりと埠頭へとくだり、衣装箱に腰かけている男へそっと近づいていった。グリスウォルドはなんでも巧みにやる器用な若者で、快活で人懐《ひとなつ》こい笑顔を持ち、自信に溢れた魅力的な物腰で人に接する。未知の者とでもすぐ親しくなるのがつねだ。そして今も、件の男の信用をただちに勝ちとったようすが見てとれた。男はグリスウォルドに気づいたらしく顔をあげると、立ちどころに関心を示す視線になった。ごく短い時間会話を交わしたあと、グリスウォルドはまた悠然と戻ってきた。そしてなにも言わず、最前と同じようにわたしの隣に腰をおろすと、新たな煙草に火を点け、なにか考えるように喫《す》いはじめた。

「どうだった？」とコリンズ氏が問い質す。

「耳が不自由といった程度じゃありませんね」グリスウォルドが説明をはじめた。「耳がないと言われる蛇ですら、比べものになりません。そもそも両耳とも鼓膜がないばかりか、中耳のなかの槌骨《ついこつ》も砧骨《ちんこつ》も鐙骨《とうこつ》もなく、内耳のなかの蝸牛《かぎゅう》は両方とも完全に硬化してしまっています。つまり左右とも中耳は全滅にひとしく、内耳も崩壊と言ってよい状態です。聴覚が不完全というような程度ではなく、不可能、あるいは聴覚不在ですね。これほど驚くばかりに耳の機能を完璧に失っている人は、これまで見たことも聞いたこともありません」

「おれが前に言ったこと、お忘れですかい？」昇降口の上に坐りこんだままのベンソン船長が割って入った。

「ベンソン、きみは黙ってろ」とコリンズ氏が制した。

船長は表情も態度も変えることなく聞き流した。

「きみとあの男は会話をしているように見えたが？」コリンズ氏はグリスウォルドに質した。

「彼は人の唇を正確に読むすべを心得ています」グリスウォルドが答えた。「どんな言葉でも、せいぜい一度くりかえすだけで済みましたから」

「耳が聞こえないんじゃないかという質問はしたのか？」とコリンズ氏。

「しました」とグリスウォルド。「率直な答えが即座に返りました」

「正直さに感心したんだな？」コリンズ氏が念を押す。

「まったくです」とグリスウォルド。「紳士的な雰囲気を持った男です。初めから敬意を覚えさせるような、実直このうえない印象を与えますね」

「聞いただろう、ベンソン？」とコリンズ氏が船長へ水を向けた。

「正直さなんぞ、ひどい風が吹く真っ暗闇の夜の海じゃ、なんの役にも立ちませんぜ！」ベンソンが鼻を鳴らした。

「なにしろ耳がまったく聞こえねえんですからね」

コリンズ氏は不機嫌な顔になった。

「きみが今持っている選択肢は三つだ」とベンソン船長に告げた。「メドルス号は正午に出港する予定だから、それまでにだれかほかの一等航海士を見つけるか、あるいはあのウィルソンをそれを充てるかだ。そうすれば無事出港できる。そのどちらも無理なら、わたしは別の船長を雇い、きみは別の船を探すことになる」

ベンソンは昇降口の上から荒々しく立ちあがり、船尾楼内へとおりていった。そのあと間もなく給仕係の若者が口笛を吹きながら梯子をあがってきたと思うと、足速に舷縁を跨ぎ越えて埠頭におり、三人の水夫請負師が立ち話をしているところへ近づいていった。そしてそのうちの一人をつれて船のほうへ戻りはじめると、三、四人の素面《しらふ》とは言いがたい水夫たちがそのあとにくっついてきた。だが請負師は彼らを置き去りにして、代わりに衣装箱に腰かけている耳の聞こえない男を伴い、給仕係の若者ともども甲板にあがって船尾楼内に入っていった。

「これはなんともはや」とわたしはコリンズ氏に言った。「なんだか、この船はやめにして港で待機したくなってきました」

「どうしてだ?」とコリンズ氏は問い、顔のなかにできている切れ目のような灰色の小さな目で見返した。

「船長がけだもの呼ばわりされていたり、その船長が船員一人を雇うにも難儀をしていたり、あげくの果ては船の持ち主であるあなたがわたしの目の前で、耳の聞こえない男を無理やり雇わせようとしているんですからね。乗り気でない船員、体に障害のある一等航海士、部下に不人気の船長と来ては、どうにも危ない組み合わせに思えて仕方ありません」

「海の上ではどんな組み合わせだろうと危険は付きものさ」とコリンズ氏が平然と言う。「水夫はほとんどが怠け者だし、人気のある船長などそういるものじゃない。ベンソンだってそれほど悪い船長というわけじゃないんだ。ただ船員を雇うときいつも難渋するのは、食事に倹約癖があるからだ。しかしあんたは客だから、船室ではちゃんとしたものを食べられるはずだよ。それにベンソンはひとたび海に出たら、船員といざこざを起こしたりすることはない。注意深い男で、帆や索具や滑車の扱いでも、わたしの知るかぎりあれほど慎重な船乗りはいない。その面での生来の才能があって、船を大切にするし、風でもなんでも自在に操れる才覚がある。おまけに、小麦粉を売って代わりにコーヒーを買うといった商才まで秀でてる。請けあうが、あの男と一緒いれば安心というものさ。わたし自身いつもとても安心している。尤《もっと》も、このたびは残念ながら、わたしは同乗できないがね」

「でも、あれほど耳の不自由な乗組員が一緒ですが」とわたしはしつこく言う。

「ちゃんとした仕事をする男だとわかってる」とコリンズ氏が答える。「話すことは達者にできるしな。彼なら大丈夫だ」

　そのとき水夫請負師が船尾楼内から甲板にあがってきて、舷側から埠頭へとおりていった。件《くだん》の耳の不自由な一等航海士の衣装箱が、水夫二人がかりで船に運びあげられた。その二人の水夫も、船員となる契約をするため船尾楼内におりていった。彼らがおりてはまたあがってくるさまを、わたしはじっと見ていた。一人はドイツのメクレンブルク出身の大柄で武骨な男で、顎の下の太くふくれあがった首が器量の悪さを倍加させている。もう一人は肥満体のアイルランド人で、縮れ毛の蓬髪の下の顔は大きくて赤らみ、視線のさだまらない粗野な目つきには港での放蕩のなごりが見てとれる。とくにその目が特徴的で、片方の瞳は明るく濃い青色だが、片方にはくすんだ白っぽい膜がかかっているようだった。この男は昇降口をあがってくるなりその蓋にもたれかかったり、甲板へ出るにも半ば転がるようにして進んでくる。見るからにかなり酔いが残っている。


　メドルス号は正午にタグボートに曳《ひ》かれて離岸した。コリンズ氏とグリスウォルドはしばらく甲板上にいたが、空が曇るころタグボートに乗り移って戻っていった。そのあとメドルス号は自身の帆のみの力で湾内を進んだ。湾から出ないうちにわたしは船酔いをしてしまい、それからの数日なにをする気も起こらない状態がつづくこととなる。食事も試してはみるものの、結局テーブルに長くとどまっていられず、すぐにウィルソン一等航海士やオルセン二等航海士を救援に呼ばねばならない始末だった。持参したデッキチェアで日中のほとんどをすごし、気力も湧かないままぐったりとしていた。

　だがベンソン船長の褒められたものではない挙動には気づかざるをえなかった。蓋《けだ》し商船船長とは、毎日朝と正午に船の位置を測定し、午前零時に起きて当直後の航海士の報告を聞き、海図で針路を調整し日誌をつける、などなど、つねに自身の労苦を厭わず船のために尽くすべきであるのは言うに及ばず、風の急変や危険な嵐に際しては、自ら舵輪につかまって上手《かみて》廻しや下手《しもて》廻し（風向きによる帆の操作法）をこなし、率先した継続的操船によって難局を乗り切ることを役目とする。ベンソンはそうした面での海の作法をいつもないがしろにしていた。しじゅうあたりを嗅ぎまわるようにうろつき、本来自尊心を保つべき船長の立場からすれば小さすぎる問題でも、一等航海士や二等航海士に対していちいち口出しをしてくる。彼らが船長に不満をいだいているのはまちがいないが、二人とも賢明にも口をつぐみ、無表情であさってのほうを向いていた。但し彼らがたがいに苦笑を浮かべながら視線を交わしあうのはよく見られた。そんなときベンソンはたいがい船長室上甲板の端に腰をおろし、船尾楼甲板の上へ足を垂らしてぶらつかせ、舵手にずっと文句を言いながら長いことすごしているのだった。

「風上へ進め。最上檣帆《ロイヤル》をあげろ！」とベンソン船長が指示する。

「アイ・アイ・サー！」と舵手が返事する。

　すると間髪入れず船長が怒鳴る。

「速度をあげろ、莫迦《ばか》め！　押し戻されるぞ！」

「速度あげます、サー！」と生け贄が応える。

「船をどこへやる気だ？　風上へ保て！」

「風上へ保ちます、サー！」と応答が返り、そんな苛立たしい反復がさらにつづく。

　湾内から外洋へ出て一日か二日後、肥満体のアイルランド人水夫が舵輪を握った。あとでわかったことだが名前をテレンス・バークといい、カナダのノヴァスコシア州イーストブルック・ファイヴリヴァーズ出身だと称していた。ずっと船乗りをつづけ、世界の海と港を知り尽くしているほどだと豪語した。とくに自慢なのは、南北戦争で北軍の海軍に属していたことだった。戦艦コングレス号だったかカンバーランド号だったかに乗り組んでいたというが、どちらだったかよく憶えていない。興奮しながら派手な話をする癖があって、たとえば南軍の戦艦ヴァージニア号に自艦がやられたときの話などは、砲弾の雨が降るなかで乗組員が甲板の端に並んで伏せているところに、砲撃ごとに六フィートもある樫製板材の破片が飛んできて、砲弾そのものと同じほど危険だったとか、夜陰に紛れてボートに分乗し、いつ敵に見つかって捕虜にされるかもしれないと覚悟しつつ海岸にたどりついたとか、僚艦エリクソン号（バークはモニター号を設計者にちなみそう呼んでいた）が外洋から近づいてくるのを見て勇気をとり戻したなどと語るのだった。エリクソン号を誇るのも当然で、バーク自身それ以前には体格のよさ屈強さを買われてその名艦の砲手に選抜されたことがあり、同じの艦の高名な最初の戦闘ハンプトン・ローズ海戦でも巨大砲塔に陣どって活躍したとのことだった。

　バークについてのこうした情報は、じつのところ出港後何日も経ってから知ったのだった。それでも彼が有能な船乗りであることは、わたしのように海に慣れずすぐ船酔いをした者の目にさえ、そうにちがいないと初めから見てとれていた。熟練し力量に富み自尊心も強い男だ。舵輪の前に立つ彼を見れば、そうした性格が全身から溢れているのがわかった。また彼が秘かに酒を船上に持ちこんでいることも一目瞭然で、いつもふらつき気味なうえに、ひとに突っかかりがちな酔い方をしていた。彼の態度や赤ら顔やいきり立った目を見れば明らかだった。だがあるとき船内からあがってきて船長室上甲板の端に腰をおろしたベンソン船長は、そのようすを見てとっていなかった。船長は主檣《メインマスト》を見あげると、こう唸った。

「速度をあげろ」

バークは顎を引き口をきつく閉じ、舵輪を四分の一だけまわした。

船長は多めの噛み煙草をくちゃくちゃやりながら、目を宙へ泳がせたままでいる。そしてまた唸った。

「風上へ保て」

バークはまたもなにも言わないまま、舵輪を四分の一戻した。

「おまえに海の作法を教えてやる」ベンソン船長が唸った。「おれが言ったとおりにくりかえせ。わかったな？」

「アイ・アイ・サー！」バークが意外にも素直にそう返答した。

するとすぐベンソンがまた言った。

「速度をあげろ、莫迦め、莫迦め！」

「速度をあげろ、莫迦め、サー！」バークのアイルランド人らしい唄うようなしわがれた大声が第二斜檣《ジブーン》に届くほど響いた。

風上側の索具梯子のわきに立って主檣索《メインシュラウズ》に片手をかけていた当直の大柄なノルウェー人二等航海士オルセンが、さも可笑しそうな笑みを浮かべてベンソン船長の顔を見ていたが、間もなく風上のほうへ目を逸らした。当のバークはといえば、舵輪の輻《や》の部分を今にももぎとらんばかりの力をこめてつかみ、憤怒を全身で表現していた。ベンソン船長は船尾方向へ顔を向けて一瞬それを目にしたが、すぐまた前へ向き、と思うと上へ向き、それから立ちあがって、あとはものも言わず船長室に入っていった。そしてそれ以後は、顎に爛《ただ》れのある武骨なオランダ人の若者チャーリーと、バルト海に面したポメラニア（ドイツとポーランドの北岸地方）出身の浮浪児だった内気なエミールが担当するとき以外は、舵手にあまりかまわなくなった。バークだけでなく、充分に大人になっている者たちは放っておかれるようになった。

翌日のバークはいちだんと酔いがまわっているようす

で、それまで以上に好戦的になっていた。わたしは船酔いのむかつきで頭まで朦朧として、周囲の海の新たな美観を見ても意気が戻らないほど弱り果てていたが、それでもバークのそんなようすには気づかざるをえなかった。ほどなく正午になろうというころだった。ベンソン船長とウィルソン一等航海士はそれぞれの六分儀を持ち、船の緯度を計るため船尾楼甲板にあがっていた。

よく晴れて風も穏やかな日で、雲ひとつない空から日差しが照りつけ、青い海に白い波頭《はとう》を際立たせていた。比較的近い前方に立つ煙は、一隻のイギリス戦艦からのものだった。ベンソン船長が舵手のバークに正午の当直交代を告げる八点鐘を鳴らすよう指示したちょうどそのとき、戦艦が船首のすぐ前を横切っていった。艦体は白塗りで縁に金箔があしらわれ、大軍旗が翻《ひるがえ》り小旗がいたるところに靡《なび》き、帆桁の上に乗組員たちがあがって登《とう》檣礼《しょうれい》（戦意のないことを示す儀礼）をなしていた。給仕係の若者が教えてくれたところによれば、その日はイギリスの公休日で、戦艦はバミューダ諸島（現代にいたるまでイギリス領）へ向かうところだろうという。気力の萎えていたわたしはそれ以上尋ねず、気にもかけなかった。昼食をとりに船内へおりる気すら起きなかった。ついにはデッキチェアに横たわるように沈みこんだ。船長と二人の航海士が夕食をとっているあいだは、船首楼のなかや厨房の戸口の近くと思われるあたりから乗組員たちの話し声がうるさく聞こえていた。やがてウィルソン一等航海士が船尾楼甲板に戻ってきたと思うと、風上方向になっている右舷に近づいて舷側に立ち、ほとんど見えないほど遠ざかった戦艦からあがる煙を遥かに眺めた。ウィルソンはすらりとした長身で肩幅も広く、動きといい態度といい所作といい、如何にもイギリス紳士と言うべき姿のよさを持っている。その顔は無表情ながら、船乗りという稼業にも似合わないほどの知性が感じられ、興味を覚えさせた。ウィルソンをじっと見ているとき、バークが煙草を吹かし鼻を鳴らしながら主甲板を船尾のほうへ歩いてくるのが見えた。煙草を吹かし鼻を鳴らしながら、左舷昇降梯子を船尾楼甲板へとあがってくる。顔はいつも以上に赤く、目もいちだんと血走っている。手に持つ小鍋には、乾パンを混ぜた煮物か汁のようなものが入っていた。バークはウィルソンに後ろから近づいて呼びかけた。

「ちょっとこれを見てみな。人間の食うものに見えるか？」

ウィルソンはバークがそこにいることにも気づかず、動きもせず声も出さない。

「これを見てみろと言ってるんだよ！」バークが怒鳴っ

た。「人間の食うものに見えるか？」

　ウィルソンは依然微動もしない。

　バークは吠えるような唸り声を出し、ウィルソンめがけて小鍋を投げつけた。後頭部にあたって中身が首にかかり、襟をつたって流れ落ちた。と同時にバークは自ら襲いかかっていった。ところがウィルソンは逆に押さえつけ、右手で顎を鋭く突いた。手の振りはさほど大きくなかったのに、一撃で倒していた。さらにバークが着る厚手のジャケットの開いている左右の襟をむんずとつかむと、前へ引っ立てた。先ほどの一撃の余波と、襟をつかんでの横捻りの効き目により、バークは膝からくずおれた。そこへこんどは左手で二発めが見舞い、これまた振りは短いが効果的だった。二人がもつれあったまま船尾楼昇降口に迫ったとき、ウィルソンのジャケットが揺さぶられたせいで、胸の内ポケットからいくつもの書簡が滝のように甲板にこぼれ落ち、左舷のほうまで飛んだ。わたしが休んでいる椅子のあるところは、左舷昇降梯子のすぐ上あたりだった。書簡に書かれている文字の群れが目に飛びこんできたせいで、文章を読むことを好む者の本能が揺すり起こされ、無気力状態から醒めた。すぐに椅子から立つと梯子をおり、散らばった書簡を拾い集めた。幸い舷縁を越えて海へ落ちたものはひとつもないようだった。三通は舷縁の手摺りの近くで拾い、ほかの五つか六つぐらいを甲板の真ん中に近いほうで拾った。あちらの封書からこちらの封書へと跳びまわる合間に、昇降口を挟んだ反対側の甲板で揉みあっている二人を何度も見やった。ウィルソンが有利さを失うことは一度もなかった。短い振りからの幾度もの突きに押しやられるばかりのバークは、ついにはつかんでいた相手の上着を放さざるをえなかった。それでもなんとか気をとりなおしてふたたび跳びかかるが、ウィルソンは完璧なかまえで迎え、左アッパーカットを顎に見舞った。そして右手の計算された振り幅と力により、顔の真ん中に強烈なパンチをくれた。バークは後ろへよろめき、右舷の昇降梯子から主甲板へと落ちた。

　ウィルソンはそれ以上はバークに関心を向けず、落とした手紙を拾おうと振り返った。昇降口の近くでふたつ三つ見つけ、船尾楼の明かり採りのそばでひとつ見つけた。そのほかのも探そうとあたりを見まわす。わたしはふらつく足どりでウィルソンに近づいていき、拾い集めた分をわたした。拾いあげるとき、封書の送り主や切手や消印につい目をやるのを止められなかった。何通かはイギリスからで、フランスとイタリアから二通ずつ、ほかはドイツとエジプトとオーストラリアからそれぞれ一通ずつだった。宛て先はすべて同じで――

　　アメリカ合衆国
　　メリーランド州　ボルティモア
　　アレクサンダー・ブラウン父子社気付
　　　ジェフリー・セシル様

　手わたすときは、本能的に封書の表書きを伏せる形でわたしした。ウィルソンは感謝の表情でそれを受けとったものの、声はまったく抑揚を欠いていた。

「どうもありがとう」

　そう礼が口にされたちょうどそのとき、ベンソン船長が昇降口からあがってきた。回転式拳銃を手にしていた。ウィルソンは左手で手紙の束を胸の内ポケットに入れながら、右手の人差し指を拳銃へ突きだした。

「そんなものは仕舞え！」と命じる口調で言った。

　先ほどと同様に抑揚のない声ではあるが、わたしに礼を言うときのイギリス人らしい淡々とした調子とは異なり、きびしさ鋭さがこめられていた。ベンソンはまるで相手が船長で自分は航海士にすぎないかのように叱責に従い、背を向けると気まずげに昇降口をおりていった。食糧庫の戸口へくぐり入る船長と入れちがいに、給仕係の若者が出てきて、昇降口から船尾楼甲板にあがった。そのあとから大柄なノルウェー人二等航海士オルセンも慎重な面持ちであがってきた。

　このころには太った黒人司厨長はじめ乗組員の多くが船尾にやってきて、倒れているバークのまわりに集まった。

　ウィルソン一等航海士は自分の首と襟にかかった煮物を払い落としたあと、厚手ジャケットの外ポケットからタールの塗られた細索《ほそびき》をひとつかみとりだし、それから悠然と主甲板へおりていった。乗組員たちに指示してバークの体を俯《うつぶ》せにさせると、細索で両手を後ろ手に縛り、両足首も縛りあわせた。そのあと、バケツに汲んだ海水を一、二度ぶっかけた。バークはすぐ意識をとり戻した。

「船首へ運んでいって、こいつのベッドに転がしておけ」とウィルソンは指示した。「いい子にしていると言ったら、ほどいてやれ」

　いつの間にかベンソン船長も船尾楼甲板にあがり、昇降口のわきに立っていた。

「どこかに閉じこめといたほうがいいんじゃねえか」振り向いたウィルソンに、船長がそう告げた。

　ウィルソンは船長の目をじっと見返していた。

「その必要はない」と鋭く言い返した。「ことを荒立てるのは愚の骨頂だ」

　わたしは自分がなんとか海に慣れてきたのではないかと、希望を持ちはじめていたころだった。不快感もむかつきもそれほどひどくはなくなっていた。ところがその日にかぎり、夜中に突然激しい吐き気に襲われるとともに、体じゅうの節々に痛烈な倦怠感が走った。やっとのことでベッドからおりると、なにかしら着るものを羽織り、這うように船室を通り抜けて、昇降口を舵輪甲板へとあがった。そこでは排水槽に四インチほど溜まっている温《ぬる》い雨水のなかに倒れこんでしまった。あちらこちらからさだまらず吹く弱い風が初めは気持ちよかった。饐《す》えたコーヒーや湿った乾パンや干し李《すもも》や防水服などの臭いがこもる狭い船室にいつづけたあとだけに。だがチョッキもジャケットも着ていないのですぐに寒気《さむけ》がして、たちまち歯がカチガチと鳴りだした。船酔いの惨状に加えてこんどは風邪だ。当直だったウィルソン一等航海士が定期的な見まわりのために船尾にやってきて、そこに倒れているわたしを見つけた。すぐ船内におり、チョッキとジャケットのみならず防水服まで持ってきてくれた。全身濡れ鼠になっていたが、防水服のおかげでかなりの温《ぬく》みを得られた。相手の耳が聞こえないのも忘れ、呂律《ろれつ》のまわらない舌で礼を言った。そのとき揺らぐ排水槽のなかへまたも転んでしまい、槽の枠木に頭を載せたきり人事不省に陥った。夜明けどきの強い風が顔にあたるのだけは感じていた。

　正午の少し前ごろ、わたしは前日と同じようにデッキチェアに沈みこんでいた。当直はこのときもウィルソン一等航海士だった。バークがまたも船尾のほうへやってくるのが見えた。このたびは煙草も吹かしておらず鼻も鳴らしていない。いつも赤かった顔が灰褐色がかっていた。頭に巻いた包帯が傾いて、悪いほうの目にかぶさっている。船尾楼甲板の半ばほどからさがる昇降梯子に近づいていく。そこまで来ると立ち止まり、舷縁の手摺りにつかまった。ひどく弱っているようで顔色が悪い。ややあってから、ウィルソンがようやくバークに目をとめた——目をとめてやったと言うべきか。それまでに何度となくバークが呼びかけていた。

「ウィルソンさん！」

　呼ぶたびに無視され、おとなしく少し待ってから、機会を窺うようにまた呼ぶのだった。ようやく気づいたウイルソンは、口を開いて問い返した。

「どうした、バーク？」

　バークはなにごとか盛んにまくし立てはじめた。

「こっちに来い」とウィルソンが呼んだ。

　近寄ったバークに、まずこう告げた。

「ゆっくり話してくれ」

「わかりました」とバーク。「ひとつ訊きますが、もしだれかが酔っ払って莫迦をやらかしたとしても、それだけじゃ罰は受けねえですよね？」

「酔っ払ったぐらいじゃな」ウィルソンは相手の顔をじっと見ながら答えた。

「そいつはよかった」バークは安堵したようにつづけた。「いや、というのはね、おれはこの船に乗りこむとき、たしかにかなり酔ってたんです。しかも酒瓶を持ってました、あとで楽しむためにね。そしたら、ウィルソンさん、あんたに持ち場を教えてもらったあと、オルセンさんがおれに近寄ってきて、酒瓶をとりあげて海へ投げ捨てたんです。そのあとはもうずっと素面《しらふ》ですよ。あんたに殴られたり、冷たい風に吹かれたり、ぐっすり寝たりしたおかげでね。この航海のあいだじゅう素面でいるつもりです。見ててください、ちゃんとやるつもりですから。あのとき莫迦をやらかしたのは、あの煮物が不味《まず》すぎて頭に来たからってだけなんで。見ててください、これからはほんとに立派にやってみせますから。誓ってそうしますとも。だから、あのとき莫迦をやらかしたからって、それだけで航海日誌に書かねえでもらいたいんです。それは大丈夫なんですよね？」

「大丈夫だとも」とウィルソンは請けあった。「航海日誌には書かない。だからもう行っていいぞ」

　バークは立ち去った。


　それから数日後、わたしは船首楼甲板にあがり、帆布がかけられている大きな錨にもたれかかって、舷縁から身を乗りだし、船首に切り裂かれる海面が生みだす白い泡や、波とともに急激に吹きあげられる飛び魚の群を眺めた。飛び魚たちは海面に広がる船影の端から、予想もしないときに予想もつかない姿で飛びあがってくる。バークが多めの噛み煙草をくちゃくちゃやりながら、タール入りのバケツとそれを塗るための厚布などの用具を持って、裸足であちこちを歩きまわっていた。わたしに近づいてくる。

「フェリスさん」と話しかけてきた。「あんた、だれかに洗ってほしいほど洗濯物が溜まってるんじゃねえかい？　あんたは船に乗るのに慣れてねえだろう。これが初めての航海で、しかも乗客はあんただけで、しかもこの船は帆船だ。そのうちきっと、早くホテルに泊まりたいと思うようになるはずだぜ。この船にいるかぎり、だれも洗濯物を請け負っちゃくれねえからな。あの黒人の司厨長だってそんなことはしてくれねえし。そこでだ、いくらかでも洗濯賃を払ってくれるなら、おれが請け負ってやってもいいって話さ。戦艦に乗ったことのあるやつは洗濯が巧いからね。でもお代はそっちの好きなだけでいいぜ。リオに上陸するとき文なしじゃ困るってだけだからね」

「賃金をもらえるだろう」わたしは鎌をかけてみた。

「けだものベンソンじゃ、あてにならねえ」とバークは答えた。「けだものベンソンのこと、あんたはよく知らねえだろうな。おれは知ってる。前払いなんてこれっぽっちもしちゃくれねえし、リオに着いてもどれだけ払ってくれるか知れたもんじゃねえ」

　これがバークとの長い会話のはじまりだった。故郷であるカナダのイーストブルック・ファイヴリヴァーズでのこと、南北戦争で北軍の戦艦エリクソン号――モニター号のことをバークはそう呼ぶ――に乗り組み、南軍のヴァージニア号と戦ったときのこと、幾多の軍港での清廉ならざる冒険のこと、仕えてきた無数の上官たちのこと。

「そのなかにも、ウィルソンさんほどの立派な紳士はいなかったね」と誇らしげに言う。「あれほどの上官は、一人もね。じつのところ、あの人はウィルソンじゃねえんだ。この船にはリヴァプールから来たジョン・ウィルソンだと言って乗り組んだそうだがね。リヴァプールのジョン・ウィルソンだと名乗るやつはどこの海にでもいるよ。何千人もな。同じ名前のやつが世界じゅうを航海してるぜ。みんな似たり寄ったりなんだ。背が低くて、巻き毛の黒髪で、浅黒い顔をしてて、どのジョン・ウィルソンもほかのやつらとだいたいおんなじなのさ。ほんとはポルトガル人だろうがなんだろうが、船に乗り組むときの契約書にゃジョン・ウィルソンとサインするわけだ。リヴァプール生まれのポルトガル人のジョン・ウィルソンなんてこの世の中に一人もいねえのにさ。けどあのウィルソンさんは紳士だ。どこからどう見てもイギリスの内陸人で、船に乗るようなご仁じゃまったくねえ。けどとにかく紳士だ。おれがやられたときを見ただろ？　あれは本物の紳士だ。おれがこれまで出会った船乗りでも軍人でも、あれほどちゃんとした紳士は見たことがねえ。ちゃんと分別があるんだ。おれが仕えてきた上官どもは、えらそうにしてるやつらばかりだったよ。頭は切れても、なんだかんだでえらそうに怒鳴り散らすようなやつらばかりだ。けどあのウィルソンさんを見てみな。どんなことにでも分別をわきまえてるんだ。あの人の日ごろのやり方を見ていりゃわかる。驚くにゃあたらねえ。そりゃもうまったく！　莫迦なまねなんかなにひとつやらかさねえし、法螺《ほら》を吹くなんてことも一度もねえ。みんなそうと知ってるし、おれもよく知ってる。あの人といると、学校の先生と生徒か、軍の上官と兵隊みたいな気がしてくるんだ。莫迦にゃできねえ上官だとわかるし、そういう上官は兵隊の言うこともよく聞いてくれるもんだ。あのウィルソンさんがどこでなにをしてるときでも、おれにゃ信用できる。ほかの連中もみんなそう思ってる。たしかにあの人は耳が聞こえねえ。岩に引っかかって沈んだきりの錨みてえに、まったくなんの音も届かねえのは気の毒なかぎりだ。けどあの人は目で聞くんだ。それだけじゃねえ、手でも聞けるし、体じゅうで聞ける。まったくほんとに、分別を心得た嘘のねえいい人なんだ」

　このバーク以外の水夫たちとは、親しく会話を交わしたこともなければ、まして多少とも深い思索を含んだ意思疎通ができるとは思えなかった。ベンソン船長とは多く顔を合わせたし、食事のときなどに話しているのもたくさん聞きはしたが、あのあだ名に似つかわしい男だとわかって嫌悪がつのるだけで、極力避けるようになった。

　オラフ・オルセンという大柄なノルウェー人の二等航海士はといえば、気のいい男ではあるが、鈍重で巧く会話ができる気質ではない。人あたりはいいが、言葉を交わして付き合いを深めたいとは思わないし、その必要も感じない。向こうから積極的に話しかけてくることはなく、こちらがなにか尋ねても不充分な答えが返るだけだった。そのオルセンがある日曜日、よほど気分がくつろいでいたのか、わたしの蔵書の一冊でも貸してもらえないかと頼んできたことがあった。それで、気に入る本があるかどうかわからないがと断ったうえで、蔵書を見せてやった。オルセンはそれをざっと見て、落胆したようだった。

「ドゥームズの本は持っていないかね？」とわたしに問い質した。

「ドゥームズ？」とわたしは内心で首を捻りながら鸚鵡返しにした。

「あんたは学者だよな？」と質問を変えてきた。

「そうなりたいと思ってはいるがね」とわたしは答えた。

「D・U・M・A・Sはどう発音するんだい？」とオルセンが尋ねた。

「わたしはフランス人じゃないが、デュマ、と読むのが近いと思うね」と教えてやった。

「そう、そいつだ」とオルセンは声をあげた。「おれがドゥームズと言うとみんな笑うのさ、莫迦なやつだなって。その作家の本、あんたは持ってねえのか？」

「残念ながらね」と告げてやると、オルセンは以後わたしのことを本を借りるにも値しないやつだと見なすようになったらしかった。

　ウィルソン一等航海士はそれとはまったく異なっていた。船が赤道付近の無風地帯に入る前のころ、わたしもようやく自分の足が船の揺れに慣れてきたことを覚り、気晴らしに船中のさまざまな索具や金属具や木製具の名前を憶えたり、索具梯子によじ登って楽しんだりするようになった。読書をしてくつろいだ日々をすごせるようにもなれた。ウィルソンが本を貸してくれないかと頼んできたあとの最初の日曜日、わたしの船室に招いて蔵書を見せてやった。ホメロスの長篇詩『イリアス』『オデュッセイア』や古代ギリシャ詩傑作集をはじめ、ダンテ、カルドゥッチ、ゲーテ、ハイネ、シェークスピア、ミルトン、シェリー、キーツ、テニソン、ブラウニング、スウィンバーン、ロセッティなど、おもに詩人一人につき一巻ずつの詩集が蔵書の大半で、なかにはユゴーのように十巻あまりにも及ぶ分冊詩集もある。ウィルソンがそれらの背表紙を眺めていくさまを見ていると、とくに古代ギリシャ詩の本のところで瞳がきらめいたようだったが、どれも読みたいという願望と同時に、すべては借りられないという諦めも同居しているのが見てとれた。結局手はじめにミルトンを借り、後日それにつづいてイギリスの詩人たちの詩集をつぎつぎと借りていった。疑いなく一冊ごとに完読していたはずで、非番のときはほとんど読書ですごしているようだった。

　わたし自身もまずイギリスの詩人たちから読みはじめ、のちに暖かな南東からの貿易風の吹く海域に入ってからは、それに促されるようにゲーテの『ファウスト』を読み、つぎにダンテの『神曲』を読み、それから『イリアス』を読み、やがて航海の終わりのときが近づいてくると、『オデュッセイア』に没入する歓びに心を浸《ひた》した。

　そのころにはこの耳の不自由な一等航海士ととても親しくなっていた。晴れやかな日曜になるたびに、多くの時間を甲板で会話をしてすごした。ウィルソンの読唇術はすばやく且つ正確で、仮にわたしが日差しのほうへ顔を向けたとしてもすぐ近寄ってくれるので、まるで耳の聞こえる者を相手にしているように雑作なく話せるのだった。会話はもっぱらウィルソンの主導で進められた。相手から質問されないと進められない話者ではなく、むしろ知りたいと思ったことについては臆せず積極的に尋ねてくる気質だ。それでいてとても思慮深く繊細に質問を切りだすので、いろいろ訊かれても反感を覚えたりすることはまったくない。といっても初めのころのウィルソンは少し緊張していて、多少心配げにおずおずとしたところがあったが、しかしわたしが相手の遠慮にずけずけとつけこんでくることがなく、恩着せがましいところのある男でもないと覚ると、ついには自分を解放して、同等の話し相手との自由な意見交換として会話を楽しむようになってくれた。やがては口にしないことまで理解しあえるところまでたどりつき、ひとかどの教育を受けた者同士、あるいは文化芸術を愛好する者同士という地平の上で、なんでも話しあえるようになった。ウィルソンも気持ちが楽になったせいで、自分の教養の高さを隠すような遠慮はしなくてもいいのだと思うようになり、借りた本についてだけでなく、まだわたしの手もとに残っている本をめぐる話題にも興じた。精神的基盤がオックスフォード大学で築かれたのかそれともケンブリッジ大学なのかといった面については決して洩らそうとしなかったが、しかし明かされる知性と教養からして、そのどちらかだろうとは想像がついた。

　航海が終わりに近づくころになると、日中での会話はたいていいつも、今わたしが読んでいる本はなにかというウィルソンの質問からはじまるようになった。週日での航海士としてのたゆまない毎日の見まわりのときにさえ、わたしがくつろぐ椅子のそばでしばしば足を止め、短い話を楽しむようになった。それはもちろんわたしにとっても同等に楽しいことだ。日曜の会話では、ウィルソンの甲板当直の時間のほとんどが費やされた。だがわたしにとっていちばんの楽しみのは、夜になってからウィルソンの独白を聞くことだった。それはたしかに独白であり、わたしが口を挟んだり反応したりする必要さえなかった。ひとつの当直での船内の見まわりは二巡ずつやり、舵手に二度、見張りに二度声をかける。それから船尾楼甲板をまわり、さらに主甲板の船尾側全域を右舷から左舷まで見まわす。風下側の舷縁まで来てきびすを返すと、船全体の帆の張り具合を包括的に一望する。それから風上側の舷縁まで来てきびすを返し、船尾楼甲板から眼下の主甲板のほうへ身を乗りだし、主帆《メンスル》の下から覗きこんで、船首風下側の彼方に見える水平線まで眺めわたす。航海の早い段階においては、この行動を毎夜ひとつの当直のあいだ欠かさずくりかえすのを見てきた。それはもう自動人形のごとく規則的で、当直での休憩は正確に三度だけという決まりだった。だがウィルソンはわたしと親しくなってくるにつれ、甲板の見まわりを大幅に時間縮小して、当直のあいだのほとんどを、わたしが椅子を置く位置に応じて舷縁の手摺りにもたれたり、昇降口の蓋に坐ったりしてすごすようになった。そんなときは、たいがいこのように切りだすのだった。

「以前に――は読んだことがあるかね？」とか「最近――は読んだかね？」といったふうに。

尋ねられる本をわたしが読んでいることもときどきはあるが、多くの場合読んでいなかった。どちらの場合でも、ウィルソンの理性的で冷静な見解には惹きつけられた。繊細でありながらも痛烈な論評が、よく選ばれた言葉によって流れるように語られるのだった。

　航海の終わりが予想以上に早く近づいてきた。南東貿易風はわれわれの船にとってほとんど向かい風だったため、右舷を長く進めてから左舷を短く進めることを交互にくりかえす詰め開き航法、すなわち上手《かみて》廻し（風上へジグザグに進む航法）を採らねばならなかった。やがて陸が近づくにつれて、永遠につづくかと思われた貿易風もようやく弱まり、日曜の朝には追い風に変わっていた。追い風を受けて進むのはわたしには初めての体験で、とても気分のいいものだった。近づいているとはいえ陸はまだ視界に入ってこなかったが、海がもう青い色をしていないのは、水深六十尋《ひろ》ほどのところに、大西洋の海底からの高さ百マイルもある膨大な大陸棚がせりあがっているためだった。ブラジルのバイーアからリオ・デ・ジャネイロにかけての、あるいはより正確にはカナヴィエイラスからイタペミリンにかけてのあいだの沖合ということになる。日差しの明るい日で、雲は細かく分散し、空は濃い青色を変化させ、海は金色の混じる淡い緑色に白い波頭が走り、その上空を飛ぶ雲の影が斑《まだら》模様を描く。船は踊るように楽しげに進み、波頭が来るたびに白い泡を浴びながら、晴れやかな空の下で活きいきと泳ぐことの悦びを乗組員たちにまで波及させているようだった。

　わたしはデッキチェアを船のなかほどの甲板の明かり採りのそばに置いていた。昇降口の船尾側のすぐわきのあたりで、そこにくつろいでホメロスの『オデュッセイア』を読んでいた。ウィルソン一等航海士がやってきて、昇降口の蓋の上に腰をおろした。

「なにを読んでいるのかね？」といつものように訊いてきた。

「セイレーンの出てくる場面さ」とわたしは答えた。

　これまでにない奇妙な変化がウィルソンの表情に顕われた。

「気づいたかね？」と彼が問う。「セイレーンについてのホメロスの描写がごくわずかでしかないことに」

「それについて、今考えていたところだ」とわたしは答えた。「セイレーンは二体いて、歌を唄っていたとしか書かれていない。世の中に広く流布しているセイレーンの姿というのは、いったいどこから来たのだろうと不思議になるよ」

「きみが言う世に流布してい姿というのは、どういうものだ？」とウィルソンが重ねて問う。

「脳裏にあるのは、ごく漠然としたものでしかない」とわたし。「鳥のような肢《あし》を持っているというのが、一般的なようだね。古代ギリシャの墓碑とかコインなどに、セイレーンの姿が彫りつけられているのを見たように思う。アルノルト・ベックリン（十九世紀のスイス生まれの画家）の絵画も有名だ」

「ベックリン？」とウィルソンが問い返した。「ミュンヘンで名をあげたあの画家か。病的な絵ばかり描いた男だ」

「きみはそう言うかもしれないが」とわたしは認めつつも、「わたしは病的とは思わないね」

「あの男の醜怪な発想は、単に個人的な妄想の所産にすぎない」

「そういう考え方もわかるが」とわたしはまた認めた。「時代を考慮すれば、醜怪さも通用したと見なせるだろう。ともあれ、鳥のような肢が一般的な姿であることに変わりはない」

「その一般的な姿というのが、じつはまちがいなのだ」

ウィルソンのその言い方には、今までの彼には感じられなかった激しい調子があった。

「ずいぶんと強くそう思っているようだね」とわたしは評した。

「思ってるわけじゃない」とウィルソンが言い返す。「そうと知っているのだ」

「どうしてそんなことがわかる？」

「この目で見たからだ」と彼は答えた。

「見ただと？」わたしは疑念をつのらせた。

「そのとおりだ」とウィルソンは断言した。「輝く太陽の下で、銀の月の下で、無数の星々の下で、ぼくは双子のセイレーンを見た。今もなお唄いつづけているとおりに歌を唄っているところを、たしかに目撃した！」

「なんだって？」わたしはつい声をあげた。

自分の顔に驚きの表情が貼りついているのがわかった。声が内心の困惑をあらわにしてしまっているのも察せられた。

ウィルソンの顔が興奮で一瞬紅潮したあと、すぐに青褪めた。そして弾かれたように立ちあがったと思うと、風上側の舷側へ足速に進んでいき、そこにしばらく立ちつくした。やがてくるりと翻ると、甲板を横切って、わたしとのあいだに位置する昇降口から船尾楼内へとおりていった。こちらへはもう目もくれなかった。

　航海の残りの日々のあいだ、ウィルソンはわたしと目を合わせず、近づいてくることも一度としてなかった。ボルティモアの埠頭で初めて見たときと同じ、内心を読ませない超然とした人格に戻ってしまった。

　九月のよく晴れた熱帯の夕刻、われわれの船はリオ・デ・ジャネイロ港へと近づいていく。日没前の入港にはわずかに遅きに失した。グアナバラ湾への入口の東側に位置するイタイプ地区からのびる黒々とした半島と、その沖に浮かぶ小さなマエ島とパイ島とに囲まれた入江に錨をおろした。錨につながれたまま船がゆるやかに上下しているあいだに、熱帯のおびただしい星々が鏤《ちりば》められた雲ひとつない夜空を眺め、リオの街明かりを眺めた。グアナバラ湾の入口をなす奇岩シュガー・ローフ山（名所ポン・ヂ・アスーカルの通称）とモーホ・デ・サン・ジョアンとのあいだから見える街の灯《ひ》は船から三マイルと離れておらず、星よりも明るくまたたいている。

　ウィルソンがわたしのところにやってきたのは、午前零時に迫ろうかというころだった。舷側に置いたデッキチェアの半分に彼も坐り、半ば横たわっているわたしを見おろした。そしてそれまでにしばしば聞いたときと同じ調子で独白をはじめた。つまりこちらが尋ねたわけでもなければ口を出したわけでもない、ただ聴きつづけるしかない、そうでなければまったくやめさせるしかない、一方的な告白を語りだしたのである。

「ずいぶん驚いたようだったね」とウィルソンは言った。「ぼくがほんとにセイレーンを見たといったときのことさ。でもたしかに見たんだ。今から六年ぐらい前、たしか一八七九年のことだ。ぼくはニューヨークにいて、いつものようにこの耳のせいで、乗る船を探すのに苦労していた。そんなとき馴染みの水夫請負師が、〈歓城丸《ジョイアス・キャッスル》〉のジョージ・アンドリューズ船長に口を利いてくれた。アンドリューズ船長はぼくを見て、気に入ったと言い、そのあと二人きりで話をした。『わたしたちの航海はかなりの冒険になる』と船長は言った。『そこで、素直に命令に従う、しかも口の堅い船員を探していたんだ』

　どんな危険な旅であれ、自分はそれにふさわしい男だとぼくは訴えた。〈歓城丸〉はさまざまな荷を積んでいたが、積載量はせいぜい船倉の半分ほどで、底荷（船を安定させるための積荷）と乙甲《おっかつ》な程度だった。行き先はグァム島で、そこでの仕入れが狙いだった。ぼくは二等航海士で、一等航海士はグスタフ・オブリンクという名の体格のいいスウエーデン人の男だった。このオブリンクと初めて一緒に食事の席についたとき、それまで見たことがないほど食欲の旺盛な男だという印象を持った。驚くばかりにたくさんの量の食べ物を腹に詰めこんでも、せいぜい半ばほどしか満足できないらしい。とにかく食べ物を呑みこむという行為に並はずれた歓びを感じるようで、どんな香りのものを口にしても新鮮な快感が得られるらしかった。あそこまで食事を深く楽しめる人間はかつて見たことがない。飲み物についても同じくらい尋常でなく好きで、一度の食事で飲むコーヒーの量もとんでもないものだった。にもかかわらず食事から食事への合間にはいつも喉が渇き、信じられない量の水を飲む。しょっちゅう炊事室の戸口のわきに置いてある水溜めの樽のところに行ってはがぶがぶと飲んでいた。しかも水を飲むたびに、貴重なワインを試飲する鑑定士みたいに舌鼓を打った。

ぼくとオブリンクとで当直を決める相談をするとき、アンドリューズ船長がそれぞれの当直で運用長（燃料・物資等の補給係）をだれにするか選ぶようにと告げた。するとオブリンクはどうしてかと問い質した。

船長はぼくたちに質問などする権利はないと突っぱねた。オブリンクは仕方なく折れた。そして二人それぞれ別々のアイルランド人船員を運用長に選んだ。オブリンクはパット・ライアンという名前の背が高く痩せた男を選び、ぼくはマイク・レアリーという小柄な太った男を選んだ。翌日船長は甲板長に指示し、二人の運用長の荷物や寝台や雑貨を船尾楼に運ばせた。この二人もオブリングに劣らないほどの大食漢だった。動物のようにガツガツと食い、会話ももっぱら食べ物飲み物の話題が中心だった。

乗組員みなが総じて食べることが好きな者たちで、アンドリューズ船長は彼らの好みに応じて食料を用意した。その面では〈歓城丸〉はじつによく行きとどいた商船で、船室保管の食料は豊富なうえに変化に富み、船首楼内の水夫室にも良質の食材が山と仕舞われていた。

アンドリューズ船長は乗組員たちが港での飲酒の酔いから完全に醒めたのを見計らうと、ある日の正午に全員を船尾楼に呼び集め、これから当分のあいだ毎日賄《まかな》い係が美味《うま》い酒を出してやると通告した。当然ながらみな喜んだ。たしかにそれから毎日、安めだが良質な酒を船室にいながら飲めるようになった。船長はぼくたち航海士二人とそれぞれの運用長とがまだ酔いきれずにいるのを見てとると、テーブルのわきの棚にウイスキー瓶をひとつ、いつも中身をいっぱいにして置くようにした。オブリンクとレアリーがそのウイスキーを愛顧しはじめるようすを眺めるのはじつに興味深いことだった。三人のなかでその瓶の恩恵に与《あずか》るのに慎重になる者は一人もなく、それぞれが三度ずつその瓶から飲んでも、酔う者はまだ一人もなかった。だが三人ともひと飲みごとにひと滴《た》れも無駄にしないようによく味わい、如何にも酒好きな満足さをためらわずあらわにして、つぎの飲み順を心待ちにしているようすは、なかなかの見ものだった。

　アンドリューズ船長は規律を守ることに長け、なにごともなく赤道を越えて南下し、喜望峰をまわりこんでいくことができた。

　船がマダガスカル島の沖合まで来たとき、オブリンクが自分用の六分儀を持ってこようと甲板におりたところ、それがあるべき場所からなくなっているのがわかった。船内じゅうを捜索したり、船長がみなを訊問したりしたが、六分儀はいっこうに見つからず、どうしてなくなったのかという点でも不明のままだった。そのとき以後、船の位置測定は船長が独りでするようになった。

　そのころから船の針路がぎくしゃくしはじめた。あちらへこちらへと不たしかに揺らぐ航海が六週ほどもつづき、ついには乗組員たちの話題も、船長のせいで船がどこかへ迷ってしまうのではないかという心配ばかりで占められるようになった。当然のことだ、船長のほかにはだれも船の正確な位置を知りうる者がいないのだから。少なくとも赤道から南へ緯度にして十度分ほどのあいだで、東経では五十度から百十度のあいだだろうと予想できたが、その範囲でならどこにいてもおかしくない状態だった。

　ニューヨークを発って以降、嵐と呼べるほど大きな風雨には一度も遭っていなかった。だがいざ初めて襲った嵐は、たしかに嵐と呼べる規模だった。襲いかかられたとたんに、必死の排水を強いられることになった。一昼夜交代でポンプにかじりついてがんばったが、ついには船からボートに分乗せざるをえなくなった。アンドリューズ船長は自分の乗るボートに司厨長と給仕を同乗させ、二人の運用長それぞれに小型ボートを与えてほかに二人ずつ同乗させ、総勢に北東方向へ進むよう指示した。オブリンクとぼくが緯度経度を問い質したが、船長は自分の仕事に口を出すなと言ってとりあおうとしない。ぼくたちが船の排水をしていたあいだに船長があらかじめボートに物資を積んでいたおかげで、食料不足などの心配はなかった。嵐が去って風が収まり、波はまだ高いながらもゆったりとしたものに変わったが、船は晴れた空の下に置き去りにしていくしかなかった。波が収まるとともにボートを漕ぎだしたのは日没近くだった。

　翌朝になると、船長の乗ったボートが行方不明になっていることがわかった。残ったぼくたちは総勢二十人で、大型小型のボートそれぞれ二艘ずつに乗り、どこにいるのかも皆目わからない状態だった。

　三日めに陸が目に入ってきた。直径一マイルとはない低い環礁で、見わたしてわかるかぎりでは真円に近く、よくあるココヤシがぐるりと立ち並び、沖合の暗礁が打ち寄せる波を阻んでいる。近づいてみると、正面の礁湖が水路で外海とつながっているのがわかった。その水路をたどって礁湖の中央近くまで行くと、細長く尖った薄桃色の大岩が屹立していた。高さ五十フィートほどで、その岩の背後にごく小さい平らな島があった。礁湖のほかの部分にはなにもない。ぼくたちはボートを侵入させた水路に近い位置から環礁に上陸した。すると良質の真水があることがわかり、ココヤシの実は豊富に生なっているし、しかも野生豚までがそこらじゅうを走りまわっていた。だが人がいる気配はまったくなかった。ぼくが豚を一頭撃つと、乗組員たちがすぐさまローストにした。みんなでそれにありつきながらも、話題はもっぱらボートの食料がいずれ足りなくなるという問題だった。全員が素直でいいやつらだが、酒が恋しいと日に十回は言わない者は一人もいなかった。自分の乗ってきたボートに荷が豊富にあることを知っているオブリンクは比較的冷静だったが、その彼でさえ、やれ酒を持ちだせばよかったとか、やれ少ない食料を大切にしなければとか、何度となくくどいた。ボートに戻ればみながくりかえし空腹を訴え、豚肉の美味《うま》さを口々に懐かしんだ。そして驚くほどたくさんのココヤシの実を食った。これだけ食欲旺盛なやつらが、よくもまあ揃いも揃ったものだと、ぼくの目には映っていた。

　ココヤシの木を五本伐《き》り倒し、一本を棟木《むなぎ》にして、それ以外の丸木でささえ、大型ボート二艘分の帆をかけてテント代わりにした。これで礁湖のわきの砂浜で野営をすることができるようになった。ぼくはたっぷり睡眠をとった。ところが目が覚めてみると、ぼく以外のだれもが盛んに文句を垂れていることを知った。やれ明るすぎるだとか、やれよく眠れないだとか、やれ音楽みたいな変な音が聞こえる夢を見るだとか、みんなが言っている。しかも目覚めてからもその音が聞こえるという。それでも新たに殺した豚一頭とたくさんのココヤシの実で朝食をとった。

　そのあとオブリンクがぼくにしばらく野営の当直を頼むと言ってきた。ぼくは承知した。オブリンクは荷物をおろして空になっている自分の大型ボートに、大勢の乗組員を乗せた。野営に残るのは、フレンチーというあだ名で呼ばれている小柄なフランス人の男と、ペディコードという名のニューイングランド地方出身の男と、ミューレンという背の低い赤毛のアイルランド人と、運用長ライアンと、あとはぼく自身だけだった。彼ら野営の当直組のなかでも、行きたいというやつがいたらオブリンクと一緒に行かせてやった。一行は大型ボートで礁湖に漕ぎだし、薄桃色の岩礁へと向かっていった。

　オブリンクたちが出かけたあと、ぼくは野営の食料在庫を補給しようと考えた。ライアンとフレンチーを組ませて環礁を一方の側からぐるりとまわらせ、前檣《ぜんしょう》並みの目先のよさを持ったペディコードとミューレンの組をもう一方からまわらせた。ぼく自身は在庫を調べた。これだけあれば当分は保《も》ちそうだという量が残っていた。仮に二十人がもうしばらくインド洋をボートでうろつきまわらねばならないとしてもだ。環礁にはココヤシの実は際限なくあるし、野生豚の数も相当なものだ。どこにでもいる野鼠に用心しさえすれば、貯蔵には心配ない。

　食料探しに行かせた四人はひどく早く戻ってきた。ふた組ともほとんど同時だった。昼近いころだったが、オブリンクたちのボートが帰ってくるようすはまだない。彼らが出発したときぼくは望遠鏡で大型ボートの進み具合を見ていたが、半マイル近く先の薄桃色の岩礁をまわりこんだあと、ボートは視界から失せたのだった。不意にライアンが、自分たちも今から小型ボートに乗って、岩礁に行った者たちに加わってもいいかと頼みこんできた。ぼくは認めてやった。彼らの目から酒を隠すもくろみをまだ果たしていなかったので、ちょうどいいと思ったからだ。こうしてぼくの当直組の四人も、ほかの者たちのところへ向かっていった。

　そのあとみなの不在をいいことに、ぼくは酒を四つの場所に分散して隠した。そしてあとで隠し場所を探しやすいように、それぞれの目印を手帳に書き留めた。銃の弾薬のほとんども同様にした。といってもオブリンクの優位に立とうと狙ってのことじゃない。野営での仕事の進捗は彼に逐一報告するつもりだったし、彼も認めてくれるはずだと考えていたからにすぎない。

　一行は遅くとも日没の二時間前ごろまでには戻ってくるだろうと予想していた。だがいっこうに姿が見えない。日暮れになってもまだ現われず、ついには日が沈んだ。言うまでもないが、どれだけ晩くなろうと、ぼくは夜中に単身で未知の礁湖への危険な捜索に漕ぎだしたりするつもりは毛頭なく、ひたすらじっと待つだけにとどめた。

十九人をたった一人が探しまわるなど、到底まともなことじゃない。それになにより、ぼくには食料を野豚や野鼠から守る役目がある。だが脳裏にはいろんな可能性が去来しつづけ、ほとんど眠れなかった。

　翌朝になると、代用テントの棟木にできるだけたくさんの食料を吊るした。豚や鼠が届かないようにするためだ。残っている大型ボートが波に流されないようしっかり繋留し、小型ボートにはさまざまな食料や物資を積みこんだ。ココヤシ、乾パン、飲み水の樽、酒、薬、連発銃、その弾薬、望遠鏡、羅針盤、などなど。護身用には回転式拳銃二挺を身に帯びた。そのころにはさすがになにかがおかしいと思いはじめていたので、例の薄桃色の岩礁へ赴くため、小型ボートで礁湖の静かな水面《みなも》にゆっくりと漕ぎだした。

　岩礁に近づくにつれ、まわりの景色の美しさ穏やかさに目を瞠《みは》らざるをえなかった。空は鮮やかな熱帯性の紺碧で、太陽は昇ってからまだ一時間と経たない低さで、風はかすかで礁湖に漣《さざなみ》も立てず、水平線には環礁に並ぶココヤシの梢がつらなり、その景色を乱すものといえば、礁湖に侵入するときたどってきた水路の向こう側の暗礁に波が白く砕けるさまだけだ。

　荷をたくさん積んだ小型ボートは重く、ゆっくりと漕ぎ進んだ。しじゅう肩越しに振り返って後方も警戒した。

　薄桃色の岩礁は深い水底《みなそこ》から険しい崖をなして切り立っていた。花崗岩のようにも見えたが、どういう種類の岩石かはっきりとはわからない。薄桃色の表面には草木がなにひとつ生えていない。まったくの裸の大岩だ。ボートでまわりこんでいくと、岩礁の背後に、てっぺんが平たい地表になっている小島が見えてきた。そこにも一本の立ち木もなく、岸の崖が海面上に六フィートから八フィートほどの高さでせり立っていた。崖の縁の向こう側の内陸になにがあるかはまるで見えない。だが一行はそこに上陸しようとしたはずなので、ぼくはボートを止めて束の間考えをめぐらせた。それからまた漕ぎだし、岩礁の基部を完全にまわりこんだ。小島と向きあっているこの岩礁の基部は、謂わば薄桃色の岩からできた棚のような様相の岸をなし、海面上に出ているところと沈んでいるところとがあって、沈んでいるところはゆるやかな傾斜になっており、そこからならば岩礁に上陸できそうだった。そこで注意深くボートを漕いでいき、沈んでいる岸の表面に舟底がこすれるところまで進んだ。舳《へさき》は汀《みぎわ》から一フィートほど岸に乗りあげ、艫《とも》のほうはおそらく深さ六十尋《ひろ》はありそうな水の上に出ているままだ。澄んだ青色の水を透かしてさえ水底が見えない。ぼくは岸におりて、ボートを引っぱりあげた。それから切り立った高い岩礁を掻き登りはじめた。間もなく登れはしたが、決してたやすいわけではなく、頂《いただき》にたどりつくまでは下方を振り返り見る余裕もなかった。登りきってみると、岩礁の頂はさしわたし三十フィートほどの平地になっていた。

どっと腰をおろし、小瓶に入れてきたウイスキーを飲んだ。かなりの量を一気に飲んだあと、目を閉じてひとつ祈りをつぶやき、それからまた目をあけた。見えたものは最前と同じなにもない風景だった。

岩礁と小島のあいだには船一隻の全長分ほどの距離があり、小島は船四隻分ほどの直径があって、ほぼ円形をしていた。周縁部は綺麗な白い珊瑚砂からなるゆるやかな勾配の浜辺で、高いところではおよそ十フィートほどの海抜がありそうだった。浜辺以外の部分は平坦な草地で、高さは浜辺の内陸側の縁をなす尾根とほとんど変わらない。一面に覆っている草は丈が短く柔らかそうな質に見え、色はイギリスの春の芝生を思わせる明るく淡い緑色だ。島の中央、つまりその草地の真ん中に、薄桃色の丸い石が鎮座している。見るからにぼくが腰をおろしている岩礁と同じ質の石だ。この丸い石の上に生き物がふたついたのだが、その形は目をこすってみてもよく見きわめられなかった。そこから浜辺の縁までのあいだに、なにやら白い堆積物が長い列をなして、丸い石をとり囲み、幅六十フィートほどの範囲につらなり広がっていた。その堆積物の実体がなんなのかは、望遠鏡を覗くまで見きわめられなかった。

だが一行の十九人全員が、その白い堆積物の列の内側に、一部の者たちは外側に、あるいは堆積物の上に坐りこんでいるさまは、望遠鏡なしでも見てとれた。一様に顔を丸い石のほうへ向けている。

望遠鏡をポケットからとりだそうとするが、手が震えて調整もろくにできない。なんとか覗き見ると、丸い石の上に乗っている生き物の姿は、裸眼で見たときどうにか推測していたとおりだと確認できた。

白い堆積物のほうは、すべて人骨だった。望遠鏡で見て、そうとはっきりわかった。

石の上のふたつの生き物のほうは、悩ましげな姿態を持つ女の姿をしたものだった。だが顔の部分以外は素肌が見えない。体にぴったり貼りつく薄衣《うすぎぬ》のようなものをまとっている。かすかに銀色がかった灰色の衣で、体のあらゆる不部分に貼りつき、その曲線の具合まではっきりとあらわにしている。土竜《もぐら》か渦巻兎《チンチラ》の毛皮のような光沢のある布で全身を包んでいるといった姿だ。日光を受けてきらめくようすは毛綿鴨《けわたがも》の表皮のようでもある。

そして女たちの髪と来たら！　思わず目をこすって見た。ハンカチをとりだして望遠鏡のレンズまで拭き、もう一度見なおした。やはり同じだった。

豊かな量の髪の毛が、波のようなゆるやかな巻き毛をなしつつ、腰のあたりまで垂れているのだった。その髪の色というのが、深い濃紺か、あるいは玉虫色めいた鈍く強い緑色か、あるいはその両方が併存しているか混ざりあっているとでもいうふうだった。とにかくそうとでも言う以外ない色の髪だった。

しかも彼女たちの顔と来たら！

その顔立ちはヨーロッパ人つまり白人のもので、若く美しく穏やかな表情の女性《にょしょう》の顔だった。

一人は丸い石の半分に体をやや横向きにしてくつろぐ姿勢で、両膝を曲げて少し前側に引き、頭は曲げた片腕の上に載せて、ぼくのほうへ向けている顔は眠っているように見えた。もう一人は片腕をまっすぐ石に突いて体をささえ、口をあけているが、その唇が動いているのがわかった。それは如何にも歌を唄っている女の顔だった。それ以上観察しつづけるのはやめた。まちがいなく現実でありながら、あまりにも信じがたい光景だった。

つぎは望遠鏡で十九人の一行を見た。彼らが呼吸するごとに肩が大きく上下するのがわかるが、それ以外の部分は、見つづけているあいだ体じゅうの筋肉ひとつとして動かなかった。

望遠鏡の蓋をしめ、ポケットに仕舞った。大声で呼んでみた。だれもこちらを向こうとしない。全員をいちどきに観察できるようにしながら、もう一度呼んだ。まだだれも動かない。そこで回転式拳銃をホルスターから抜き、宙に向けて発砲した。依然動こうとしない。

ぼくは岩礁からくだることにした。小島のほうへ背を向け、遠い水平線へ顔を向けながら、視線は環礁に残した野営に落とした。白い砂の上で、ココヤシの丸木に白い帆をかけたままになっている。それを見すえて現実感をとり戻すよう努め、それから精神を集中させて、岩礁の崖をくだりはじめた。

なんとかくだりきったが、途中で何度も崖から手がはずれそうになった。

小型ボートを海面に押しだし、小島まで漕いだ。漕ぎつけると、一行が使った大型小型のボートのあいだに乗りあげさせた。一行のボートはどちらも潮に流されそうになっていたので、できるかぎり陸に押しあげてやった。

それから浜辺を進んでいった。浜辺の奥の尾根になっているところまで来ると、一行の背中が見えたので、またも大声で呼びかけた。一人として振り返ろうとしない。ぼくは近づいていった。全員があの丸い石とその上にいる二人の女人《にょにん》へ顔を向けたきり、微動だにしない。

ぼくにいちばん近いところにいるのはペディコードだった。彼の目の前にある白骨の小山はさほど高くないので、それ越しに女人たちのほうを注視しているのだった。ぼくは両肩をつかんで揺さぶってやった。すると彼は振り向いて、ほんの一瞬だけぼくを見た。熱中している遊びを邪魔された子供が見せる不機嫌な視線を思わせる、ムッとした一瞥だった。相手がだれであるかも認識していない、理解しようともしない、知力のない虚ろなまなざしだった。

ぼくは驚いた。ペディコードは冷静で分別もあるアメリカ男だったのだから。しかも昨日の彼との顔の変わりようがさらに驚かせた。そのとき不意に気づいたが、ペディコードもライアンもミューレンもフレンチーも、最後に会ったとき以降飲み食いを一切していないと思われた。野営を発ってから間もなくここにたどりつき、それからずっとこうしているはずなのだから。熱帯の太陽の下に半日あまりも体をさらしつづけ、夜は夜でまんじりともせずじっとしていたはずだ。それと同時に気づいたのは、彼らはこうして何時間も同じ状態でいつづけ、しかもその一部では燃えるような朝の日差しを浴びていたにちがいないということだった。そうと知ってぼくはひどい当惑に襲われた。一人ひとりに駆け寄っては声をかけたり、体を引っぱったり、ときには手で叩いたりもしてみた。

だれも叩き返してきたりはせず、声で反応する者もなく、一度振り返ったとしても二度めはないありさまだった。ただ煩わしそうにぼくを振り払い、またもとの姿勢に戻るだけだ。オブリンクですらそうだった。

じつのところオブリンクは口を半開きにして、なにか言おうとしているようだった。

彼の舌まで見えた！

ぼくはボートに駆け戻って、乾パンをひとつかみと、飲み水を入れた小鍋を、一行のところに持ち帰った。

だがだれも乾パンに目もくれようとしない。水に関心を示す者さえいない。顔の前に突きだしてやっても、ちゃんと見ようとはしない。まして水を飲む者などいるはずもなく、無理に飲ませようとしても無駄だと思えた。

小瓶のウイスキーを水につぎ足して、一人ひとりへまわってみた。だがウイスキーの香りでも惹きつけることができない。みなが顔の前から小鍋を押し返し、それを強いようとするぼくを振り払う。

そこでまたボートに引き返し、ブリキのカップに生《き》のままのウイスキーを注いで、また一人ずつまわった。なおも見向く者はおらず、当然だれも口にはしない。

そこで、ぼくはあの丸い石にあらためて視線を向けた。その上にいる二人の女人とは、セイレーンだった。彼女たちが何者であるかを、このときようやく認識した。二人とも眠ってはおらず、歌を唄っているのだった。あのとき望遠鏡で見た光景が、今はっきりと詳細に観察できた。その姿はたしかに若く健康的な、豊満に成熟した白人の女たちだった。二人とも肌にぴったりした羽毛質の衣を全身にまとっている。胸のあたりは鳩の胸を思わせ、虹色あるいは薄桃色がかった淡く繊細な灰色を帯びている。彼女たちの頭から生えているのは、人間の女性の腰まで垂れる長い髪と似てはいるが、じつは濃い色彩をした細い羽毛の束なのだった。駝鳥の尻の羽根が一ヤードほどの長さでゆるやかに渦巻きながら垂れているさまを想像すればいい。あるいは、孔雀の羽根の濃く鮮やかな青緑色の眼に似た模様を持つ羽毛や、あるいはまた闘鶏の尻から生えさがる羽毛を思わせもする。とにかくぼくが見たかぎりでは、そういうようなものが彼女たちの頭からのびていた。

ぼくは白骨の堆積を跨ぎ越えていった。骨のあるものは粉々に砕け、あるものは日差しや風雨にさらされつづけたせいで灰色になり、あるものは純白になっていた。骨の小山のつらなりの近いところでも少し離れたところでも、かなりの範囲で少なくとも五、六個の頭蓋骨が目に入った。骨のつらなりの一部では、幅十フィート高さ三フィートほどにもなるところもある。何百人か何千人か、相当に大量の犠牲者の遺骨によって成り立っているのだった。

ぼくはもう一挺の回転式拳銃を抜き弾倉をまわし、丸い石へと向かって進んでいった。

あと四十フィートほどというところで足を止めた。超人的な怪物どもを退治すべく心をさだめていた。決意は固く、恐れはない。にもかかわらず立ち止まった。もっと近づこうと何度も勢いこんだ。決意をもっと強く持とうと。もっと近づかねば、と。だが前へ進めない。

そこで、横方向へ行こうとした。すると足を踏みだせた。およそ四十フィートの距離を、徐々にまわりこむようとして詰めようと考えた。だがかなり近づくとまた進めなくなる。セイレーンたちとのあいだにガラスの壁でもあるかのようだった。これ以上は無理だというところで、距離があるまま立ちつくした。そして回転式拳銃で狙いをつけようとした。しかし筋肉が、神経が、従うことを拒む。さまざまな角度でなんとか狙おうとした。だが体が麻痺したようで、どうやってもだめだ。ほかの動きをしようとすればどんな動きでもできるのに、拳銃で狙うことだけができないのだった。

セイレーンたちを見すえた。とくにその顔を。彼女たちの見事な顔立ちを。

喉は乳白色の小さな羽毛で飾り襟のように覆われている。その部分と頭を覆う濃い色彩の髪とのあいだで、顔の部分は象牙のような艶やかで淡白な色合いを保っている。耳を見ると、人間のそれによく似た巻き貝のような形で、輝くばかりに麗しい髪の下から覗いていた。

セイレーンたちは双子の姉妹のようによく似ていた。ともに顔は丸く、目鼻は小さいながら彫りが深く均整がとれ、額は横に広く縦に狭く、左右の眉は離れてそれぞれに湾曲し、細くて明瞭だが、毛ではなくて小さな羽毛で、金色や黒色や青緑色が渦をなすように混じりあって、全体ではそれらのどの色よりも黒に近い。ぼくは望遠鏡をとりだし、彼女たちの眉の下に視線を集中させた。瞳の色は若々しく輝くような濃い青灰色で、鼻は小さくて縦に長く、左右の目のあいだに低く盛りあがっている。横に幅広かったり潰れていたりはせず、彫塑したように形のよい鼻孔は丸く小さい。唇は真紅で、上唇は細く湾曲して小さな口を囲む。歯はとても白く、顎は赤ん坊のそれのように丸い。二人とも美しく、唄うという行為でその美しさが損なわれることはない。口をあけるにも緊張感が見られず、唇がさも楽そうに開かれている。カナリアがさえずるときのように喉が漣《さざなみ》を打つ。唄いぶりもまた見事なもので、それが美貌をいっそうきわだたせる。だがぼくに強く印象を刻んだのは、彼女たちの美貌そのものというより、顔立ちの高貴さだった。

そのときに先立つ何年か前、ぼくはある貴族が私有する蒸気帆船の航海士をしていたことがあった。所有者はローマ教会とその利益のために熱心に奉仕しつづけた一族の一員だった。貴族の子女のみで構成されたオーストリアの尼僧団がローマ教皇に謁見するための旅に出るというとき、その貴族は自分の帆船を運搬のために供し、ぼくは航海士としてトリエステの港で尼僧団を乗船させた。行き帰りの船旅のあいだに、尼僧たちは何度か甲板に出て坐りこんでいたことがあったが、ぼくは彼女たちの顔にいつも目を瞠らされた。それまでにどれだけたくさんの人の顔を見てきたにせよ、あの尼僧たちのような人間の顔は見たことがなかった。雄々しく誇り高い人類の男たちの長い系譜、優しく純粋な女たちの系譜、そうしたものを尼僧たちの顔は雄弁に物語っているように感じられた。それらの顔には自らのうちに邪《よこしま》さがある気配などまったくないばかりか、他人から邪さを及ぼされた形跡さえ微塵もなかった。本当に聖なる顔で、理想的な尼僧の顔ばかりだと思えた。

つまり、セイレーンたちの顔はそれを思いださせたのだ。しかもあの尼僧たち以上に、筆舌に尽くしがたいほれず、自分たちが力を揮っていることへの歓喜があるわけでもなく、それを意識すらしておらず、しかもぼくがすぐそばまで来ていることも認識していなくて、それどころか、魔法にかかったような状態になっている者たちのことも、さらには自分たちの犠牲となった無数の白骨死体さえも、まったく意識していないようだった。彼女たちの顔が表わしているのは、ただひとつの感情だけだ——それはすなわち、歌に没頭する恍惚感、あるいは謂わば、芸術家が自分の芸術に徹底的に専心しているときの忘我の境なのだった。

ぼくはセイレーンたちのまわりをぐるりと巡りながら、望遠鏡の短焦点レンズを透かして、その姿をいよいよつぶさに観察した。衣をなしている羽毛は丈がとても短く、海豹《あざらし》の表皮にも近い様相で、それが顔の下の全身をすっぽりと覆っているのだった。首からはじまり、手の指先や足の爪先にいたるまで。坐った姿勢で唄うか、あるいは横になって眠るかするとき以外は少しも動かない。ときには二人一緒に唄い、ときには交互に唄うが、片方が寝ているときには必ずもう片方が唄い、つねに歌が絶えないようにしている。

彼女たちの音楽はもちろんぼくには聴こえないが、しかし唄う姿を見ているだけでも惹きつけられてやまず、睡眠不足も不安も疲労もすべて忘れてしまうほどだった。垂直に照りつける日差しも、空腹も渇きも、同じ船の仲間たちのことも、なにもかも忘れていた。

だがそういう状態でいるのも、耳が聞こえないおかげで短くて済んだ。そのうちに彼女たち以外へも目を向けはじめた。仲間たちのようすをあらためて見やってから、ふたたびセイレーンに接近する虚しい努力を再開した。彼女たちを狙って撃つために。だがやはりできなかった。

いったん小型ボートまで引き返し、かぶかぶと水を飲んだ。乾パンもひとつふたつ食った。それからまた仲間のところに戻って、食べ物や水や酒を口にさせようと試みた。だがみな歌に耳を傾けること以外は忘れ去っているようだった。

骨の堆積に沿って歩いてみた。髑髏や崩れかけたあばら骨の山のなかに、革製ブーツ、革ベルト、折りたたみ式ナイフ、波形短剣、種々の型の長銃や短銃、懐中時計、金や宝石を飾った指輪、金貨銀貨銅貨といったさまざまなコイン、などなどが紛れていた。それらが目に入ったのは、草の丈が三インチもないほど短く、その下の地面も敷き広げたばかりの芝地のように平《たいら》かだったおかげだ。

人骨はさまざまな時代に跨っているようで、総じて古いが、二体だけ例外的な全身の骨があった。一行が坐りこんでいるところの反対側に位置する堆積のすぐ裏側に、隣あって並んでいた。片方の頭骨からは長い金髪が生えていた。犠牲者には女性もいたのだ！

またもボートに引き返すと、野営まで漕ぎ戻り、野豚を一匹銃で仕留めて焼き、まだ湯気の立つ肉を採りたての木の葉に包んで、ふたたび小島まで漕いだ。遠からず日没というころだった。

まだ温かくて美味《うま》い焼き肉にも、一人として見向きもしなかった。みなただ座して、目と耳を凝らしているばかりだ。

魔法にかかっていないのはぼくだけだ。このままここにいてもどうにもならないと思った。日が沈まないうちに野営まで漕ぎ戻り、睡眠をとることにした。朝まで死んだように寝た。

朝日で目が覚めた。また豚を一匹撃ち殺して焼いてから、見つけられるかぎりの長短さまざまなロープや海事用細索を掻き集めて、ふたたび小型ボートで小島へ向かった。

承知のとおり、仲間たちがあの状態になってからもう四十時間以上がすぎている。そのあいだだれも動かず、飲み食いもしていない。どれだけ助けられるにせよ、とにかく急がねばならない。

一行は前日と同じところにいたが、驚かせる変化が見られた。前日は自分たちの苦境に不思議にも気づいていないふうだったのが、この日はそれを恐ろしくも認識しているようだった。

ぼくは昔ペットのテリア犬を飼っていたことがある。小さいが賢くてすばしこく可愛いやつだった。だが走っている列車の下に駆けこんで、両後ろ肢を轢断されてしまった。それでも体を引きずってぼくのところまで戻り、訴えるような目で見た。自分の身になにが起こったのかも理解できないのだとすぐわかった。あいつのちっぽけな命にとって初めての、身も世もないすさまじい苦痛だったはずだ。しかもぼくが助けてくれないこと、ぼくといてもその苦痛から逃れられないことを不思議に思っていたはずだ。

またあるとき、齢《とし》のころ六歳ぐらいの可愛い盛りの幼い女の子が、ひどい火傷を負った場面を目撃するという不運に遭ったこともある。自分を襲った悲劇がなんなのかもわからずにいる女の子の表情が、ぼくにとり憑いて離れなかった。こうむった災厄の信じがたさと、それをだれも救ってくれないという驚きを湛えた表情だった。

そうなのだ、困惑のあまり血走った目で見すえる男たちの顔は、救われないことの不思議さを無言のうちに訴えるそれらの表情と同じだった。

彼らを殴って気絶させるという手段は、奇妙だが考えもしなかった。考えていたのは、一人ずつ縛って小型ボートまで引っぱっていって乗せ、野営まで漕いで戻ることだった。

まずフレンチーから縛ることにした。ボートにいちばん近かったし、小柄だったから。

フレンチーは頑なに逆らった。不眠と絶食にもかかわらず、ぼくより力が強かった。揉みあううちに疲れてくるばかりで、結局少しも動かせなかった。

まだ温かく汁気たっぷりの美味い焼き肉を、一人ひとりに食わせようともしてみた。だがだれも手にとろうとせず、ぼくを押しやるだけだ。乾パンと水とウイスキーも与えようとしたが、同じことだった。オブリンクに対してはとくにがんばった。彼は口をあけてはくれた。ところがそこに見えた舌は黒くて硬く、しかもふくれあがって口中をいっぱいにしてしまうのだった。

どれだけ同じ努力をつづけたか、何度同じことがくりかえされたかもわからなくなった。その日のうちだったか、それとも翌日になってからか、一人めの死人が出た。ジャック・レジスターというニューヨークから来た港湾労働者だった。二、三時間後にまた一人死んだ。トム・スミスというフィラデルフィア出身の水夫だ。

死体は見たことがないほどの急激さで腐敗していった。酷使された馬が倒れて死んだのを見たことがあるが、あれ以上のひどさだ。

まだ生きている者たちは仲間の死骸のそばに座したまま、衰弱のせいで体を震わせ、不眠のせいで朦朧とし、言いがたい苦悶に苛まれていた。顔には灰色の死相が深まってくるが、それでもみな歌声に耳を傾けつづけた。

さっき言ったように、ぼくはもう時間の感覚もなくなっていた。オブリンクがそれから何日生きたかわからないが、彼が最後の死者になった。彼の死からどのくらい経ったころか、呆然としていたぼくはようやくわれに返った。

残った気力を振り絞って、魔法にかけたやつらを成敗する最後の試みに挑もうとした。だが同じ魔法がぼくにも影響しつづけた。依然狙いをつけられず、まして引金も引けない。それまでと同様近づくこともできなかった。

　なんとか気持ちをとりなおすと、この呪われた小島を急いで去る決心をした。野営に残っている大型ボートに積めるかぎりの物資を積み、予備の帆も積んだ。檣《マスト》を立て、風の力で礁湖を横切っていった。風は南からで、環礁の北側の広い水路から外洋へ向かうのにちょうどよかった。

　あの小島のわきを通過するときには、島を縁どる白い砂浜以外は視界に入ってこなかった。恐怖心にも反して、もう一度だけ上陸して最後の一瞥を試みたい誘惑に抗しきれなかった。

　午後の日差しの下に緑の草地が見え、山なす白骨の堆積が見え、腐りゆく死骸の群れが見え、薄桃色の丸い石が見え、羽毛をまとうセイレーンたちが見えた。美しく穏やかな顔を上向け、恍惚として唄いつづけていた。

　見たのはほんのひと目だけだった。すぐに駆け戻った。大型ボートが礁湖の水路を抜けると、舵を北東へ切った。

　インド洋では初めのうち大きな嵐には出遭わずに済んだ。あの環礁はこの大海の一角にあったものと思われる。あそこの近くからはたちまちのうちに遠ざかれた。そのうちに三度嵐に見舞われ、推測航法もままならなくなった。何日すぎたかもわからない。嵐の合間を見計らって、舵を中央位置に縛りつけて固定し、帆を二重にたたんで縮小しておいてから、とらずにはいられない仮眠をとった。嵐のあいだは海錨《かいびょう》（波の影響を防ぐための船具）を投じて櫂も帆も休ませ、舟底に溜まる海水を必死で汲みだした。やがてセイロン島から三百マイルほどの距離のところで、コロンボ港からオーストラリアのアデレードへ向かう不定期蒸気船に救出されたときには、都合二十一日間海上に独りでいつづけたことがわかった」

　ウィルソンはここで話をやめると、立ちあがり、当直の残りの時間を船尾楼甲板の明かり採りのわきでの見張りの務めですごすために離れていった。

　翌日、われわれの乗るメドルス号はタグボートに曳かれ、当時まだ第二代皇帝ドン・ペドロ二世を穏やかに敬っていたブラジル帝国の首都リオ・デ・ジャネイロに入港した。わたしは上陸の仕度を急いだ。艀《はしけ》の準備ができると、耳の不自由なウィルソン一等航海士は率先して全昇降口の封鎖を指揮した。

　ホテル・デス・エトランジェでのくつろげない数日をすごしたあと、ヤング・ホテルはもっと悪く、そんなとき、サンタ・テレサのジョンキーヨス通りにある心地よさそうな邸宅《ヴィラ》を五人の陽気な独身男たちが共同生活しながら維持していることを知り、そこに宿泊させてもらう手筈となった。リオ・デ・ジャネイロ港にはアメリカ海軍砲艦ニプシック号が停泊しており、その艦の副官の一人と知己だったことを思いだしたので、ある日訪ねていった。訪問を終えたあと、名所セラロン階段に近い岸で艀をおりた。その名で呼ばれる石段を登っていく途中で、一人の男がおりてくるのと出遭った。見るからにイギリス人で、靴、ズボン、コート、手袋、帽子、単眼鏡《モノクル》と、申し分のないいでたちをした紳士だった。後ろには赤帽を二人従え、新しめの大型旅行鞄を運ばせていた。わたしはリヴァプール出身のジョン・ウィルソンとして知っている男だと気づいた。すなわちメドルス号の航海士の一人であり、件《くだん》のセイレーンを見たという人物にほかならない。

　こちらが気づくと、向こうもわたしがだれだかを見てとったようだった。如何にもイギリス人らしいまなざしを返した。単眼鏡をかけているほうの目さえ、瞳が輝いていた。握手の手がさしだされた。

「これから帰国するところでね」とウィルソンは言い、港に停泊する蒸気船のほうをうなずきで示した。「また会えてうれしいよ。あのときは話せて楽しかった。いずれまた会おう」

　それだけ言ったあと、握手を交わした。わたしは石段を登りきったところに立ち、ウィルソンの乗った艀が離岸し遠ざかっていくのを見守った。そのときやや下の段になにかの紙片が落ちているのが目にとまり、おりていって拾いあげた。中身が空《から》の封筒で、イギリスの切手に消印が捺《お》され、宛て先にはこう書かれていた——

ブラジル帝国　リオ・デ・ジャネイロ
アルファンデガ通り五四
スワンウィック社気付
ジェフリー・セシル様

遠ざかりゆく艀をまた見やった。艫《とも》に坐る彼の姿はもうほとんど判別できない。以後ふたたび出遭うことはなかった。

　イギリス人と知りあうごとに、耳の不自由なジェフリー・セシルという男の噂を聞いたことはないかと習慣のごとく尋ねるようになった。十年以上経っても芳しい反応は得られなかった。そんなときスイスのインターラーケンでヴィクトリア・ホテルに宿泊した折に、たまたまテーブルの向かい席にイギリス人らしい肥満体の年長者が坐った。わたしをアメリカ人と見てとったようで、愛想よく積極的に接してきて、一緒に昼食をとった。それ以後は再会していないし、名前すら訊かなかったが、短い食事のあいだにかなりの会話を交わした。

そのなかで、わたしは機会を見計らっていつもの質問を切りだした。

「ジェフリー・セシルですと?」と年長者は問い返した。「耳の不自由な男ね。ええ、存じあげていますとも。存じあげていた、と言うべきかな。その人は、元《もと》オールダースミア伯爵だったお方です」

「存じあげていた、とは?」とわたしは問い質した。

「つまりこういうことです」と話好きの年長者は説明をはじめた。「第九代オールダースミア伯には三人子息がいましたが、揃って当主に先立ち早世し、それぞれに遺児が一人ずついて、そのなかのジェフリーが爵位を継いだのです。この若君はもともと海軍に入りたかったのですが、しかし耳が不自由であるために断念せざるをえませんでした。そんなこんなで父君と諍《いさか》いをし、出奔して海運の世界に身を投じました。行方が捜索されましたが見つからず、どこかで死んだのだろうと推測されるのみでした。それから十年ほどして父君が身罷りましたが、そのあいだにも子息のことは噂ひとつ聞かれませんでした。ところがその後祖父伯爵が亡くなって、その従弟《いとこ》ロジャーが爵位を継がんとしたとき、さる弁護士事務所が割りこみ、ジェフリーは生きていると申し立てたのです。それが一八八五年のことで、その半年後に当のジェフリーが姿を現わしました。ロジャーの落胆はたいへんなものでしたが、ジェフリーはそんなことにはかまわず、爵位を継ぐや否や、ただちに一隻の蒸気帆船を購入あるいは賃借で手に入れました。そして可能なかぎりの速やかさで出帆し、スエズ運河を通って、アラビア半島のアデンに上陸したところまではわかっていますが、以後はまったく音信が途絶えました。それから九年が経っています」

「それで、先ほどのロジャー・セシルという人はまだご存命ですか?」とわたしは質した。

「もちろん、生きていますとも」と情報提供者は力強く答えた。

「では、願わくはその人にお知らせしていただきたい」とわたしは告げた。「今こそあなたが第十一代オールダースミア伯爵であると」

書き留められた夢

断崖館――ある幽霊物語

Steepside: A Ghost Story

アンナ・キングスフォード

Anna Kingsford

田村美佐子 訳

アンナ・キングズフォード（一八四六―八八）はイギリスの社会活動家で、動物実験に反対し、女性のための新聞 *The Lady's Own Paper* の社主兼編集者としてはフェミニズムを広めた。神智学者でもあった彼女は、見た夢を日記として、また小説の形で書き遺しており、それぞれ死後、*Dreams* と *Dream Tales*（ともに一八八九）として刊行された。前者の一部はアンソロジー『英国ロマン派幻想集』（荒俣宏編　国書刊行会　一九八九）に収録されているので、本書では後者から小説から一編を紹介する。

これを読んでおられるかたに申しあげておくが、わたしがいまから語ろうとしている奇妙なできごとは、わたしの大伯父の身に起こったことでも、又従兄弟の身に起こったことでも、それどころか祖父の身に起こったことですらなく、このわたし自身の身に降りかかったできごとなのだ。話は数年前に遡る。学生時代の旧友から、北ウェールズ郊外にある邸宅でクリスマス休暇を過ごさないか、という誘いの手紙をもらい、当時は気楽な独り者だったうえ、その友人にもかなり長いこと会っていなかったので、ありがたくその言葉に甘えることにして、約束の日、うきうきと上機嫌でロンドンをあとにした。

朝の汽車に乗って都心の住処《すみか》を離れ、昼過ぎには友人宅の最寄り駅に降り立ったが、〝最寄り〟とはいえ、じっさいは近いとはとてもいいがたかった。そこで〝貸し馬車・乗合自動車・その他乗物すぐにご用意いたします〟といった貼り紙でもないかとひそかに期待して旅籠《はたご》に寄ってみたが、出てきた女将は頭をさげてすまなそうな笑みを浮かべ、たいへん申しわけないのだが、つい先ほど最後の車が団体客を乗せて出発してしまったばかりで、深夜にならないと戻ってこない、と詫びられた。わたしは手持ちの時計に目をやった。午後四時近い。友人宅までは七マイル、しかも大きな旅行鞄まで抱えている。

「――まではかなりありますかね？」わたしは女将に訊ねた。

「ええそりゃ、だいぶありますねえ」

「そうですか」わたしはいった。「まあ歩いてみましょう。列車の旅でかなり足がこわばってしまいましたから、早足で歩けば血のめぐりもよくなりましょう」

そうしてわたしは意を決して鞄を持ちあげ、友人宅めざして出発した。ああ、かの待ち望んだ安息の地にたどり着くまでに、みずからの身にいかなる運命が待ち受けているのかを知りもせずに！　二マイルばかり進んだ頃だろうか、風が強まるとともに巨大な黒雲がもくもくと湧き、背後に迫りつつあることに気づいた。郊外のひらけた場所で、凄まじい猛吹雪がまもなく襲ってくるだろうことは明らかだった。やがてそのとおりになった。初めのうちはものともせずに進むつもりでいたが、二十分もすると、激しい吹雪が視界を覆うほどになり、しかも初めての道とあって、どこを歩いているのかてんでわからなくなってしまった。そればかりか、雲は黄昏ばかりか、肌を刺すような風まで連れてきた。旅行鞄がとてつもなく重く感じた。片手ずつ持ち替えてみたり、肩にさげてみたり、脇に抱えてみたり、思いつくかぎりの持ちかたを試してはみたが、いずれも長続きしなかった。さらに運の悪いことに、雪がさらに降り積もり、足跡もなにもすべて覆いつくしてしまったせいで、どうやら道を間違えてしまったようだった。のっぴきならない状況に陥ったわたしは、旅籠でも人家でもなんでもいいから、ともかくひと晩〝しのげる〟場所がちらりとでも見えはしないかと、藁にもすがる思いで真っ白な視界に目を凝らした。すると幸運にも（いや、〝不幸にも〟というべきだろうか？）、しだいに濃くなる薄闇の奥に、ぽつんと明かりがひとつ点っているのがようやく目に留まった。私道を入ったところにある小屋から、ちらちらと明かりが漏れている。わたしはとにかく大急ぎで雪道を漕ぎ、ちいさな小屋の戸口にたどり着くと、はやる気持ちで呼び鈴を鳴らし、とりあえず休める場所が見つかった、と有頂天になった。呼び鈴に答えて白髪交じりの爺さんが戸口にあらわれた。わたしは彼に、どれだけ自分が不運な状況かを語って聞かせ、もしよければひと晩泊めてくれないか、だめならばせめて、ほんの短い時間でいいから、濡れた身体と服を炉端で乾かせてもらえないだろうか、と訊ねた。老人は快く家の中に招き入れてくれたが、どうやら泊めるのは無理だといいたげだった。

「ご覧のとおりでさ」彼はいった。「ひとつっきりしか部屋のねえ狭《せんま》い家に——わしと女房で住んどりますもんで、旦那さまの寝る場所はねえですわ。じゃが今夜はもう先へは進まんほうがええですな。——さまのお宅へ向かっとるんなら、だいぶ道を外れちまっとりますし、おまけに吹雪はひどくなるいっぽうですわ。今夜はそりゃあ荒れましょうから、歩きで旅をするってなるとそうとう難儀しますわな」

そこへ女房が口を挟んだ。人のよさそうな婆さんだった。

「ウィラム、館にお泊まりいただいちゃあどうかねえ、ほら、ジョージがちょっくら顔を見せたときに泊まってった、あすこの部屋にさ？　あの子のベッドもまだあることだし。なかなかいい部屋だよ」とわたしに向かっていいつのる。「毛布をひと組すぐ用意しようね」

「しかし」わたしはいった。「館のご主人はわたしをご存じない。このあたりはまったく初めてなので」

「ご心配には及ばんですわ！」亭主が答えた。「あすこにゃ人っ子ひとりいやしません。わしの知るかぎり、ここ十年は貸家になっとりますわ。わしゃあ八年前からここに住んどりますがな、越してきたときにゃもう、いつから空き家だったのかわからんくらいのありさまでして。ここの小屋はその向こうのホートンさんに借りとるんですわ」

「なるほど」わたしは答えた。「つまり、あなたがたにさえお伺いを立てればよいということなら、ぜひその館とやらに泊まらせていただきたい。恩に着ます」

こうしてわたしは、その無人の屋敷の壁の内側で一夜を過ごすこととなった。そしてそこへ引きあげる時間となるまで、爺さんとその連れ合いとの愉快なお喋りを楽しんだ。ふたりともかなりの話し好きだった。午後十時を回った頃、わたしは亭主と連れ立って、小屋の目と鼻の先にある屋敷へ向かった。わたしは自分の鞄を、亭主は先ほど話していた毛布と、蠟燭を一本、薪を数本、それから燐寸《マッチ》を持ってついてきた。案内された部屋はそれなりに居心地がよさそうだったが、家具はたいして揃っていなかった。脚車《キャスター》のついた寝台と椅子が二脚と洗面台はあるものの、絵画や飾りものの類はいっさい見当たらなかった。ひと目見ただけで、急ごしらえの寝室であることがわかった。

ものの数分で、案内してくれた亭主の手で古風な石造りの暖炉にあかあかと火が点った。それから彼はわたしの寝るベッドをととのえ、マントルピースの上に蠟燭を置くと、うやうやしく就寝の挨拶をして引きあげていった。老人が帰っていったあと、わたしは椅子をひとつ暖炉のそばへ引いてきて腰をおろし、心地よく揺らめく炎を楽しんだ。今日一日のできごとを思い返したり、奇妙ななりゆきでわたしひとりをかりそめの主《あるじ》とすることとなった、この古い屋敷の歴史を思い描いたりもした。さて、このあたりでわたしの心にむくむくと好奇心が湧いてきた。そもそも、本人なら〝神経の昂《たか》ぶり〟と呼び、外野なら〝臆病風〟と呼ぶような、例の居心地の悪い感覚に、人並み以上に囚われにくい性分だというせいもあるかもしれない。ほかの者が同じ立場に置かれていたならば、きっと尻込みしていたにちがいないであろうことを、わたしは実行に移そうとしていた。寝床に入る前に、この無人の古い館をほんの一部でも探険してみようと思ったのだ。そこでわたしは蠟燭を手に、廊下に歩み出た。

部屋の扉を開けっ放しにして、暖炉の光が暗い廊下の入口まで届くようにしておき、その明かりを頼りに進んでいった。そうして二十ヤードほど行ったところで、赤いベーズ布張り（ベーズは、フェルトに似た単色の紡毛織物）の大きな扉に行き当たった。わたしの部屋のある翼棟と館のほかの部分とを隔てている扉であることは明らかで、このときわたしのいた廊下からは、その扉を通らずしてはどこへも出られなかった。わたしはふと立ちつくした。扉に錠前がついていたからだ。だがしばらくして、錆びた古い鍵が、壁のくぼみの、これまた錆びた釘に掛けてあるのに目が留まった。そのしまい場所から鍵を取ろうと蜘蛛の巣を崩すと、ぞろぞろと十数匹の蜘蛛が湧いてきた。かような荒涼たる中でもずいぶんとたくましいもので、丸々と肥え太っていた。古い錠前は固くて回すにも苦労したが、〝忍耐は成功のもと〟と諺にもあるとおり、やがて我慢強く取り組んだ結果が実を結び、扉はギギギ、と蝶番《ちょうつがい》の音を響かせながらゆっくりとひらきはじめた。わたしは蠟燭を手に、その奥の廊下へ足を踏み入れた。文字どおり、埃が絨毯さながらに積もっている。小屋の爺さんが話していたように、この十年の間に積もり積もったものなのだろう。

あたりは地下墓所のごとく薄暗く静まり返っており、

たまに聞こえる音といえば、浮いた床板が足もとで軋む音と、人目を嫌う小動物の類が、耳慣れぬわたしの足音に驚いて隠れ家を飛び出し、分厚い綿埃の表面に細い筋を残しながら、慌てて廊下を横切っていく物音くらいだった。回廊がいくつか、川の支流のごとく主廊下から枝分かれしていたが、そのまま中央の廊下を進んでいくと、やがて古めかしい広い部屋に行き着いた。木彫りの羽目板張りの壁に、奇妙な古い絵画がいくつか飾られている。わたしは部屋の中ほどにあるテーブルの上に蠟燭を置き、そのかたわらに立って室内を見わたした。部屋の一角には朽ちかけた古い本棚があり、棚のいくつかには黴《かび》の湧いた古い本が詰めこまれていた。土台の部分は三日月形にくり抜かれており、その陰にある、彫刻をほどこしたオーク材の扉の一部を塞いでいた。かつては隣の部屋との行き来に使われていた扉にちがいなかった。わたしは興味をそそられ、目の前の棚に差してあった手近な本を何冊か手に取り、ページをひらいてみた。初期の『スペクテイター』誌（一八二八年刊行の英国の週刊誌）だった――わたしにとっては垂涎ものだ――十分と経たぬうちに、わたしは当時の著名な作家の手になる作品に熱中しはじめた。部屋のあちこちに置かれていた、背もたれの高い風変わりな椅子のひとつをテーブルのそばへ引いてきて腰をおろし、〝理性の饗宴と魂のほとばしり〟（詩人ポープの言葉）をじっくりと味わった。白黴の浮いたページをめくったとき、なにかがふいに〝ぼとん〟と鈍い音をたてて紙の上に落ちてきた。血の滴ではないか！　わたしは恐怖と驚愕の交ざり合った奇妙な心持ちで目の前のそれを見つめた。ページをめくる前からついていただろうか？　いや。乾いてもいなければ色も鮮やかで、液体が滴となってかなり高い場所から垂れたときに特有の、いびつで不揃いな円い波紋を描いている。そればかりか、落ちてきたときの音も耳にしたし、落ちたところもこの目で見た。わたしはテーブルに本を置き、天井を見あげた。だがそこにあるのは歳月がもたらした灰色の汚れだけだった。忌まわしき染みは、じっと目を凝らしていると、歳ふりてすでに劣化していたページにみるみる沁みこんでひろがっていった。かようなことがあっては、もはやアディソンとスティール（ともに『スペクテイター』の創刊者）を紐解こうという気にはさすがになれず、わたしは本を閉じて書棚に戻した。蠟燭を取ろうとテーブルに向き直った拍子に、本棚の反対側の壁に掛かった等身大の肖像画がふと目に入った。艶やかな黒い巻き毛の、凜としたおもざしの若い女性の姿が描かれていたが、その気位の高そうな、表情の乏しい顔と陰のあるまなざしにはどこか近づきがたい印象をおぼえた。

わたしはもっとよく見ようと、自分の顔のあたりまで明かりを持ちあげた。そのとき、肖像画の顔つきがふいに変化したような気がした。というか、肖像画とわたしとの間になにかがあらわれたように見えた。たとえていうなら、肖像画の前をひゅっと風が吹き抜けて絵の輪郭がぶれたような一瞬のひずみだった。どういうわけでそうなったのかはわからないが、ともかく顔が変わったのだ。あのとき、やにわに襲ってきた背筋の寒さをわたしは一生忘れることはないだろう。熱で朦朧としている間にときおり見るような、幽霊のような不気味な顔だった――迷宮のごとき悪夢の中にあらわれ襲いかかってくるもののような顔、目覚めるとあたりは真っ暗で、額には冷や汗がにじみ、横たわったまま恐怖に息を呑む、そんな顔だった。大の男であるにもかかわらず、わたしはつむじから爪先までわなわなと全身で震えあがりながら、その恐ろしい肖像画にひたすら目を凝らした。やがて肖像画はただの絵に――画布《キャンバス》に色を塗っただけの命なきものに――戻り、そこに描かれたおもざしにはもう、一世紀近く前に画家が与えた表情以上のものは見受けられなかった。わたしが見た奇妙な光景は、おそらく蠟燭の揺らめく光のせいか、あるいはわたし自身の目の迷いだったにちがいない、とそのときは思った。だがいまはそうは思っていない。それ以上はなにごとも起こりそうになかったので、わたしは肖像画に背を向け、謎めいた不気味な部屋から退散しようと、扉のほうへ二、三歩踏み出した、そのときだった。さらに恐ろしい三つめのできごとがわたしの足をその場に釘づけにした。部屋の隅にあるオーク材の扉にふと目をやると、扉の下からなにかがゆっくりと沁み出し、わたしの足もとへ迫っているではないか。なんということだ！　その正体に気づくまでにはそれほどかからなかった――血のように赤くどろりとしたものがじわじわと近づいてくる！　それは不気味な小川よろしく室内へ流れこみ、高級な絨毯を染めながら、やがてわたしの足もとで黒い血だまりとなった。沁み出ているのは隣の部屋からだった。本棚で入口を塞がれた例の部屋だ。扉の前の床には大型本が何冊か積まれていた――そういえばこの部屋に入ってきたとき、分厚い埃をかぶっているようすが目に入った。それらはすでに、濁った血だまりにどっぷりと浸かっていた。あの瞬間の気持ちを説明しろといわれてもなかなか上手くいいあらわすことができない。あのときは、これといえる感情すら意識することができなかった。頭の中が痺れ、息をするのも――動くことすらできなかった。黴が湧いて腐りかけた木彫りの扉の隙間からじわじわと沁み出てくるその恐ろしい小川を、わたしはただ見つめるばかりだった――左右の隙間からあふれる滴は雨粒のようにみるみる大きくなり――オーク材にほどこされた彫刻の凹凸を音もなくつたい落ちた。立ちつくしたまま呆然と見つめていると、血だまりはそろり、そろりと、あたかも生きているかのようにひろがりながら、ついにわたしの足もとをとらえた。そのままなにも起こらなければ、目を奪われたままその場に立ちすくんでいたにちがいなかったが、そのとき突然あるできごとが起こり、わたしはわれに返った。陰鬱な重い音とともに、右手の甲にふたつめの血の滴が落ちてきたのだ。激痛が走り、まるで熔《と》けた鉛のごとくに肌を焼いた。ふいに襲ってきた鋭い痛みに、わたしは思わず腕を高く振りあげた。痛覚が一瞬にして脳を貫き、全身に響きわたった。わたしはくるりと踵《きびす》を返し、金切り声をあげながら、その恐怖の場所から一目散に逃げ出した。人の声とは思えぬような悲鳴が、がらんとした廊下と居並ぶ部屋に響きわたった。自分の声とはとうてい信じがたいほど、あまりにも異様で――耳慣れた音とはまるで別ものだった。いまにして思えば、あれは命あるものの悲鳴ではなく、肖像画の前を横切ったあの未知なるなにか、わたしがひとりで部屋にいたときにもじつはすぐそばに佇んでいたなにかが発したものだったのではなかろうか。幾度となくこだましていたあの悲鳴には、じつは言葉では説明しがたい魔性のものが宿っており、すべて死に絶えたような闇をすり抜け、隅という隅から、回廊という回廊から、繰り返し鳴り響いていたのではなかろうか。さてここで、もとの部屋に戻るには、高さがあり幅も広い大きな窓の前を通る必要があった。主階段を照らす明かり取りの窓で、鎧戸も日除けもついておらず、一世紀ほど前に流行《はや》った、窓面をちいさな四角形に区切ってある格子窓だった。通りぎわにおそるおそる背後をさっと振り向いたとき、わたしはこの目ではっきりと見た。ガラスは曇って汚れていたが、それにもかかわらず、館の外の分厚く積もった白い雪の上を、ふたりの女が追いつ追われつしているのが見えたのだ。一瞥しただけでは、ひとりが片手にピストルのようなものを握っていることと、濡れ羽色の長い髪が一面の白い風景に黒々となびいていることくらいしかわからなかった。もうひとりの、あとを追っているほうの女は、止まれと相手に呼びかけるかのごとく両腕を伸ばしている。ところが女たちの姿はすぐ近くに見えていたというのに、声はいっさい聞こえず、夜はまったき静寂に包まれていた。わたしはさらに歩みを進め、その隣の、先ほどのものよりもやや小ぶりの窓のかたわらにやってきた。

かつては板が打ちつけられていたようだが、時の流れには逆らえず、緩んで板の一部が外れていたので、わたしは足を止めてそこから外を覗いた。まだ雪はちらついていたが、明るい月が蒼白い光を投げかけ、窓に近い場所にあるものならば見えそうだった。わたしはガラスの表面の埃と蜘蛛の巣を外套の袖で拭い、窓を覗きこんだ。女たちはまだ走っていたが、ふたりの距離はだいぶ狭《せば》まっていた。このとき初めて、妙だ、と気づいた。女たちには実体がなかった。走るふたりの姿は、まさしく炎のごとく、ちらちらと揺らめいていたのだ。目を凝らしていると、先を走っていた女が、もうひとりを見ようと振り返った拍子に躓いて転び、そのままかき消えた。忽然と姿を消したようすから、ふいに断崖から転げ落ちたとみえた。もうひとりの女は両手を固く握りしめて立ちすくんでいたが、やがてくるりと踵を返すと屋敷の門へ駆けていき、まもなくその姿は遠くへ見えなくなった。つい先ほど、羽目板張りの部屋でわたしが目撃したような光景を目の当たりにした者ならば、誰であろうと勇気を挫かれて当然だが、包み隠さず白状すると、あのときのわたしは、両膝はがくがくと震え歯の根も合わないありさまで、急いで窓辺を離れてひとけのない廊下を一目散に駆け抜け、突き当たりにあるベーズ布張りの扉をめざした。この扉の錠前さえ開けなければ！　あの鍵が行方知れずになっていたならば。そもそもなぜ、この忌まわしき扉に足を踏み入れてしまったのか！　慌ただしく扉をふたたび施錠し、錆びた鍵をくぼみの釘に戻すと、わたしは自室に駆けこみ、失神寸前でどさりと椅子にすわりこんだ。ねばついた血の滴が垂れたほうの手を見やると、血はまるで皮膚に焼きこまれてしまったかのように表面から消え、そのかわりに、火傷跡のような縁取りのある紫色の円い染みができていた。その傷はいまも手の甲に残っている。おそらく生涯消えることはないだろう。わたしはマントルピースの上に置きっぱなしの腕時計を見やった。〇時五分過ぎ。寝床に入るべきだろうか？　消えそうな暖炉の火をかき起こして強くし、ふと不安になって蠟燭の火を確かめた。どちらもあまり保《も》ちそうになかった。そのうち両方とも消えて、あたりは闇に包まれてしまうだろう。真っ暗な屋敷にひとりきり。そのような心許ない状況で一夜を過ごさねばならぬと考えただけでぞっとした。わざと笑い声をあげて恐怖を追い払おうとしてみたり、弱くて臆病な自分を叱咤してみたりもした。こういうときの常套句を持ち出して、わたし自身に落ち度があるわけではないのだから邪悪なものの力など怖がる必要はない、と自分にいい聞かせてみたりもした。だがなにをしても無駄だった。わたしはつむじから爪先まで全身で震えあがりながら、最後のあがきとばかりに暖炉の熾火《おきび》をかき集めると、旅行用の膝掛けを身体に巻きつけて——服を脱ぐ気にはとてもなれなかった——ベッドに転がり、そのまま明け方までまんじりともせずに過ごした。しかしながら、ああ、なんと長い夜だったことか。人と名のつくものにはとうてい想像もつかぬだろう。わたしは残りの火花がひとつまたひとつと消えていくのを見つめ、灰がゆっくりと滑り落ちて炉床に降り積もる音を聞いていた。蠟燭の炎が幾度か燃えあがっては縮み、やがてはついにそれすらも途絶えて、わたしは深い闇と静寂の中に取り残された。ときおり、幽霊の足音が廊下をこちらへやってくるのが聞こえたような気がしたり、羽目板張りの部屋にいた不可解なるなにかが枕もとに立ってじっとこちらを見ているような気がしたり、しかもその手でそっとわたしの手に触れたような気がしたことすらあった。額に冷や汗がにじんだが、拭うことすら恐ろしかった。恐怖体験によってほんの数時間で髪が真っ白になってしまった人々の話を思いだし、朝になったらわたしの髪はいったい何色になっているのだろう、と案じた。そしてようやく——ついに——窓の日除け越しに灰色の薄明が射しはじめたとき、わたしはまさしく、砂漠をさまよい喉の渇きに倒れんばかりの旅人が、灼熱の砂地の真ん中に水をたたえたオアシスを見いだしたかのごとき感激に打ち震えながら、朝が来てくれたことに心から感謝した。太陽が顔を出しきらぬうちにわたしは寝台を飛び出し、慌ただしく身支度をととのえると、身を切るような寒空のもとに出た。とたんに力がみなぎり、ふたたび勇気が湧いてきた。昨夜ふたりの女が走っていた、雪の積もった白い庭を見わたしてみたが、足跡はなかった。純白にきらめく庭一面、踏み跡ひとつない。わたしは小屋につながる車道を歩いていった。爺さんは早起きを常としているようで、行くとちょうど小屋の扉の閂を外しているところだった。

「おはようござえます、旦那、お早いですな！」彼は大声でいった。「中でなんかつまんでかれちゃどうです？　ちょうど女房が朝食をつくってまさ。ゆんべはよく眠れなすったかね？」狭い居間へ入っていく間も彼は喋りつづけていた。「まあまあベッドは硬かったでしょうがね、ほれ、せがれのジョージがたまぁに来るときくらいならあんくらいでちょうどいいんでさ。今朝はずいぶんお疲れのようですな、あんまりよくお休みになれませんでしたかね？　ああ！　おおい、ベスや、もうひとりぶん用意しとくれ」

わたしは黙々と食事を口に運んだ。ゆうべのできごとをこの亭主に話すべきかどうか迷っていた。なにしろこの爺さんは、そのようなことがあろうとは夢にも思っていないようだったからだ。いまさらながら後悔の念が押し寄せてきた。〝せがれのジョージ〟とやらを見習って、誰もいない屋敷で夜の探険に乗り出したりせず、あてがわれた部屋でおとなしく寝床に入り、無闇な好奇心など抱かずに、あの恐怖の館での一夜をやり過ごせばよかった、と。

「あの」結局わたしは口を切った。「昨晩泊めていただいたあの屋敷にまつわる物語がなにかありますかね？　単なる好奇心なんですが」まるで魂が抜けたようなかすかな笑みを浮かべ、いい添えた。「じつはその手の話が好きでしてね。しかも、ご存じでしょうが、古い屋敷というものにはそういった類のいい伝えが往々にしてあるものですし」

「そうさねえ」爺さんはのんびりと答えた。「そんな話はまるっきり聞いたことがねえだけども、こっちもわざわざ訊いてみたりせんかったでなあ。八年前に越してきたときも、あのでっかい屋敷を借りてたのが誰だったかなんて、このへんの連中はひとりも憶えちゃいませんでしたな。二十年近く空き家じゃねえですかね――十年以上らしいことはわしも聞いとりますが――そもそもほんとの持ち主すら誰も知らねえんでさ。訴訟やらなにやらありましたがね、別にどうともならなかったんですわ」

「館の歴史について口にする人はいなかったということですか」わたしは訊ねた。「それともあなたからそれについて訊ねたことは一度もないということですか？」

「さあどっちだったかのう」爺さんは考えこむようにいった。

やがて、彼はふいに言葉を継いだ。「ああ、だけんど、そういや、五ヶ月くらい前に、フランス人の男ん人がここへ来なすって、あの屋敷を見たい、訊きたいこともいくつかある、とかいっとりましたな。いま旦那に話したようなことをそのまんま話しただけですがね。カトリックの坊さんで、あの場所になんぞ興味ありげでしたわ。館のことを知りたけりゃ、会いに行ってみなさるとええ。一マイル半くらい先の村の、〈冠亭《クラウン・イン》〉て旅籠に泊まっとりまさ」

「あん人は変わりもんだよ」朝食の皿を片づけにきた女房が会話に割って入った。「いったいどっから来なすったんだか誰も知りやしない。わかるのはフランス人ってことだけだ。ステッキと嗅ぎ煙草入れを手に、いつもひとりぼっちでそこらへんをうろついてるのをよく見かけるね。たまぁにすれ違うとお辞儀して『おはようございます』なんて声をかけてくるけどさ」

　この情報を得て、わたしはすぐにその老神父のいる旅籠に向かうことにし、そこへの道順を確かめたあと、世話になった亭主に別れを告げ、ふたたび鞄を肩に掛けて旅を続けた。空気はひやりと澄みきっており、田舎道を大股に歩いていくと、軍用ブーツの足もとで雪がさくさくと快い音をたてた。空には雲の名残すらなく、陽光がさんさんと降りそそいでいた。この朝の散歩のおかげでわたしはすっかり元気を取り戻し、気分は晴れ晴れとしていた。やがて、M・ピエール神父が住まうという旅籠にたどり着いた――昔ふうの破風と柱廊《ポーチコ》玄関のある、こぢんまりとした質素な宿だ。玄関先で呼び出しに応えた年輩の女性にとりあえず名乗り、M・ピエールどのにお目にかかりたいのだが、と訊ねると、しばらくして、〝中でお待ちください〟と丁重に案内された。心細い時間はそれほど長く続かなかった。M・ピエール神父はすぐにあらわれた。長身痩軀の人物で、日焼けした顔に落ちくぼんだ目、白髪交じりの頭髪は薄くなっている。彼はうやうやしく一礼すると、訝しげなまなざしを浮かべて室内に足を踏み入れた。わたしはすわっていた暖炉のそばの椅子から立ちあがって彼に近づき、精一杯朗らかな声で相手の名を呼び、声をかけた。彼は首をかしげ、ますます訝しげな表情でわたしを見た。「朝からお騒がせして申しわけありません」わたしは続けた。「しかし、あなたならば、わたしの求めている情報についてお話しいただけるはずと伺ってまいりましたもので。この地方の、ちょうどこの近辺にある〈断崖館〉と呼ばれる古屋敷のことです。じつは昨晩、かの屋敷で一夜を過ごしまして」

　いい終わるやいなや、無関心な表情を穏やかに浮かべていた老神父のおもざしが一変し、興味津々という顔になった。

「わたしの理解は正しいだろうか、ムッシュ？」彼はいった。「つまり昨夜は〈断崖館〉で休まれたとおっしゃる？」

「休んだ、とはいっておりません」わたしはさらに念を押した。「ひと晩過ごした、と申しあげただけです」

「そうか《ビアン》」彼の答えは素っ気なかった。「なるほど。そしてその一夜の宿はあなたにとってありがたいものではなかった。そうではないかね、違うだろうか、ムッシュ――違うかね？」と彼は繰り返し、まるで表情の奥にある考えを読み取ろうとするかのように、わたしの顔をまじまじと見た。

「わたしとて、あの館でさても面妖な目に遭ったのでなければ、このように、これまでお目にかかる機会のなかったかたのところへ図々しく押しかけたりなどしないのですが」

老神父は軽く頭を垂れると、立ったまま無言でじっとこちらを見つめていた。おそらく、求められた情報を与えてやってもよい相手かどうかを見極めていたのだろう。やがて得心がいったようで、視線を外し、わたしのかたわらに腰をおろした。

「ムッシュ」彼はいった。「そちらのご質問に答える前に、伺ってもよろしいかね。昨夜〈断崖館〉でいったいなにをご覧になったのか」

彼はポケットからちいさな古めかしい嗅ぎ煙草入れを出すと、ラピー（嗅ぎ煙草の一種）をひとつまみ取り、ちいさな黄色っぽい鼻の先へ持っていって気つけの一服をした。その儀式が済むと彼はゆったりと椅子の背にもたれ、顎に片方の手のひらを当てて、わたしが奇妙な体験談を語るのを、始めから終わりまでじっと見守っていた。わたしが話し終えると、彼はしばしの間黙ったまますわっていたが、やがて、例の風変わりな、訥々《とつとつ》とした口調でふたたび話しはじめた。

「わたしがこれから話すことは、昨夜のあなたと同じ行動をし、同じものを見た相手にでなければ、いっさい口外するつもりのない話だった。ああ神よ《モン・デュウ》！　なんと奇妙なことだろう、あなたがあの館を訪れたのがまさに昨夜——十二月二十二日であったとは！」

わたしを咎めているというよりは自問しているようだった。やがて彼は胴衣《ベスト》のポケットからちいさな鍵を出しながら、続けた。

「フランス語は読めるかね、ムッシュ？」

「それなら得意です」わたしは即答した。「仕事のやり取りはほとんどフランス語ですから、話したり聞いたりも毎日のことです」

それを聞くと彼は満足げな笑みを浮かべて椅子から立ちあがり、持っていた鍵でマントルピースのかたわらにある戸棚のちいさな抽斗を開けて、中から手書きの巻き紙と葉巻を出してきた。

「ムッシュ」彼が葉巻を差し出した。「日も高いうちから煙をくゆらすことをお厭いでなければ、こちらをいかがかね。わたしはいつかなるときもラピー一辺倒だが、お若いかたはこのほうが好みなのではないだろうか」

気つけの一服をわたしにも持たせると、老神父はふたたび腰をおろし、巻き紙をひろげて、それ以上の前置きはなしに、このあとここに綴る話をフランス語で声に出して読みはじめた。

前世紀の後半以降、〈断崖館〉はジュリアン・ロリントン卿なる人物の所有となった。彼の家族は妻のレディ・サラと娘のジュリアのみであり、このひとり娘はその美貌もさることながら、莫大な遺産を受け継ぐであろうことでも注目の的だった。

ジュリアン卿の屋敷には、長年にわたりフランス人の老給仕長とその妻が勤めていたが、この夫婦はそのままこの准男爵の使用人として生涯を終え、ひとり娘のヴァージニーが遺された。忠義を尽くしてくれた両親に報い、レディ・サラはこの娘に教育をほどこし、庇護を与えることにした。

ジュリアン卿の屋敷で育てられたこのみなしごは、やがて卿の跡取り娘の特別な友人となった。そして一家が〈断崖館〉に居を構えたさい、幼い頃からジュリアとともに学びジュリアとともに過ごしてきたヴァージニー・ジローは、一家の未来を背負ったひとり娘のメイド兼親友としてこの館に住まうこととなった。

〈断崖館〉に移り住んでまもなく、ジュリアン卿は、結婚を進めるに当たってこの時代に手っ取り早く用いられていた方法に則《のっと》り、旧家の出で地主でもある、とあるウエールズの名士に娘を嫁《とつ》がせるつもりだと表明した。卿は常々名より実《じつ》を取る人物で、婚姻とは単に富と財産の結びつきに過ぎず、持てる者どうしが手を携えて生きることだ、と解釈していた。彼自身の結婚もそうであったし、娘にもそのようにさせるつもりだった。愛や情熱などというものは下品とまではいわぬまでも無意味なものであり、ひとり娘にとってもそうでないはずなどないと考えていた。レディ・サラのほうはこれまた情に薄い女で、その胸にあったのは、とにかくジュリアを身分の高い紳士と添わせ、自分も安定した地位と社会的成功を手に入れたいという野心ばかりであった。

そうして、下心をにじませた両親と未来の義理の息子との間で、結婚に関する契約のすべてが正式に取り交わされて初めて、花嫁となる娘はおのれを待ち受ける運命について知らされたのである。

だが、法律家たちがこの結婚の手続きを進めている間に、フィリップ・ブライアンなる貧乏青年がジュリアの心を射止め、ふたりは将来を誓い合うまでとなったが、それから数日もせぬうちに、娘はジュリアン卿とロリントン夫人の心づもりを正式にいいわたされた。すでにフィリップと結婚の約束を交わしていたジュリアは、両親からこの知らせを聞かされて憤慨し、たとえどんな力を用いようと、妻となることを誓った相手である若者を裏切るような真似はけっしてしない、と猛反発したのだった。娘のこの宣言に、両親はそれはそれは腹を立てた。ジュリアン卿は怒りの言葉を毒づき、レディ・サラは言葉を選びながらも皮肉たっぷりの言葉を吐いた。当然ながら、フィリップ・ブライアンは二度とこの館の敷居を跨ぐことは許されず、愛の手紙や伝言のやり取りは禁じられ、ジュリアは、身をわきまえた従順な跡取り娘らしく振る舞うよう命じられた。

さて、ヴァージニー・ジローは、ジュリアン卿の娘の友人であるばかりか侍女でもあったので、このような事態が突如として降って湧いたのち、フィリップに注意を促す〝お嬢さま〟からのことづてを携えて彼のもとに急いだのはこのヴァージニーだった。それならばと男のほうも同じ方法を用いて恋人に返事を書き、そうしてヴァージニーが伝令を引き受けることとなって、預かった手紙を持ってはふたりの間を行き来し、それぞれに助言を与えたり、逢い引きの手はずをととのえたりした。その間にも、ロリントン家の両親によって結婚式の日取りが決められ、周辺に暮らす誰もが目をみはり舌を巻かずにいられぬような式にすべく、着々と準備が進められた。居間には贅のかぎりを尽くした飾りつけがなされ、花嫁衣装には最高級のものがあつらえられ、両家にゆかりのある爵位持ちの裕福な親戚という親戚が、この豪華絢爛たる宴に招待された。かたやフィリップとジュリアもただ手をこまぬいてはいなかった。ふたりは駆け落ちの計画を立てた。結婚式が予定されている日の前夜、午後十一時に、ジュリアの部屋の窓の下で落ち合い、見張り役のヴァージニーも連れて、夜陰に乗じ、三人で馬車用の広い私道から生垣側の門へ出る、という手はずだった。門の鍵はすでにヴァージニーが前もって入手していた。

そして約束の夜が――十二月二十二日がやってきた。雪が深く積もり、明け方まではさらに降ると思われたが、フィリップはどれだけ悪天候であろうと、馬はかならず用意すると請け合っていたので、この計画をやり遂げるにはやはり夜闇に紛れてのほうが好都合だった。今日のヴァージニーは朝からずっとようすが変だ、と館のひとり娘は感じていた。顔色も悪く、不安と恐怖の交ざり合った、あまり見たことのない表情をしている。ジュリアと目が合うとびくりとたじろぎ、やがて約束の時間が迫ってきて、主《あるじ》に頭巾をかぶせマントを着せかけているときも、両手をかたかたと震わせていた。だがヴァージニーの態度がおかしいのは興奮と不安が抑えきれないからであって、このような状況ではいたしかたないことだ、とジュリアはひたすらおのれにいい聞かせ、なんとかして親友の不安を取り除き、力になろうと、何度となく優しい言葉をかけたり、いたわるような仕草で慰めたりした。だがまるで手応えはなく、ヴァージニーはますます激しく動揺するばかりだった。そのような状況のまま、午後十一時がやってきた。

　地面から三フィートと離れていない自室の窓辺で、ジュリアはじっと待っていた。頭巾とマントを身にまとい、いまにも聞こえるであろう恋人の声にじっと耳を澄ませた。かたやフランス娘のほうは、閉じた扉に背を預け、ポケットから取り出したばかりの紙切れを苛立たしげにちぎっていた。ちいさく破っては、そちらを見もせずにあかあかと燃える暖炉にほうりこむ。ジュリアが窓を開け放った。すると突風が室内へ吹きこみ、燃え残りの紙片が一枚巻きあげられて炎を逃れ、ジュリアの足もとに落ちた。それを見るともなく見やった娘は、その上に記された文字にふと目を吸い寄せられ、屈みこんで紙片を拾いあげた。

　彼女自身の名前が繰り返し記されていた。最初のほうは懸命に筆跡を似せようとしているのが見て取れたが、しだいに上手くなり、あとのほうになると、ジュリア本人ですらほんものの署名なのではないかと勘違いしそうなほどの完璧な仕上がりだった。続いてLとJがいくつか並んでいた。どうやらこれを書いた人物は、真似て書いた頭文字に納得がいかなかったようだ。

　ジュリアは首をかしげたが、不審には思わなかった。紙片をぽいとほうり出したとき、ヴァージニーが振り向いてそれを見とがめた。メイドの顔がみるみる赤くなり、彼女はジュリアに慌てて駆け寄ると、金切り声をあげた。その叫び声に重なるように、乾いた銃声が窓の下で響きわたり、続いて雪の地面に人が倒れたような、ドサッという重く鈍い音がした。ジュリアは驚いておそるおそる窓の外を覗いた。室内であかあかと燃えさかる炎の明かりが窓から漏れて庭を照らしており、そしてその明かりの中心に、男がひとり、ぴくりとも動かぬまま白い地面に横たわっていた。顔は散らばった雪の中に埋《うず》もれ、伸ばした手にはピストルを握っている。ジュリアは耳をつんざくような悲鳴をあげ、開いた窓から飛びおりると、男のかたわらに両膝をついた。

「フィル！　フィル！」彼女はいった。「あなたいったいなにを？　なにがあったというの？　答えて！」

だが返ってきたのは低いかすかな呻き声だけだった。

フィリップ・ブライアンはピストル自殺を図ったのだ！

　ジュリアは悲しみと恐怖に悶えながら彼の頭をかき抱き、手のひらを彼の胸に押し当てた。その重みで男は一瞬息を吹き返し、瞼をひらいて彼女を見つめ、うわごとのようになにごとか呟いた。ジュリアは屈みこみ、懸命に耳をそばだてた。

「あの手紙！」彼は喘いだ。「きみの寄越したあの手紙！　ああジュリア、きみはぼくの心を打ち砕いた！　よくもぼくのことを、こんなにもきみを愛してる――信じてる――ぼくを、真っ向から裏切ろうだなんて！　だけどこれでもうぼくは、きみがきみの選んだ男と結婚式をあげるのを、生きてこの目で見なくてもすむ。今夜、ぼくはここへ死にに来た。きみのいない人生なんて耐えられないからだ。自分のしたことをよく見るがいい！」

ジュリアは絶望に打ちひしがれて言葉もなく相手を抱きしめ、その唇に自分の唇を押し当てた。男は痙攣したように身体を震わせ、目を剝いてため息をひとつつくと、みずからが狂おしいほどに望んだ死の世界へ誘《いざな》われた。熱き最後の口づけの中で、彼は死んでいったのだ！

ジュリアは恋人の手を握りしめ、その亡骸《なきがら》を抱きかかえたまま、恐ろしい呪文かなにかで石と化したかのごとく、涙すら流さず、凍りついたようにすわりこんでいた。男の胴衣《ベスト》の胸もとから手紙が覗いていた。開封口には彼女の用いている封蠟がついていた。ジュリアは彼の胸もとから手紙を引き抜くと、揺らめく暖炉の明かりを頼りに、素早くそれに目を通した。そこにはレディ・サラの筆跡で、次のように記されていた。

〝親愛なるブライアンさま――先日の別れぎわには、今宵ふたたびお目にかかるお約束をいたしましたが、あれからよくよく考え、また両親にも猛烈な反対を受けましたため、わたくしは違う決心をせざるを得なくなりました。もうおわかりですわね、つまりわたくしは、お父さまとお母さまのお望みにしたがい、おふたりがわたくしのために選んでくださった殿方の妻となることにいたしました。それゆえ、今後お手紙のやり取りはいっさいいたしませんし、もうわたくしのことでお心を煩わせることはどうかなさらないでくださいませ。念を押す必要もないとは存じますが、今夜あなたにはお会いいたしません。あなたが身のほどをわきまえ、わたくしの意志に反するような無闇な行動に走ることはけっしてなさらないと信じております。終わりに、どうかわたくしの振る舞いに関してこれ以上の説明を求めようとなさらないでくださいませ。心を鎮め、真剣に考えをめぐらせた末の、断固たる決意でございますゆえ。ここに最後の署名をさせていただきます。**ジュリア・ロリントン**〟

〝追伸――母の希望にわたくしが全面的に賛同しているという点について、あなたが微塵も疑いの気持ちをお抱きになりませぬよう、わたくし自身の手でここに署名し、宛名を記します。さらに、この手紙をあなたのもとに届けることとなっているヴァージニーが、ここに書かれたことはすべて紛うかたなき真実であるという証言を加えてくれましょう。彼女はわたくしがこの手紙を書くところを見ておりましたので、すべての表現がわたくしの同意のもとにあることを承知しておりますゆえ〟

〝わたくし自身の手で！〟確かに、署名も宛名もジュリアの筆跡そのものだった！　フィリップがすっかり騙され、彼女の裏切りを信じてしまったとしてもなんの不思議があろう？　娘はあらためて手紙を最初から読み直した。それから恋人の亡骸を雪の上にそっと横たえると、無言ですっと立ちあがった。かたわらの死せる顔よりも彼女のおもざしのほうが、はるかに青ざめて死者めいて見えた。

　たちまちにして、娘は不届きな計画の全貌に思い至った。ヴァージニーによる裏切りと巧妙な嘘。ほんの数分前に目にした、破られた紙片。この計画的な謀《たばか》りはレディ・サラの企みだったのだ。ヴァージニーはおそらく鼻薬を効かされ、賄賂と引き換えに忠誠心を差し出してしまったのだろう。そして娘の恋人であった男には残酷な絶望と苦悩が突きつけられた。ぐらぐらと揺らぐ娘の頭の中でそれらすべてがせめぎ合い、狂気に命を吹きこんだ。

　娘は身を屈め、しなやかな手で死んだ男のベルトに触れた。思ったとおり、そこにはピストルがもう一挺差してあった。彼がみずからを撃ったピストルと対のものだ。弾丸もこめられていた。ジュリアはそれをベルトから引き抜くと自分のマントにくるみ、開け放してあった窓によじのぼると、静かに自室へ戻った。それから部屋を横切って廊下に出ると、影さながらに、素早く足音をたてぬよう、父親の書斎に通じる扉へ向かった——オーク材の扉を通れば、書斎からあの羽目板張りの部屋に出られるようになっていた。

　ヴァージニーは館の外壁の陰で、庭での一部始終を見守っていた。ジュリアが手紙を開けて読むのが見え、屈みこんでピストルに手を伸ばす表情も目に入った。ヴァージニーはこれから起こるであろうことをおぼろげに悟り、主《あるじ》である娘が先ほど入っていった窓から同じように屋内へしのびこむと、娘のあとを追って暗い廊下を進んだ。そして羽目板張りの部屋の外まで来ると廊下の隅にふたたびうずくまり、身を縮こまらせて、重ねて起こる悲劇の場面を待ち受けた。ジュリアが書斎の扉を勢いよく開け放つと、父親が中で机に向かって書きものをしていた。書斎を満たすランプのまばゆい明かりを浴びて戸口に立ったジュリアは、ピストルを握った手を前に伸ばし、撃鉄を起こして銃口を定めた。ジュリアン卿が悲鳴をあげて椅子から飛びすさる暇も与えず、彼女は引き金を引いた。次の瞬間、卿は左のこめかみに銃弾を受けてくずおれ、おのれの娘の足もとで絶命した。銃声と人の倒れる音を聞きつけ、レディ・サラがしどけない姿で化粧部屋をあとに書斎へ駆けこんできて、血まみれで床に倒れて死んでいる夫の姿と、狂気と殺意の炎をまなざしに宿して羽目板張りの部屋の入口に立っているジュリアの姿を目の当たりにした。だが娘はそこに長くは立っていなかった。取り乱した娘は、レディ・サラが書斎に入ってきたのを見るなり、弾の切れたピストルをほうり出して、母親に飛びかかり、満身の怒りをこめてその喉もとを締めあげたのだ。ふたりの女は取っ組み合ったまま部屋じゅうを転げまわった。ひとりは相手を殺そうとし、いまひとりは生きのびようと必死で、どちらからも叫び声や呻き声すらあがらぬほどの壮絶な闘いが繰りひろげられた。だがとうとうレディ・サラが力尽き、攻めかかる相手に組み敷かれた。窒息した顔がどす黒く変色し、むくんだ眼窩から眼球が飛び出した。ジュリアは絞める手にさらに力をこめた。レディ・サラの胸に両膝をつき、悪鬼のごとき凄まじい力と断固たる決意でもって押さえつけた。相手の両耳から血が噴き出そうが、かっと見ひらいてこちらを見つめている目に霞がかかろうが構いもしなかった。その無慈悲なる指がようやくほどかれたのは、復讐が完成を遂げたとジュリア自身が理解してからのことであった。やがて娘は勢いよく立ちあがると、床に落ちていたフィリップのピストルを摑み、割れんばかりのかん高い絶叫をあげながら、廊下を駆け抜け、階段を駆けおりて広い庭へ出た――風が吹きすさび、雪が激しく降りしきる極寒の中へ。豊かな髪は乱れほどけて肩に落ちかかり、繻子《サテン》のロングドレスは血まみれだった。後ろから、恐怖のあまりに半狂乱となったヴァージニーが、悲痛なる逃亡者になんとか追いつこうと、あるいはその足を止めさせようと必死に追いかけてきた。やがてジュリアが、段々造りの芝生の庭の端をなす断崖、つまりこれが〈断崖館〉の名の由来なのだが、その断崖のきわにたどり着いた。だがちょうどそのとき、彼女は追っ手を振り向いた拍子に足を滑らせ、傾斜した庭の境界線を示す、笠石つきの低い塀の向こう側の、雪だまりとなった深い谷底へ真っ逆さまに落ちていった。

　ヴァージニーは駆け寄り、崖下を覗きこんだ。〝断崖〟は気が遠くなるほど高く切り立っており、闇に包まれた谷底にはジュリアの気配すら感じられなかった。ロリントン家の哀れな跡取り娘は、柔らかな深い雪に埋《うず》もれた死の床に沈んだのであろうと思われた。

　そして、主《あるじ》である娘の手を血に染めさせ、死へ追いやった狂気にみずからも苛まれたヴァージニー・ジローは広い庭を駆け抜け――馬車用の門を抜けて――さらにその外側にある寒々とした荒れ地に出ると、そのまま遠くへ姿を消した。老神父は手書きの巻物をかたわらに置くと、銀製の嗅ぎ煙草入れからラピーを新たにもうひとつまみ取った。

「ムッシュ」彼は半白の頭を上品に傾け、いった。

「あなたが聞きたがっていたあの館の歴史について、僭越ながら読ませていただいた」

「心から感謝します」わたしは答えた。「しかし、どれだけ詮索好きなのかと思われるのを承知で伺いますが、もうひとつだけ質問しても？」

　老神父が了承の表情を浮かべ、こちらの質問を待ちかまえるように口もとに皺を寄せて笑みをたたえるさまを見て、わたしは図々しくも続けた。「では教えていただけますか、M・ピエールどの、どういった経緯でこの手記を入手されたのですか、そしてそれは誰が書いたものなのです？」

「ごもっともな質問だ、ムッシュ」しばしの間を置いたあと、彼は答えた。「わたしのほうにも答えを差し控える理由はこれといってない、なにせこの悲劇に個人的に関わった人物はいずれもみな亡くなって久しいのでね。

若かりし頃、わたしはベリー州（フランス中部の旧州）にある二百人ほどのちいさな教区で主任司祭をしていた。それよりもさらに何年か前、その村に、誰の知り合いでもない風変わりな老女がやってきた。われわれの教会から二マイルほど離れた、森の外れにあるちいさなあばら屋を借りてそこに住み、市《いち》の立つ日には一週間ぶんの買いものをしに村へ出てくるが、それ以外は教区の住民たちの誰ともいっさい交わらなかった。明らかに気がふれていて、他人に危害を加えるわけではなかったが、妙なおこないをするのでみな不安がったり好奇の目で見たりしていた。ご存じとは思うが、こういった間欠性の神経症を患う人々の中には、ある特定のものごとと対峙したり、ある限界点に達したりしたときに、発作を起こして乱心をあらわにすることが少なからずあるものだ――たとえそれ以外のものごとに対し、常人となんら変わらぬ振る舞いをしていたとしても。さて、この老女の場合、目に入った文章をなにがなんでも書き留めねば気が済まぬ、という妄執に囚われていた。たとえば、市の立つ日に村を訪れたさい、教会の前を通りかかってふと正面扉に目が留まったとする、すると彼女はすぐさまその場で足を止め、ポケットから紙と鉛筆を出して、立ったままぶつぶつとなにごとか呟きながら、貼り紙に記された一字一句を余すところなく書き写し、終わると書いた紙をそっとポケットにしまい、ふたたび歩きだすのだ。

かくしてわが仔羊たちの一匹となったこの哀れな老女と近づきになるのが村の司祭としての義務であると思ったので、わたしは折にふれて彼女のもとを訪れた、そうすることによって奇妙な症状の原因（過去に経験したなんらかの不幸なできごとが発端になっているのではないかとわたしは考えていた）を突き止めることができれば、彼女の必要としている助言や安らぎを与えることができるのでは、という希望を抱いていたからだ。通いはじめて二、三度のうちはなにひとつ引き出すことができなかった。われらの信仰が称える神秘と安息について語り、告解を勧め、贖罪の秘跡のみによって与えられる心の平安を得るよう懸命に諭すわたしを、彼女は彫像のごとくすわったきり、暗い顔でただじっと見つめていただけだった。さて、こうして彼女をたまたま訪れていたときのことだ、わたしは祈禱書のほかに、彼女の魂が求むるものにふさわしいであろう聖書の文句をちいさな紙片に書きつけて持っていった。老女はあいかわらずむっつりと黙りこんでいたが、祈禱書に挟んでおいた覚え書きを取り出して手渡したとたん、態度が豹変した。狂気に満ちた光をまなざしにみなぎらせ、ただならぬようすで鉛筆を探しはじめたのだ。『できますとも！』彼女はわめいた。『あたしの字とお嬢さまの字はよく似てるんです。なにせ子どもの頃からずっと一緒に学んできたんですから。あの男だってあたしが書いたなんて絶対に気づきっこありません。騙すのは簡単です。お嬢さまの署名なら何度も練習しました――もうまもなく、本人が書いたとしか思えないようなものをお見せできます。お嬢さまにはこう申しあげておきます、奥さま《ミレディ》、あの男はお嬢さまを裏切るつもりですよ、と。ほかの女と関係を持っていて――嘘つきで――卑しい男で――やましさのあまり、この土地から逃げ出したと聞いてます、って。ええ、そうですとも、ふたりまとめて騙してしまえばいいんです』

このような調子で、老女は数分間にわたって熱っぽくまくし立て、しだいに危うさをおぼえはじめたわたしは、彼女の両肩を摑んで揺さぶり、取り乱した彼女の意識をこちら側へ戻そうとした。『なにがあなたを苦しめているんだね、哀れな老女よ？』わたしは声をあげた。『わたしは〝ミレディ〟ではない。ここの教区の主任司祭だ。

〈主の祈り〉あるいは〈聖母マリアの祈り〉を唱え、悪魔を追い払いなさい』

　その言葉が功を奏したのか、うっかり見せてしまった覚え書きを取りあげたのがよかったのかはわからない。だがともかく乱心は収まり、わたしは話題を変えて、できるだけ彼女をなだめて落ち着かせてから、ようやく安心してあばら屋をあとにした。

　そのことがあってまもないある朝のことだった、近所の者がわが家を訪ねてきたのだが、その男がいうには、ここのところ、あの婆さんが毎週の市に姿をあらわしていなかった、これまで市にだけはかならず顔を見せていたから、住まいを訪ねてみたところ、婆さんは病気で寝こんでいて、わたしに会いたがっていた、というのだ。むろんわたしはその望みを叶えてやるべく、また彼女が赦罪と臨終の聖餐を求めていたとしても応えてやれるよう、すぐに仕度をととのえた。ほどなくわたしがあばら屋の戸をくぐると、彼女は手招きしてわたしを枕もとに呼び、低い声で、急かすようにいった――

『神父さま、いますぐ告解をしたいんです。あたしゃまもなく死にますんで』

　いまの彼女は正気だ、とわたしもこのときばかりは感じて、ためらいなくその望みを聞き入れてやることにし、この老女が、あたかも哀れな魂に背負った荷をおろすかのように、息も絶え絶えにぽつりぽつりと語る言葉に耳を傾けた。

　ムッシュ、もしヴァージニー・ジローに託された物語が、わたしが神聖なる告解においてのみ語られたものであったなら、わたしがここでそれを語るわけにはいかなかっただろう。だが、彼女は最期の平安の言葉を口にしたあと、枕の下から紙束を取り出し、わたしの両手に押しつけて、いったのだ。『神父さま、ここにあたしの昔物語が綴ってあります。あたしが死んだら、これは好きにしていただいて構いません。もしかしたら、あたしを絡め取った大いなる誘惑に打ち勝つすべをここから得る人もいるでしょうから』

『誘惑とは、賄賂のことかね？』訊ねると、彼女は霞みゆく視界の中でわたしの顔を見て、弱々しくかぶりを振った。

『賄賂のことじゃありません、神父さま』彼女は答えた。『たかがお金だけのためにあんなことをしたとでも？』

　わたしは答えなかった、彼女のいう意味がよくわからなかったうえ、まもなく旅立ちを迎えようとしている彼女のような魂を、わたしの好奇心ごときで煩わせたくはなかったからだ。そこでわたしは椅子に背を預け、宗教的な儀式を済ませて疲れたであろう彼女がすこしでも眠れるならばと、黙ってすわっていた。だがわたしの発した最後の質問が彼女の心を波立たせ、ほんのひとときまどろんでいた狂気を目覚めさせてしまったようだった。彼女はいきなり枕から頭をあげ、皺だらけの両手で頭を抱えると、激しくわめきはじめたのだ——

『お金！——お金なんて。たった一日でもあの人の愛をあたしのものにできたなら、魂だって売り払ったのに！　ああ！　あんなもの、あいつらの顔に叩きつけて返してやればよかった——お金なんかのためにそうしたと思ってるだなんて、いったいなにさまのつもりだか！　フィリップ！　フィリップ！　あなたはあの跡取り娘を奥さんにすることばかり考えてた。あたしを見てくれればよかったのに——あんなに愛してたんだから！　そうしてくれさえすれば、傷つけたり——レディ・サラのいいなりになって、あなたを裏切ったりなんてしなかった！　だけどあなたからひどい言葉を浴びせられたのが許せなかった。あなたがジュリアを愛してるのが許せなかった！　あたしは天国に行けるんだろうか——聖人がたのおわす天国に？　聖人がたはあたしを天国に入れてくださるだろうか？——あたしの魂は赦していただけるんだろうか？　それともずっと煉獄にとどめられて、浄化することなく、焼かれて焼かれて焼かれつづけるんだろうか？　だって、ああ！　たとえ千年もの時が流れたのちに、過去という過去があたしのもとにふたたび戻ってきたとしても、あたしはきっと同じことをするでしょうから。フィル・ブライアン、あなたへの愛のために！』

　彼女はうわごとを口走りながら、ベッドから勢いよく起きあがった。喉でごぼごぼと音がしたかと思うと——息を詰まらせたような苦しげな声があがり——見る間に彼女の胸もとと枕と上掛けが血でぐっしょりと濡れた！　発作によって血管が破裂したのだ。わたしはとっさに立ちあがって支えようとしたが、彼女は煉瓦の床にうつ伏せにくずおれた。抱き起こしてその歪んだおもざしをよく見ると、赤く染まった唇にはもう息がなかった。ヴァージニー・ジローはすでに亡骸となっていた。

　こうして彼女は錯乱の中で、みずからの人生と罪という秘密をおおやけにしたのだ。正気に戻っていてもわたしにすら打ち明けようとしなかった秘密を。彼女が語りつくした禍々しい物語の裏にあったのは金銭欲ではなく、軽んじられた執念深い愛だったのだ。いまは亡きあの哀れな老女をわたしは心から不憫に思った、彼女にとってこの世に生きながらえることがどれほどの地獄だったかをおぼろげながらも理解したからだ。

彼女から託された〈断崖館〉の悲劇を綴った書きつけは、いまわたしが読んだ物語よりもいくぶん簡素なものだったが、そのほかの重要な細部のほとんどを、わたし自身の手でほかの資料にあたり裏を取ったので、あなたがいまお持ちのその書類は、事実の目撃者の証言であるばかりか、確固たる法的証拠ともなり得るのだよ。

　ヴァージニーの死から四十年ほどのちに、ムッシュ、わたしは家庭の事情でいっとき宗務を離れイングランドに移り住まねばならなくなった。そしてしばらくこちらで過ごすこととなり、そこでこの土地を訪れあの館を見に行った。だが門番小屋の者に訊ねても、〈断崖館〉が空き家であり、すでに何年も前から無人だということくらいしかわからなかった。やがて、あの恐ろしい十二月二十二日を境に、あの館には誰も住んでいないことを突き止めた。あの館を購入し、所有者となったジュリアン卿には直系の相続人がいなかったため、親族たちは彼の財産をめぐって諍《いさか》いを繰り返していたが、そのうちにひとりまたひとりと亡くなって争いの輪から脱落し、いまとなってはもう、わざわざ訴訟を仕切り直してひと財産儲けようなどという者すらいなくなった」

　立ちあがり別れの挨拶をしようとして、わたしはふと、〈断崖館〉で見たあの奇妙な光景の正体について、この穏やかな物腰の老神父はおそらくなんらかの結論にたどり着いており、それを聞いておくに越したことはないのではないかという気がしたので、思いきって質問を投げかけてみた。

「この件に関するわたしの見解があなたにとって価値がある、あるいはそうしたことに興味がおありだというならば」彼はいった。「喜んでお話ししよう。カトリック教会の司祭という立場上、わたしには〝幽霊が出た〟などという一般的な概念を受け入れることはできない。あの不幸なる屋敷であなたが体験したようなものごとを説明するためには、こう仮説を立てるよりしかたがなかろう。つまり、悪の力を凌駕する〝力〟が存在する、と。悪魔ですら屈服させるほどの〝意思〟だ。さらにこう仮定すれば、キリスト教の教義ともなんら矛盾しない、つまり、先ほどからわたしたちが口にのぼせているような恐ろしい犯罪の場合、これらの罪を犯した邪悪な魂たちが、長い期間にせよ短い期間にせよ、その謀事《はかりごと》がおこなわれた場所に取り憑き、かつて現世において繰りひろげられた惨劇を、幻という形で再現するのではなかろうか。自然のことわりとして——というよりも、あるいは」彼はいい、かすかに口もとをほころばせた。「超自然のことわりとして、というべきかもしれないが——こうした悪魔どもはみずからの存在を示すために、おのれの囁きが引き起こした罪を目に見える形とするべく、なんらかの姿を取る必要があるのではなかろうか。そしてその場合、犯罪の性質にしたがって、その罪の虜となった人間の幽霊の姿を——たとえば、殺した者と殺された者の姿を——まとう以上にふさわしい形があるかね？　これは単なる素人考えに過ぎない、ムッシュ、いまわたしは、教会の側に立つ司祭としてではなく、個人として意見を述べている。だが、とりあえず目の前の難題の謎解きにはなり得るであろうし、不信心を咎められることもなかろう。キリスト教を信ずる者として、少なくともこれだけは明確に申しあげることができる。死者の魂は、たとえ聖人のものであろうと罪人のものであろうと、神のご加護のもとにあることは必定であり、ふたたび地を歩くようなことはけっしてないのだ、と」

　わたしはM・ピエール神父と握手を交わし、暇《いとま》を告げた。それからあとのことだが、これを読んでおられるかたよ、わたしは友人宅へ向かい、なにごともなかったかのように、楽しいクリスマス休暇を過ごしたのだった。

夢魔は目醒めのうちに

影

The Shadows

ヘンリー・S・ホワイトヘッド　Henry S. Whitehead

植草昌実 訳

就寝の直前に寝室で見た幻像も、夢のうちに入るものかどうか……そんなことをふと考えてしまうこの短編の初出は、*Weird Tales* 一九二七年十一月号。作者のヘンリー・S・ホワイトヘッド（一八八二—一九三二）は、聖公会の助祭としてヴァージン諸島に赴任し、一九二一年からの九年間を本作の舞台でもあるサンタ・クルーズ島で過ごした。のちに『ジャンビー』（一九四四）などにまとめられた一連の怪奇小説は、その頃に見聞した西インド諸島の土着信仰や伝承を題材にしたもので、物語そのものの妙味はもちろん、民俗学的な興味も尽きない。

その影をはじめて見たのは、モーリス老人の家に移って一週間が過ぎた頃のことだった。ずいぶん昔に他界したモーリス老人は、ごく早い時期にアイルランドからセント・クロイ島に居を構えた入植者の子孫で、さかのぼれば十八世紀に入植したデンマーク人が、この島の豊かさを活用できずに立ち去ったあとに移住してきた、アイルランドやスコットランド、イングランドの紳士階級の子息たちに至る。彼らが砂糖黍畑の経営で誇った栄華は、奴隷制度の廃止とドイツからの安価な甜菜糖の供給で一世紀の幕を閉じ、西インド諸島の経済も衰微の一途をたどった。そのため、モーリスは青年時代をフランス領の島々で働いて過ごしていたという。

その影は、はじめのうちはおぼろだったので、幼い頃から弱かった視力のせいだと思っていたし、弱いといっても本を読んだり書きものをしたりするときだけ眼鏡をかければ済むことで、生活に支障を感じたことはなかった。最初に影を目にしたのはその夜、午前一時のことだった。私は島の北海岸にあるクリスチャンステッド、フランス領時代はバッサンと呼ばれたこの町から三マイルほど離れたハッカーの屋敷「翠玉館」に招かれていた。「紳士のパーティ」などと呼ぶと聞こえはいいが、単なる地元の男の付き合いだ。屋敷の名前からすると、ハッカーの先祖の誰かが詩をたしなんでいたのだろう。

パーティから帰ると、寝室で着替えをした。日曜ごとに市の立つ広場のある側に並んだ、二部屋の一方だ。その部屋を寝室にしたのは、広場に向いた大きな窓があり、反対側の部屋よりも開放感があったからだ。早起きした朝には、百年以上も日曜市を見下ろしてきたマホガニーや、節くれだったタヒチモンビンや、キササゲの木立を眺めて楽しんでいられる。

着替えを終え、使用人が蚊帳《かや》を下ろしているあいだに、隣の部屋に入って窓の板すだれ《ブラインド》を開き、家に夜風を通した。寝室に戻り、ドアを閉めガウンを脱いだとき、その〝影〟がはじめて、だが確かに現れた。電灯を消したばかりで、寝室はことさらに暗かった。もう就寝しようとマホガニーの支柱つきベッドに向かいかけると、板すだれ越しに射す星明かりのなかに、何かがいるのがおぼろげに見えた。

ベッドの手前の支柱がずいぶん近くに見えた。寄りかかろうと手を伸ばしたが、何も手に触れなかった。驚いて暗さに慣れはじめた目を見開き、夜明かりを頼りによく見ると、それは急に位置を変えた――支柱は見えた位置よりも近く、すぐ顔の前にあったのだ！　暗さに目が慣れたのと星の光とで、室内がさらに見えてきた。私は戸惑った。ベッドがあるはずのところになかったのだ。そんな馬鹿な。使用人たちは言われもせずに家具を動かしはしない。電灯を点けて着替えをしたほんの数分前には、ベッドはここに入居した一週間前と同じ位置に、まちがいなくあった。目の前にあるベッドの支柱を、スリッパのつま先でそっとつついてみた――が、何も触れなかった。

私は電灯のスイッチに歩み寄り、明かりを点けた。まぶしい光の中、室内は何の変化もないように見えた。ベッドがあり、椅子も普段の位置にあり、磨きあげた箪笥も（西インド諸島の家には押し入れはない）マホガニーの鏡台も、使用人のアルバーティナが洗濯に回収しやすいよう、椅子に掛けておいた白い木綿のズボンも、そのままだった。

私は頭を振った。この島では光や影までが、合衆国とは違って見えるものか。ふと思ったが、すぐに打ち消した。

明かりを消し、真っ暗な中で蚊帳を上げてベッドに入り、蚊帳の端をマットレスの下に挟むと、枕とシーツを整えて横になった。付き合いをほどほどにしても、この手のパーティではとかく長引くので、疲れるものだ。もっとも、このときはそんなことを思いもせず、目を閉じるやすぐに寝付いた。

翌朝、目覚めたときは、ベッドの位置のことなど思い出しもしなかった。六時半にすっきり目覚めると、すぐにシャワーを浴びた。この日は昼前から、海兵隊のオブライエン大尉とラ・グランデ・プリンセスの狩り場に行く約束がある。大尉とは親しいし、海兵隊の有能さにも敬服してはいるが、私の目的はペリカンの観察にあった。ラ・グランデ・プリンセス（地元の黒人たちが呼ぶには「ビッグ・プリンセス」だが）の美しい浜辺はペリカンの営巣地で、この鳥たちが魚を獲るさまはどれだけ見ていても飽きないものだ。カリブのペリカンはおそらく、この地域に棲息する空を飛ぶ生きものの中で、もっとも美しい――匹敵しうるのは、優美な弧や放物線を空に描いて飛ぶグンカンドリくらいなものだろう。そしてまた、かの鳥は神が陽気さをもってこの世界にあらしめた、信じがたいほどに不器用な生きものでもあるのだ！

前に同行したときのように、浜辺にいるあいだは、大尉が部下のことや、このあたりで野営している知人のことを話すのを聞きながら、私はペリカンたちが魚を獲るのを見ていた。三、四羽が言い表しようのない動きで空に弧を描き、岩礁と白い砂浜に囲まれた緑に輝く水面に飛びこんでいった。空中に止まったかと思うや、たわめた身をジャックナイフのように伸ばし、巨大な嘴《くちばし》を容赦ない槍の穂先のようにまっすぐ下に突きおろして急降下し、浮かび上がってきたときには喉に魚を捕らえていた。

鳥たちを長く見過ぎたようだ。帰途は残像が視野にちらついたので、家に着くまでのあいだは、そんなときのために持ち歩いている黄色いサングラスをかけた。

午前中の強い日射しを防ぐため、家の東側には日よけを下ろしているので、私は帰るやその日陰に目を馴らそうとした。残像は視界に残ったままで、消えるどころか薄れもしなかった。眼球内の液体が起こす自然現象は、無気味な万華鏡を覗き込んだようで、残像の色はまばたきするたびに藍色から茶色へ、さらに橙色へと変わり、やがて青緑に光って視界をさえぎった。

　残像はしつこく残り続けたので、私はできるだけ目を閉じて消えるのを待った。海に飛びこむペリカンの、輪郭のぼんやりした青や紫の影が、目の奥でいつまでも動き続けていた。困ったものだ。私はメイドを呼んだ。

「アルベルティーナ」部屋の戸口まで来た彼女に、私は言いつけた。「寝室の板すだれをみな下ろしておいてくれ。外の光が入らないようにな」

「かしこまりました、旦那さま」忠実なるわがアルベルティーナは答えるや、すぐに板すだれを下ろす音が続けざまに聞こえてきた。

「みな下ろしましたよ、旦那さま」アルベルティーナが知らせた。私は礼を言うと、半眼のまま日光を入れない寝室に入り、日没までそこにいることにした。ベッドにうつぶせになり、引き寄せた枕に顔を埋めれば、わずかな光を目にすることもない。

　海に飛びこむペリカンの残像はゆっくりと薄れてゆき、ただの影に、それから染みのようになり、やがて霞んで消えた。頭を上げ、体を横向きにして、枕を元の位置に戻した。暗い部屋に目を開くと、広場寄りの壁際に、何かの影がぼうっと浮かんでいた。それは昨夜に見たのと同じ、デンマーク造りのベッドの輪郭だった。

　暗い部屋のベッドの上にいて、壁際にベッドを見ているのは、なんとも奇妙な感じがした。最近ときどき小耳に挟む、第四次元の話を思い出した。ベッドを見た位置にある箪笥が、今もそこにあるのも見えていたからだ！　私は目を擦りかけたが、ペリカンの残像が戻ってきそうな気がして、手を止めた。じっと見ているあいだに、ベッドはかすみ、消えていった。

　わけがわからず、もう一台のベッドを見たところまで歩いてみたが、もちろん何もなかった。残像はもう消えていたので、広間——西インド諸島では応接間を「広間」と呼ぶ——に出ると、椅子に座ってこの奇妙な現象について考えた。どうにも説明がつかない。これがプレンティスの身に起きたとしたら、彼はどう思うだろうか。彼は紳士のパーティに招待されれば、それが数日続いたとしても断らず、律儀に顔を出す男なのだから。いや、昨夜にしても、私は酩酊などしてはいなかったし、付き合いのときは酒の度を超さないようにと、アメリカで身につけた節度を西インド諸島にも持ってきている。私は幻のベッドをなんとか説明づけようと、あらゆる可能性を考えた——もっとも、最初に見たときからずっと考えてはいるのだが。私の目が作り出した錯視にちがいない。三カ月前にニューヨークで検査を受け、明確な悪化の徴候はないと診断されたときは、大いに喜んだものだった。眼科のジャスラン医師によると、その六カ月前の検査よりも良くなっているということだったが。

もともとの視力を踏まえての所見なのだろうが、自分が見た、もしくは見たと思ったものに惑わされることはない状態だと解していいものだろうか。唯物論の強固な信奉者でなくても、目に見えるものはそこにある、と人は信じるものだ。だから、幽霊を見たと思うと、その確信は揺らぐ。ある意味では、視覚は堅固な信仰のようなものだろう。

私はこの現象を明確に捉えようと試みた。怖れたりうろたえたりせず、物理現象として理解することにしたのだ。その方法はごく単純なもので、これからの数日間「見た」と思ったものを記録するだけだった。はっきり見えたぶん、ベッドには不安なものを感じていた。二度目はさらにはっきりしていて、実体をともなうかのようだった——正しい言い方ではないかもしれないが。最初は影のようだったのが、より質感をもって見えていたのだ。

私は部屋の家具を見渡した。スウェーデン造りの古風な、前面の脚に人の顔を彫刻した化粧箪笥がある。絵に描いて人に見せたら、コペンハーゲンの博物館によく似た彫刻があった、と言われたものだった。部屋の平面図に家具の位置を描き込み、そのあとで影として現れた家具の位置を加えた。邪悪なるものを退ける神の加護のもと、私は手間暇をかけずに平面図を描き終えた。ここからの話は、先を急がぬようにしなくてはなるまい。

その夜、就寝の仕度をした私は、寝室の窓の板すだれを下ろして明かりを消すと、暗がりに輪郭を浮かばせてくる幻像を見据えた。家具はさらにはっきり見えるようになっていた。一つ一つが実在するものと同じように、はっきりと見分けられた。すでに本物の家具がある部屋に、同じようにきちんとした細工のマホガニーの家具がさらに置かれているのが見えたが、それは人間の目が複雑な構造ゆえにもつ弱点のせいではないと、私は確信した。この奇妙な状況に恐怖を覚えることもなく、落ち着いて観察した。ベッドから肘掛け椅子へ、大ぶりな化粧箪笥から、手の込んだ彫刻のしてある、さらに大きな衣装箪笥へと目を移し、つぶさに見た。それぞれを絵に描いておきたくなってきた。さらにしっかりと観察すると、寝室を出て広間に入り、紙と鉛筆を出して描きはじめた。

この作業は、いわば幽霊を再現するようなもので、暗い部屋で見た家具を明るい部屋に移って描くのは、なかなかに難しいものだった。見たものと描いたものを見比べるわけにはいかない。見ながら描いているのではないのだし。見ることと描くことは直結できないものだ。この作業に幾晩も費やしたし、出てくるものをあらためて見るために、二晩ほどは寝室で過ごしたものだった。五、六日ほどして、ふとひらめいた。寝室に現れる幻の家具の配置を詳細に書き留め、誰かそれを記憶していないかを尋ねてみよう。過去の家具の配置が再現されたという確信を、私は得ていた。

七日目に中断があった。

その日には私の作業も終わっていた。部屋のさまを自分が見たままに、墨を使って丁寧に描いた。その仕上がりたるや、製図工も一目置こうというものだった。

七晩目、私は寝室で家具の出現を待った。慣れてしまったのか、この現象もさして無気味なものとも思えなくなり、これまで無駄なことをしていたのではないか、という気にさえなった。私は立ったまま、目の前に現れたものと自分が紙に描いたものとを見比べた。家具はその形をくっきりと見せているばかりか、燐光を帯びているかのように、暗がりに浮かんでいた。もちろん実体はない。だがそれでも、どれもが実に古風な作りであることは見てとれた。この現象が見えているのは私だけではないようで、猫も何かに気づいた様子で背中を高く弓なりに上げると——アルジャーノン・ブラックウッドが『ジョン・サイレンス』の一編で書いていたように——安楽椅子に掛けている人がいるかのように、いかにも慣れた様子でその足元にすり寄った。

私はただじっと見ていた。何一つ見逃すまい、と心に決めて。今や細部までくっきりと見えていた。この現象はもはや、当初のぼやけたものではなくなっていた。実際の家具が見えなくなっていたのは、月のない夜だけに、闇にまぎれていたのだろう。

私は部屋を見まわした。化粧箪笥の湾曲した脚。衣装箪笥の飾り彫り、椅子の輪郭へと向けた視線を、ベッドに戻した。そのとき、この一連の経験のうちで、はじめて驚きを覚えた。

ベッドのそばで、何かが動いたのだ。

私は動きを見たあたりに目を凝らした。ベッドの反対側で動く、何か大きなものがぼんやりと見える。そのぼやけ加減は、一連の現象が始まったときによく似ていた。実体はないが、そこにあるかのようにはっきり見えているベッドの向こうに、ぼんやりしたものがいる。それがゆっくり動くのが蚊帳越しに見えた。

　それが動くと、蚊帳も揺れた。

　ベッドの中に入ろうとしている！

　驚きのあまり、身動きもできなかった。想像もしていなかったことだ。背筋に冷たいものが走った。髪の毛が逆立った。両手を膝に強く押し当てる。深く息を吸う。郷里の老婦人たちが言う「しんどい」感じに体がとらわれた、といえば、わかってもらえるだろうか。言葉には表しづらい感覚ではあるが。驚きや恐怖が心身に及ぼす影響には、このようなものもあるのか。私は動けなくなっていた。膝から離した手はひどく震えて抑えようもなく、電灯のスイッチをなんとか探り当て、明かりを点けるまでには十秒を要した。

　夜が明けるまでのあいだを、暗い寝室で目にしたものを怖れて過ごした。怖れながらも、なんとか自分に理屈の通った説明をしようとした。結局、危害を加えられるようなことは起きなかったのだ。だが、この現象が段階を追って進んでいるものであれば。あの動いていたものが、先週あたりから徐々に形を現そうとしているのなら。そして、それがもし良き目的をもっているのであれば。仮にそうだとしたら、私は天佑を得るのではないか！　だが、そうではないかもしれない。もしそれが邪悪な霊のなせる業だったとしても、子供の頃には日曜日になるとかならず教会に行って、司祭を前に他の信徒たちと唱えた信条のとおり、見えるものも見えざるものも、すべて父なる神の創りたもうたものであると考えよう。神の被造物であるならば、神に勝る力を持つことはありえない。私は明かりを消すさいに、短い祈りを捧げた。幻の家具はかなり古風に――おそらくはヴィクトリア朝のものに見えた。もっとも、神であれば人間の流行など気にもとめまい。思想だ現代精神だなどと言っても、人類の営為の総体に比べれば小さなものだろう。そんなことを言いたがるのは、ほんのわずかな、知識人を自称する連中くらいなものだ！

　明かりを消した私は、ベッドに入ったのはモーリス老人の幽霊にちがいないと考えた。

　政府の主任検査官ボーンスティール氏は地元の名士で、生まれ育ったこの島については昔のこともよく知っているので、彼に話を聞いてみることにした。今、私が住んでいる家が、かつての持ち主の名で「モーリス老人の家」と呼ばれ続けている理由を、用心しつつ尋ねると、ボーンスティール氏はモーリス老人のことを、フランス領まで出稼ぎに行っていた若い頃から、よく覚えていた。彼の語る老人の風貌は、私が見た幽霊によく似ていた。

まちがいない、あれはモーリス老人だったのだ。彼の幽霊はまだ家にいるのだ。私はそう直観していた。彼を知るのには良い折だ。ボーンスティール氏はモーリス老人について的確に説明してくれたばかりか、さまざまな逸話も融通無碍に披露し、モーリスのように自分もこの島の古参と目されることを楽しんでいるようだった。だが、モーリスの臨終について尋ねると、急にその口は重くなった。かの老人についてはよくわからないところがあったから、というのは事実か言い訳かはわからないが、話したくないことがあるようだ。自分が住んでいる家に、六十年以上も前に世を去った人の名がまだ残っているのはなぜか、ごく自然な興味をもって何気なく尋ねただけなのだが、何の答えも得られなかった。モーリスは変わり者ではあったが、そこがまた面白いところでもあった、というだけで、ボーンスティール氏の証言は充分だろう。また、モーリスは他にはちょっといないほど裕福な男でもあった。彼はときどき、このセント・クロイ島のもてなしの習慣には見られないほど大人数のパーティを、真夜中近くまで開いた。長居したがる客たちを帰らせるのに用いたあの手この手が、この風変わりな男を面白おかしく語るための格好の話題になった。

　モーリス老人はこのセント・クロイ島にずっといたわけではなかったようだ。若いうちはマルティニークにいたようだったが、住んでいたのはフォール・ド・フランスでなく、もっと小さな町だったらしい。もちろん、プレー山の噴火でサン・ピエールの町が大打撃を受けるよりもずっと前のことだ。セント・クロイに移ってきた頃は、見たところ四十五歳かそこらの中年で、すでに財をなしていた。すでに仕事からは引退していたという。農園も店も持たないどころか、働いている様子もなかった。なぜ裕福なのか、誰もが不思議に思っていたらしい。歳が本当はいくつなのかも、不思議がられていたようだったが。

「たぶん」とボーンスティール氏は言った。「モーリスが——そう、死んだときは、百歳近かったようでした。その頃、私は八つかそこらの子供でした。八月が来たら、私はもう七十歳になりますが。つまり、それは六十二年前、一八六一年のことで、お国では南北戦争が始まった頃ですな。私は十九歳で父を亡くしましたが、その父がこんなことを言っておりました。モーリス老人は自分が子供の頃に見たのとまるで変わっていなかったと。信じがたいことです。黒人たちが言うには———」彼はここで言葉を切ると、遠い目つきになった。

「黒人たちは、私たちからするとかなり奇妙なことを信じがちなものです」話を続けさせようと、私は言った。「私が来たばかりの頃も、新参者が気になったのでしょう、あれこれおかしな噂をたてられたようでしたよ。たとえば――」

　はっとしたように、ボーンスティール氏はその青い眼を私に向けた。

「スチュアートさん、これから何日かは、私の家でお過ごしになるといいでしょう」おだやかな口調だった。「年代物のラムを集めておりますので、ぜひお試しください。一九二二年に合衆国政府《アンクル・サム》が禁酒法の適用をこちらにまで広めて以来、なかなか味わえなくなったものばかりです」

「ありがとうございます、ボーンスティールさん」私は答えた。「せっかくですが、私は酒に弱いもので、ラムを味わうとなると紅茶にひとすくい落とすか、プディングのソースに足すかで、せっかくの年代物がもったいないようです。でも、お誘いをありがとうございます」

　総督官邸の風通しのよい執務室で、ボーンスティール氏は厳かに一礼し、私もまた一礼を返した。

「彼らが何を信じていたのか、うかがっても差し支えないでしょうか」

　ボーンスティール氏の顔は、少々辛そうな色を浮かべた。

「お話しするまでもない、ばかばかしいものです」吐き捨てるような口調だった。そして、落ち着きはらった目を私に向けた。

「真面目に聞くようなものではありません。この島々で暮らしていれば、たしかにいろいろなことを耳にはしますが。黒人たちが何を言っていたかというと――」使用人たちが聞き耳を立てているのではないか気にしているようで、ボーンスティール氏は身を屈めて私に顔を寄せると、小声で言った。

「――これまでに話したことから、あなたもお気づきではないかと思います。根も葉もない噂ですが、モーリスはマルティニークで、〝ゾンビ〟――彼らの神か精霊のようなものを呼び出し、力を借りたということです。それで彼は長寿と欲しいだけの富を手に入れた。その見返りとして……

　スチュアートさん、モーリス老人が死んだときのことは、どうか他の人にお尋ねいただきたい」

　ボーンスティール氏からは、モーリス老人についてはそれ以上、聞き出すことはできなかった。

　だが、ここまでの話でも、充分に私は引き込まれた。

　そこで、島のはずれに住んでいるデスパード氏を尋ねることにした。彼はソルボンヌ大学の卒業生で、この島で起きた出来事ならなんでも知っているという噂だ。

島の事情通ということだけなら、ボーンスティール氏とさほど変わらないようだが、デスパード氏のほうがいくぶん若い。

私が尋ねると、デスパード氏は困ったような笑いを浮かべた。「モーリス老人か！」と言うと、彼はしばらく黙りこんだ。

「まず聞かせてもらいたいのだが――いやいや、なにも構えることはない――なぜまたモーリス老人が死んだときのことなんていう、昔話を聞きたいのかね？」

少し躊躇はしたが、正直に話すことにした。デスパード氏はいつもとかわらず礼儀正しいのだが、そのように尋ねられるとは予想していなかったのだ。

「話してもわかってもらえるかどうか」私は言った。「答えたくないわけではないのですが。ただ、率直にお話ししたら、あなたはあきれかえるのではないかと思うのです。お許しいただけるのであれば、単に知りたいからということでお許しください」

予想外の質問にいくぶんうろたえもしていたが、彼が答えてくれないことを怖れてもいたのだろう。デスパード氏にも話したくない理由があるのだろうか。黒人たちに伝わる〝ジャンビー〟の話だから。語るほどの値打ちもないと思っているのかもしれない。私のことを分別のある人間だと見たから、あえて尋ねたのかもしれない。実はモーリス老人と縁故があるので、その死について人に話すのを避けている、ということもありうる。いずれにせよ、デスパード氏はわけもなく躊躇してはいないようだ。

「あるいは」と、ためらう彼を前に、私はあらためて尋ねた。「別の質問のほうがよろしいでしょうか」

「たしかに」

「好奇心でくだらないことを聞くとお思いにならないでいただきたいのですが、ボーンスティールさんとは御親戚ではありませんか」

「いや、そのような縁故はまったくないな」

「ありがとうございます、デスパードさん」私はそう言うと、彼とデンマーク風のおじぎを交わし、その場を去った。

モーリス老人の死については、何も知ることができないままだった。

私はハイデンクラング夫人を訪ねた。答えが見つかるのであれば、どこにでも足を運ぶつもりでいた。

ハイデンクラング夫人はクレオール人で、古くから続いている商店を経営し、レースやフリルで飾り立てたベッドで寝起きしているような暮らし向きの人だ。許してくれるのであれば、夫人にはモーリス老人についてではなく、〝ゾンビ〟についての話を聞きたかった。

訪ねたとき、かの老婦人はレースとフリルに埋もれていた。体調がすぐれず、二十年ほど寝たり起きたりをしているという。

だが、夫人から〝ゾンビ〟の話を聞き出すのに苦労はなかった。

「そう」ハイデンクラング夫人は言った。「傍目にはどれほど変わったものに見えても、古くから信じられていると、その名とともに長く残っていくものです。スチュアートさん、わたしは二、三日前に警察裁判所で公判があったと聞きました。黒人の年寄り女同士のいさかいで、一人がもう一人に悪態をついたのだそうです。かけられた方はこう証言したのだとか。『この女はあたしのことを、役立たずのカルタゴばあさんって呼んだんです』。考えてもごらんなさい。カルタゴなんて、大カトーの時代に滅びてしまった町でしょう。その時代にはアフリカでも最大の都市でしたが。でも、のちに『カルタゴ人』という言葉は海賊を意味するようになり、時がたつにつれて泥棒を指すようになりました。ローマに征服されてから二千年もたったあとで、こんな島の年寄りが喧嘩の相手を泥棒よばわりするのに、カルタゴの名を出すなんて、誰も夢にも思わないでしょう。もう何世紀もたっているというのに、この島の村という村は、西海岸を通してアフリカとつながり続けているのです。フランス領の島の〝ゾンビ〟ですって？　知っていますとも、スチュアートさん。余所にはない物事が、このあたりでは信じられていますから。モーリスさんの話はお聞きでないの？　あの家にお住まいなのに」

私は呼吸を整えた。手掛かりが得られそうだ。私は黙ってうなずいた。声が出せそうになかったのだ。

「モーリスさんは、若い頃はずっとマルティニークにいて、だいぶ向こう見ずなことをしていたと聞いています。実際にどういうことをしていたのかは、誰にも言わなかったようだけれど、昔から伝えられてきたことを信じている黒い人たちは、モーリスさんが何をどうしてか、〝ジャンビー〟の強い力に引き寄せられてしまったのだと思っていました。そこのテーブルの、写真立てのあいだにあるものを取っていただけないかしら、スチュアートさん。ほら、そこに。自分で取れればいいんだけれど。こんなときにメイドが一人もそばにいないなんて。あなたの知りたかったものは、それだと思いますよ。掌《てのひら》くらいの大きさの、魚みたいな顔をしたものがあるでしょう。

そう、それよ」

　わたしはその「魚みたいな顔をしたもの」を取ると、ハイデンクラング夫人に手渡した。夫人は受け取ると、それをじっと見た。鼻先に欠けはあるが、他には傷もない、奇妙というよりは無気味な見た目の、火山岩から彫りだした小さな神像のようだった。大きな目が飛び出し、耳は人間のものに似ているが小さく、トルトラ島で釣れるカマスの口吻か、カラスの嘴のように尖った鼻と、オウムの嘴そのものの口をしていた。

「これは」ハイデンクラング夫人は言った。「マルティニークの島民が昔から信じている守り神の像です。ローマ神話のラレースやペナーテース（ともに家の守護神）みたいなものといえば、おわかりいただけるでしょう。どちらにあたるのかは、わたしにはわかりませんが」ちょっとふざけてみた、と言いたげに、老婦人は笑みを浮かべた。「でも、この像は強い力を持っていると信じられています——おそらく、カリブ族の魚神でしょう。エジプトから渡ってきたんじゃないかと、わたしは考えています。このあたりの島々の先住民——カリブ族やアラワク族は、エジプト人と似たところがありますから。ズニ族やアステカ族とも似たところがありますが、どこかでエジプトの血をひいているのでしょう。古代エジプトの神々が、人の体にタカやジャッカルの頭を具えていたように、こういった魚神像も、体は人間のものとして作られています。

　これはその神像のひとつですが、モーリスさんはこんな神を自分の中に納めたのだと、黒い人たちは言っていました。だから、なんとも怖ろしい亡くなりかたをした、とも聞きました。どんなふうだったかまでは聞いていませんが、父が遺体を見つけて、そのあと何日かは寝込んでしまったほどでした。ちょっと信じられないようなお話でしょう？　またこのあたりにいらっしゃったら、このお婆さんのところにも立ち寄ってくださいね」

　私は一歩前進したように思った。


　その日の夕方、通りでボーンスティール氏に再会したので、呼び止めて尋ねてみた。

「モーリス氏が亡くなった日付を、だいたいで結構なのですが、教えていただけませんか。ご記憶ならの話ですが」

　ボーンスティール氏はしばし考えた。

「クリスマスの少し前だったかと」と、彼は答えた。

「クリスマスの翌日が競馬会だったので、覚えています。モーリスはサントゥルセという栗毛の牝馬の馬主でした。彼には相続人がいなかったので、馬主がいないのを理由に、その馬はレースの出場を取り消されました。なかなか人気があったので、けっこうな人数が賭ける気でいたのに、あてが外れたようでしたよ。でも、どうしようもありませんでした」

私はボーンスティール氏に礼を言った。自分の心の中で形をなしはじめたことに合致する話だ。クリスマス休暇は八日しかない。家具とモーリス老人の幻は、彼の最期を再現するものなのではないかと、私には（いたって無理なく）考えられた。夜ごとに一部始終を通して見る勇気があれば、このように人に尋ねてまわる必要はなかったのかもしれない。この奇怪な再現で、神のみぞ知る一部始終を垣間見ることができたのだろうから。

それから三晩のうちに、モーリス老人をめぐる現象は、日を追ってさらにはっきり見えるようになっていった。モーリス本人のスケッチもした。小柄で腰の曲がった、太った猫背の老人の姿は、不思議なことにゴリラさながらの生気を感じさせた。ベッドに歩み寄り、隅の蚊帳を上げて入るだけだというのに、そのありきたりな動作にはみなぎる力を感じた。年齢からは想像できないほどの頑健さだ！

その夜、いつもどおりならあの現象が起きる十一時頃に、私は寝室で待っていた。幻像はさらにはっきりしていたので、これまで気づかなかったことまでが見てとれた。モーリス老人は蚊帳を前に立ち止まると、目を上げて十字を切ろうとするように右手を動かした。だが、その動作が急に止まった。

私ははじめて老人の表情を見た。手を動かしかけた際にその顔に浮かんだのは、絶望と恐怖だった。その手の動きが蚊帳を摑む動作に取って代わると、表情もひどく頑なで、自分のすることのみを信じているかのように変わった。老人が蚊帳をくぐってベッドに入ると、その顔も見えなくなった。

さらに三日後には幻像はきわめて鮮明になり、家具の細部まで見てとれるほどになったが、それまでには見えなかった別の動きも見えるようになった。モーリス老人のものではない。明かりに向かって飛ぶ蛾の羽ばたきのような、とらえどころのない動きが、寝室のドアの上のほうでゆらめいていた（この家の天井は十四フィートの高さで、ドアも十フィートはある）。そのゆらめきは、部屋に入ろうとしているようだった。それに気づいて目を凝らしていると、ドアの脇の暗く濃い陰がぼんやりと細身の人の形をとりはじめた。その影は、暗闇の中で紫がかった色を帯びているように見えた。高さが十フィートを超える、信じられないほど細長い人間の影だ。

だが、私はその影を見ても動じなかった。これまで、寝室に奇妙な幻像があまりにも頻繁に現れてきたので、最後に出てきたものにはむしろ納得していた。まだぼんやりとしか見えなかったが。

翌晩になると、モーリス老人がベッドに入ったあとに同じように出現したそれは、さらにはっきりした姿を顕してきた。その十フィートにおよぶ怪物じみた影は、細長くはあってもどこかしら人間に似てはいたが、なぜか邪悪な、ひどく人間とはかけ離れたものを感じさせた。それに気づいたとき、寒気が背筋に走ったが、理由は説明できない。全体の釣り合いから見ると、頭部が小さく平たいので、子供たちがハロウィーンの夜に通行人を驚かそうと、カボチャの頭に棒の胴体をつけた、お化け案《か》山子《かし》を連想させた。

次の晩は、気のおけない友人の一人に招かれて楽しく過ごし、帰宅したのは真夜中を過ぎていた。寝室には幻の家具が居並び、ベッドではすでにモーリス老人が横になっているようで、部屋の隅からはあの影が、前夜とほとんど変わらない様子で佇んでいた。

さらに翌日、モーリス老人の命日も間近になってきた。ボーンスティール氏の話によれば、今日がその日か、あるいは明日かということになる。いよいよ謎が解けそうだ。

私は十一時少し前に寝室に入り、明かりを消すと、座って待った。

目に見えている家具は、もともとあったものなのか、それとも幻像なのか、ほとんどわからないほど鮮明に見えていた。暗がりにいるのだから、そう思うのもおかしくはあるが。幻の家具はそれ自体が燐光のようなものを発していた、と言えばより正確だろうか。現実の光は入れていなかった。部屋にあるのは、ベッドや机や、衣裳箪笥や椅子の幻像が発する光だけだった。もし外から光が入れば、家具はすべて消え失せるだろう。現実の光がないから、幻像は現れるのだ。そうとしか説明できない。ただ、この夜の家具はすべて、本物のようにはっきり見えていた。

モーリス老人はいつものように現れた。その姿は家具と変わらず、はっきりと見えた。前夜のように立ち止まり、節くれだった右手を上げ十字を切ろうとしたが止めて、ベッドをじっと見たあとで、蚊帳を上げようと手を伸ばした。

すると、戸口のはるか上から、怖ろしいものが——忌まわしい影のようなものが、彼に飛びかかってきた。私はそれが来たほうを見てはいなかった。幾晩も繰り返される同じ幻影の中、新たに現れたその影を忘れてはいなかったが、その唐突な出現と邪悪な動作は想像してもいなかったのだ。

黒い闇の中で、影は紫を帯びているように見えた。それは今、家具やモーリス老人と同様に、はっきりした姿をとっていたので、紫がそのものの体色であると見てとれた。一見は人間のようだが、身長は十フィートを超え、全身を覆う金属じみた輝きは、一片が二インチ四方もありそうな玉虫色の鱗が発していた。そのため、飛び降りてきたときは、きらめきが部屋を走ったように見えた。目にしたのはほんの一、二秒のことだろう。ベッドに入ったモーリス老人の猫背に、狩人蜂が蠅を捉えるように、それはギラギラする細長い腕で摑みかかった。そのときモーリス老人の顔に浮かんだ、生前にも死後にも望みはないと気づいた表情を、私は生涯忘れることはないだろう。ハイデンクラング夫人の部屋にあった魚のジャンビーそっくりな顔を露《あらわ》にした影は、うなずくように首を動かし、その湾曲したオウムそっくりな嘴を、抵抗する老人の胸に鎌のように突き立てた。そして、獲物をくわえたカマスのように、その肉を引き裂いた……

怖ろしさのあまり私は昏倒し、記憶はそこまでしかない。

気づくと午前一時をまわっており、暗い部屋には幽霊も幻像もなく、新月の浮かぶ晴れ渡った夜空からの星明かりが、見慣れた家具をぼんやりと照らしだしているばかりだった。心地よい夜風がベッドの蚊帳を揺らした。私はふらつきながら起き上がると、窓辺で煙草に火をつけて深々と一服し、気を静めようとした。

翌朝、夜のあいだに覚えた恐怖感はかなり薄らいでいたので、私は自分が見たことを、できるかぎり細部まで思い出しながら描いた。仕上がった絵には、生々しい恐怖が再現されていた。破り捨ててしまおうかと思ったが、寝室の衣裳箪笥の大きな引き出しに、衣類の下敷きにしてしまっておくことにした。

三日後、クリスマスの翌日に、私はデスパード氏の自動車が通りを走っていくのを見た。乗っているのは運転手一人だった。私は車を止め、デスパード氏がどこにいるかを尋ねた。プリンス十字街にあるボーンスティール氏の家に朝食に——西インド諸島では昼食のことだ——

と、運転手は答えた。私は礼を言うと家に戻り、簞笥の引き出しからあの絵を取り出して折りたたむと、上着の内ポケットに入れてボーンスティール邸に向かった。

食事どきの十五分ほど前に屋敷に着くと、友人と客は私を歓迎した。ボーンスティール氏は食事を一緒にしないかと誘ったが、私は礼を尽くして辞退した。

ボーンスティール氏は年代物のラムをベースにしたカクテルを、格式張った所作で出してくれたが、私は手をつけずに二人に話しだした。

「付き合いの悪いやつだとお思いでしょうが、私が今住んでいる家の主人だった、お二方ともご存じのモーリスという老人について、お知らせしたいことがあるのです」

私はそこで言葉を切り、ボーンスティール氏が当惑しているのを見てとった。私がいきなり話しだしたのを不快に思っているのではないか、とデスパード氏に目をやったが、彼は動ずることなく落ち着きはらっていた。だが、返してきたその目は厳しく、私はわずかながら、先生の前の生徒のような気分を味わった。ボーンスティール氏はこれから私が話すことを懸念してか、当惑の目をデスパード氏に向けた。二人とも落ち着きの悪い様子で、椅子にかけたまま居住まいを正し、私の言葉を待っているようだった。

デスパード氏が咳払いをした。

「失礼ながら、スチュアートくん」ゆっくりとした口調で、彼は切り出した。「誰もが進んでは答えたくないことを尋ねたのは、しかるべき理由があってのことだろう。モーリス老人について返事をためらった理由は一つではないが、不都合があったからではなく、かの老人が普通ではなかったからだ。正気を失っていた、ということではない。かなりの変わり者ではあったがね。彼の死については、しばらくのあいだ議論になったし、問題視する向きもあった。この島の禁忌に触れるような状況だったからね。それが、私たちが答えたくなかった理由なのだ。ボーンスティールさんも同じことを気にかけていて、きみが尋ねたことを話してくれた。そのあとすぐ、私も同じ質問を受けた。モーリス老人の最期を話すこともできたのだが――」デスパード氏は口ごもり、眉をひそめて目を落とすと、つま先で床を叩いた。

「スチュアートくん、モーリス老人は」しばしの沈黙のあと、デスパード氏はまた口を切ったが、話す言葉を選んでいるのがわかった。「率直に言うと、殺害されたのだ！　犯人は何者かと議論は百出したが、そのうちに犯行が本当に人間によるものか否か、という怖ろしい意見も出たよ。それほど不可解なものだったことは想像してもらえるだろう。それが人間のしわざだとは、私にも到底思えなかった。尋ねられれば、人ならざるもの、いや、人とはかけ離れたものが彼を殺したのだと断言しよう。きみもよく知っているだろうが、この島々の住民たちでも無教養な層は、〝魔術〟のような超自然的なものごとを強固に信じている。私たちには信じがたいものであってもね。わかってもらえただろうか、スチュアートくん。知りたいことを増やしてしまっていなければいいのだが」

　私は内ポケットから絵を取り出すと、畳んだまま膝に置いた。デスパード氏にうなずいいて答えると、ボーンスティール氏に尋ねた。「モーリス老人の寝室の家具がどんな風に置かれていたか、ご記憶にありますか？」

「もちろん」ボーンスティール氏は答えた。「誰もが忘れることはないでしょう。あの部屋に踏み込んで老人の最期を見た者であれば——」そこで口ごもったのは、デスパード氏がとがめるような視線を向けたからかもしれない。ボーンスティール氏はとまどった様子で、助けを求めるように私に目を向けると、それにしても暑い日が続くな、とつぶやいた。

「ということは」私は言った。「家具の配置を覚えておられるということですね」そして、絵を広げてボーンスティール氏に渡した。

　まず主人に見せるのが作法というものだ。絵を見せたらボーンスティール氏がどう反応するかは予想していたが、正直なところ、実際の様子は少々違っていた。彼は絵を見るやいなや、目をむき口を大きく開いた。絵はその手から落ち、ひらひらとデスパード氏の足元に舞った。彼はそれを拾って私に返そうとしかけたが、絵に目をやるや一変した。弾かれたように棒立ちになり、目をかっと見開いて絵を凝視し、それから私を見た。二人の沈黙に対する答えとしては、この絵は充分にすぎたようだ。

「なんということだ！」デスパード氏は叫んだ。「スチュアートくん、いったいこれは？」

　ボーンスティール氏は息を深々と吸い込み、言葉を出すまでに六十秒ほどを要した。

「これはいったい！」彼は震えていた。「スチュアートさん、これはどういうことかね。これはいったい……」

「これはマルティニークの魚の〝ゾンビ〟です。エリオット・オドンネルやウィリアム・ホープ・ホジスンのような超自然の探究者なら〝精霊〟と呼ぶことでしょう」私は冷静に説明した。「モーリス老人の最期が悲惨なものであったことが、憶測にすぎないとはいえ、私にはわかりました。ご存じのように、クリスチャンステッドの町はフランス軍の砦の跡に作られました。そういう場所には精霊が寄りつきやすいのです」

「しかしだね、スチュアートくん」デスパード氏が尋ねる声は叫ぶかのようだった。「いったいこれを、どこで——」

「私が描いたのです」私は答えると、絵を取り戻し、畳んで元の内ポケットにしまった。

「だが、この場面をどうやって——」デスパード氏とボーンスティール氏は、声を揃えて尋ねた。

「この目で見たままを描いただけです」私は帽子を取り、二人の紳士に一礼すると、食事につきあわないことを詫びて、外に出た。

　ボーンスティール邸の外に出て、通りをモーリス老人のものだった我が家に向かおうとしたとき、互いに尋ねあう二人の声が聞こえた。

「だが、いったいどうやって——」と、ボーンスティール氏の声がした。

「まったく、なぜあの絵を——」と、デスパード氏の声がした。

夢魔は目醒めのうちに

闇の国

The Dark Land

マイクル・マーシャル・スミス

Michael Marshall Smith

嶋田洋一訳

イギリスの小説家マイクル・マーシャル・スミスは、英国幻想文学大賞とP・K・ディック賞を共に受賞した長編第一作『オンリー・フォワード』（一九九四）をはじめとするSFや、マイクル・マーシャル名義のミステリ『死影』などの邦訳で知られる。現実を侵食する悪夢そのままの恐怖と、それに抗う主人公を描いた本作は、一九九二年に英国幻想文学大賞を受賞した代表作の一つで、短編集『みんな行ってしまう』（邦訳二〇〇五）に収録された。本書では、作者が昨二〇二〇年に加筆・改稿した新版を、同書の訳者、嶋田洋一氏の翻訳でお届けする。

始まりはベッドだった。

大学で三年を過ごして実家に帰ったおれは、ずっとそこで育った寝室に戻ってきた。独立して家を出るにはまだしばらくかかるから、一か月がかりで部屋を模様替えした。一九七〇年代のオレンジ色をもう少し落ち着いた色で隠して、茶色が大好きな誰かがドラッグをやってデザインしたみたいなのじゃないカーテンを、母に頼んで買ってきてもらった。家具もほとんど全部動かして、十歳のときからなじんでいる空間に新しい生命を吹き込もうとした。でも、うまくいかなかった。やっぱりフランス語の動詞を暗記したり、殻割りゲームの準備をしたり、女の子とキスするのってどんな感じだろうと思い悩んだりしている気分になる。それがもっと建設的な作業——たとえば机の上の求職票の束に必要事項を記入するとか——をしないための口実だってことはわかっていたけど、とにかくその日の午後はベッドを壁のそばって伝統的な場所から動かして、いくつか別の位置を試してみることにした。きつい作業だった。脚が一本ぐらぐらしてるせいで、引きずらずに持ち上げなくちゃならない——だから今まで動かさないようにしてたんだってことをやっと思い出した。三十分もすると暑くて苛々して、腰が伸びなくなってきた。元の位置のほうがよかった、そもそもベッドの置き場所はあそこしかなかったんだってこともはっきりした。

　苦労してベッドを元どおり壁のそばに押し戻そうとしていたとき、ちょっと妙な感覚があった。頭がくらっとして、吐き気がする。息切れだな、とおれは思った。やっとベッドを元の場所に戻すと、少し横になった。気分が悪くて——どうもそのまま寝入ってしまったらしい。

　三十分ほどして目が覚めた。ぼんやりと夢を覚えていて、その夢の中でおれはやっぱりこのベッドに横になり、両親が一階の廊下の羽目板部分を広げるつもりだと話していた。一瞬頭が混乱して、現実でも夢の中と同じ場所にいることに戸惑いを覚えたが、そのままふたたび眠りに引き戻された。

　しばらくするとまた目が覚めた。眠りから抜け出すにはひどく苦労したが、やがてどうにかのろのろと身体を起こすことができた。そのままベッドを出てふらふらと流しに行き、コップに水を汲む。それを飲むと口の中が少しだけ潤ったが、もっと飲む気にはなれなかった。お茶がいいんじゃないかと思い、おれは寝室を出て階段に向かった。

　階段の上まで来たところで羽目板の夢を思い出し、どこからそんな妙な考えが出てきたんだろうと不思議に思った。大学では必死になって心理学の論文を書いていたから、フロイトが羽目板の夢なんてものにわざわざ言及するほどの価値を認めてなかったことは、自信を持って言いきれる。おれはよろよろと階段を下りた。妙な感じはまだ続いていて、思いは乱れ、考えはばらばらだった。

　踊り場まで来たときおれは思わず足を止め、驚いてあたりを見まわした。壁が羽目板になっていた。

　両親の家は入ると吹き抜けの玄関があり、途中に踊り場のある階段が二階へと伸びている。羽目板はもともと、玄関ホールの壁を二メートル半ほどの高さまで覆っているだけだった。それが今は天井まで、全面が板張りになっていた。しかも使われているのは、元からあった羽目板とまったく同じ材質の板だ。継ぎ足した跡はどこにも見当たらない。どうすればこんなことができるんだ？　そもそも、いったいいつやったんだ？　今朝はこんなふうになってなかったし、両親は仕事に出ていて、帰ってくるのは何時間も先だし、それに……とにかくこんなことはありえない。手を伸ばして表面に触れてみたが、驚いたことに、木目にも継ぎ足した場所は見当たらなかった。古び具合もまったく同じで、どこも一様に五十年を経てきたみたいに見える。

　と。

　ちょっと待て、とおれは思った。そうじゃない。玄関には羽目板なんか使われていなかった。どこからどこまで、ただの白い壁だったはずだ。階段そのものは木でできていたが、壁は単なる白い漆喰だった。何だってそんな勘違いを？　どうして玄関に羽目板が使ってあったはずだなんて思い込み、まるで疑おうともしなかったんだ？　そう言えば自分の部屋を模様替えしたせいで、自分がそういったことに敏感になっていたのを思い出した。玄関の白い壁が少し汚れていて、とくに明かりのスイッチのあたりに手垢がついているのが気になった。

　じゃあ、この羽目板は何なんだ？　いったいどこから出てきた？　少なくとも一部は羽目板だったと、どうして思い込んでいたんだ？

　何かがおかしい。

　おれはキッチンに入り、戸惑って玄関に視線を向けた。外で何かかたんと音がしたのにぼんやりと気づく。おれは何も考えず裏口に向かった——羽目板のことが気になって、こんな時間に牛乳配達が来るわけがないことに思い至らなかった。

　この家の玄関と裏口はどっちも私道に面している。裏口は狭い廊下の先で、キッチンとガレージをつなぐその廊下には、汚れた靴や錆びた道具類が積み上げてあった。ガーデニング用品のあいだを縫って進み、建て付けの悪いドアを開ける。もう夕方のはずだというのに外はずいぶん明るくて、嵐の前のように異様にぎらぎらした感じだった。

　目を落として牛乳箱を覗くと、中には四本の牛乳瓶が入っていた。だがいつもの瓶ではなく、アメリカで使う一リットル入りの大きな瓶が、五百ミリリットル瓶用の箱に無理やり押し込んであった。瓶の銀色の蓋は取り去られていた。

　目の隅に動くものを感じて、おれは私道の先に目をやった。三十メートルほど先に二人の子供の姿が見えた。一人は太っていて自転車にまたがり、もう一人は痩せていて、その横に立っている。

　急に苛立ちが募ってきて、おれは足早にその二人に近づいた――さっきのかたんという音は、あの二人が牛乳瓶の蓋を盗んだ音だったに違いない。

　だが、五メートルと進まないうちに学校時代の知り合いがおれの背後にあらわれ、まっすぐ前を向いたまま、せかせかとおれを追い越していった。名前は思い出せない。せいぜい顔を知っている程度の知り合いだ。おれよりも二、三歳年長で、そんなやつがいたことさえすっかり忘れていたくらいだった。そのうしろ姿を見つめていると、上級生の中では気立てのいいやつだった記憶が蘇ってきた。当時おれは上級生の一人とそれなりの話ができるのを自慢にしていた。ちょっと大人になったような、世間に通じた男になったみたいな気分になれたからだ。おれがあだ名を呼ぶと、彼は曖昧な笑みを浮かべ、クールに軽く眉を上げて応えてくれたものだった。

　そんな記憶が一瞬にして蘇ってきたが、やはり何かがおかしい。相手はおれの存在にも気がついていないみたいだった。おれは困惑した。彼がうちの私道にいるという奇妙としか言いようのない事実についてではなく――あるいは学校時代の体操服を着ているからでもなく――おれに気がついて、いつもみたいに笑顔でうなずき返してくれないのが変だと思ったんだ。そのことがあまりにも不思議で、夢を見てるんじゃないかと思ったが、本当に夢を見ているなら、自分に尋ねてみればかならず答えはわかる。夢じゃなかった。

　ふと、裏の廊下の窓ガラスに映った影に注意を引かれた。背後に誰か立っている。眼鏡をかけて、丸顔で、金髪を坊ちゃん刈りにして、自転車を担いだやつが。おれはさっと振り向いてそいつを見ようとしたが、そこには誰もいなかった。

　私道の先にいた子供たちのことを思い出し、おれは振り向いてそいつらにわめき散らした。戸惑いを何かにぶつけないと気がすまなかったのだ。とたんにダークスーツを着た背の高い痩せた男が私道をこっちに近づいてきた。ちょっと遅刻したとでも言いたそうな、きびきびした足取りだ。たそがれどきの光のいたずらだろうが、その顔をはっきり見定めることはできなかった。つるつるした氷か何かでできているみたいに、視線がその上を滑ってしまうような感じだった。

「わめくのはやめろ」男はそう言うと、おれの脇を通り過ぎて裏口のドアに向かった。おれはぽかんと口を開けてそいつを見送った。「あの子たちは悪いことなんかしてない。だから構うな」

子供たちは立ち去ろうとしていた。一人は自転車で、もう一人はその横を徒歩で。おれはスーツの男に向きなおった。どういうわけかそいつをなだめなくちゃならないと思ったんだが、また同時に、うちの土地に無断侵入していることに腹を立ててもいた。

「悪かった。何て言うか、ちょっと混乱してて。私道で知り合いを見かけたと思ったんだ。見なかったか？　縮れた褐色の髪で、体操服を着た男の子なんだけど」

おれはなぜか男が見たと答えるはずだと思っていて、それを聞けば気分がよくなりそうだった。だが男は短く「いいや」と答えただけで、裏口から家の中に入っていった。

そのとき別の声が聞こえた。「さあさあ、いっしょに昔の家に入ろうじゃないか」

誰かが裏の廊下に立っているのがわかった。眼鏡をかけた金髪の男だ。本当に自転車を担いでいる。声をかけた相手はおれじゃなくて、スーツの男だった。

「何を言ってるんだ」おれは急いで二人のあとを追い、スーツの男の顔を盗み見た。「あんただったのか……」また驚いて足を止める。それはあの体操服の少年だった。

二人はまっすぐキッチンに向かい、おれは何もできないまま、憤然とそのあとを追った。昔住んでいた人たちだろうか？　たとえそうだとしても、家を訪ねるときは現在の持ち主に許可を求めるのが当然じゃないのか？

スーツの男はキッチンの中を見まわした。キッチンは散らかっていた。男はコンロのフライパンの中で冷めていた焼き飯を指でつついた。おれが作って放っておいたものらしいが、いつ作ったのか記憶にない。ただ、その日の午後に作ったんじゃないことだけは確かだった。おれはまだ男をなだめようと思っていて、その焼き飯を食べてくれるのを期待していた。

だが、男は不快そうに顔をしかめただけで、窓の前に同僚と並んで立ち、両手を腰に当てて私道を眺めた。「何てことだ」男がつぶやくと、同僚も同意するように低くうめいた。

見るとどうやらおれは裏口の外から牛乳を取り込んで、そのとき少し床にこぼしてしまったようだった。それを拭こうとして手に取ったキッチン・ペーパーはひどく汚くて、年月を経たみたいに黄ばんでいた。おれは時間を稼ごうとした。この状況に対する説明がきっとどこかにあって、単にその論理を見落としているだけだと確信していた。たとえあの男が以前この家に住んでいたのだとしても、友達を連れてずかずか踏み込んでくる権利なんてあるわけがない。なのにおれはその男に気づかれないうちに——なぜだ？　——手早く牛乳を拭き取ろうとしている。そこには礼儀に反するって以上の、もっと重要な間違いがあると思えた。

　スーツの男は三十五歳くらいで、本当に学校でいっしょだったと考えるにはずいぶん年上だ。とはいえ、昔この家に住んでいたのだとすると、それでも若すぎることになる。うちの家族とその前の住人一家を合わせると、おれはこの四十年間でここに住んだことのある人間を、みんな知っていることになる。スーツの男がこの家に住んでいたはずはない。筋が通らなかった。

　そもそも本当にあの男、学校時代のあの上級生なのか？　年齢が上すぎることを別にすれば確かによく似ているが、本当に本人なんだろうか？

　できる限り牛乳を拭き取って立ち上がると、ちょっと身体がよろめいた。飲みすぎたときみたいに、感覚が研ぎ澄まされると同時にばらばらになっていた。あらゆるものが異様な強さで脈打ち、感情は誇張され、それでいて感じることにはどことなくギャップがある。まるで本来感じるべきものの編集版を受け取っているような気分だ。現実がある状態から別の状態へと何度も転換して——そのとき一瞬だけ画面が途切れ、ジャンプ・カットが繰り返されているみたいに、ぶつぶつと切れ目が入る。熱っぽくて眩暈《めまい》がした。キッチンはだんだん狭くなるようで、散らかり方もひどくなり、おれの部屋と同じだったオレンジ色の壁が、あるいは低い天井が、揺らぎながら迫ってくるみたいだった。あいつらにはキッチンがこんなふうに見えているんだろうかと思い、すぐにいったいおれは何を考えているんだと思った。

　そのあいだも二人は窓の前に立って、ときどき振り向いては嫌な目つきでおれを眺め、不快感と嫌悪感を発散していた。何かを待ってるみたいだ。でも、何を？

　まだ丸めたキッチン・ペーパーを手に持っていることに気づいたおれはキッチンの床に散乱するがらくたをまたいで——このキッチンはいったいどうなっちまったんだ？　——ごみが山盛りになったごみ箱にそれを捨てた。こめかみを揉み、空気の重さに耐えながらまっすぐに立って、おれは二人に向き直った。

「な——なあ」口ごもってしまい、冷蔵庫に寄りかかって身体を支えた。「いったいどうなってるんだ？」

　口を閉じておくんだった、と即座に後悔した。スーツの男がゆっくりと首をめぐらした。首はどこまでも回りつづけ、まっすぐにおれのほうを向いた——身体は正反対を向いているのに。まるでフクロウだが、瞬きはしてない。胃が這ってどこかに逃げ出そうとし、おれは嘔吐を抑え込んだ。わざとだったに違いない。そうすればおれが吐きたくなるだろうと思って。その思惑はいい線をいっていた。

「いいから黙ってろ」そういうと男はゆっくりと首を戻し、また外の道路を見つめつづけた。

おれはもう何も尋ねないことにした。

そのあいだもキッチンの散らかり具合はひどくなる一方だった。目を向けるたびに、汚れた鍋やごみや食べ物のかすが床の上に増えている。おれの頭は重くぼんやりして、何もかもが流れ出ていくみたいだった。身体を支えようと冷蔵庫にしがみつき、引きずり倒しそうになる。おれは泣きだしていて、冷蔵庫の扉に厚くこびりついた汚れに涙が溝を作った。両親がほんの二、三週間前に買ったばかりの新品だという記憶がぼんやりと蘇ってきたが、きっとまた古いのと取り替えたんだろう。その冷蔵庫は一九五〇年代くらいのものに見えた。ひどく古めかしいようにも、元からあったもののようにも思える。正直なところ、どっちだかよくわからなかった。冷蔵庫は前後にゆらゆらと揺れ、しかもおれの目には白く靄《もや》がかかっていた。男たちは二人ともおれのほうを見て、おれがいつ倒れるか、少しだけ興味がありそうだった。

と、いきなり頭の中にものすごい衝撃が走った。耳に金槌で鉛筆を打ち込まれたみたいで、おれは必死に耳を押さえた。もう一度その衝撃が襲ってきたとき、やっとそれが打撃ではなく音だということがわかった。呼び鈴が鳴っていたのだ。

玄関に誰か来ている。

二人の男は顔を見合わせ、金髪のほうがうんざりしたようにうなずくと、スーツの男がおれに向き直った。

「あれが何だかわかるか？」

「玄関だな」おれはまだ男をなだめようとしていて、急いでそう答えた。

「出たほうがいいんじゃないかね？」

「ああ」

「出たまえ」

「出るのか？」おれはばかみたいにそう聞き返した。言葉の意味がよくわからなくなっているようだった。

「そうだ」男は怒鳴り、マグカップ——思い出した、お茶を淹れようと思っておれが持ってきたマグカップだ——を手に取ると、おれめがけて投げつけた。カップはおれの顔の横で冷蔵庫のドアに当たって砕けた。おれは倒れないように必死になり、頭は痛み耳は鳴り、足の下でカップの破片が砕ける小さな音が聞こえた。

またしても呼び鈴が鳴り、その音の激しさのおかげで、ほかの音がどれほどくぐもっているのかが理解できた。キッチンのドアのほうに向かって身体を倒し、冷蔵庫のドアの前をずるずると横切る。汚い床に散乱している箱やカートンに何度も足を取られた。壁のオレンジ色が耳と口から染み込んでくるようで、繰り返し数秒ほど意識が途切れる――まるでストロボの点滅みたいに、目の前がまっ暗になっては、また元に戻るのだ。

よろめきながらキッチンのドアにたどり着き、ノブを握って身体を立て直したとき、金髪の男の声が聞こえた。

「通り抜けるのは無理そうだな。まあ、できたとしたら、しばらく待てばいい」

何を言ってるのか理解できなかった。まるっきり。

廊下に散乱するごみの山を不器用によけながら、どうにか玄関のドアまでたどり着いた。呼び鈴の音は激しく空気を振動させ、それが波になって近づいてくるのが目に見えた。その波を避けようとしてマットで足を滑らせ、危うく居間に倒れ込みそうになった。四つん這いになってその場にうずくまると、あたりが暗く、本当にまっ暗になり、植物の話し声が聞こえた。言葉まではわからないが、夜の物音と百メートル先から届くような静かな葉ずれの音の下で、確かにしゃべっているのがわかる。どうやら居間で繁茂しているようだ。

おれは立ち上がり、玄関のドアのほうを向いた。ふたたび呼び鈴が鳴り、今度はその音に顔を直撃されて、刺すような衝撃を受けた。居間のドアから玄関のドアまではの距離は四歩ほどだったはずだが、一歩で行けそうに見えたかと思うと、二十歩はかかりそうになる。羽目板の前を通り、マットの大きな畝《うね》を乗り越えなくてはならない。楽な旅ではなかった。

ようやくノブをつかみ、ドアを開けると、おれは家の外に出た。

「あら、マイケルだったの」声が言った。「誰かいるとは思ったんだけど。明かりがみんなついてたから」

「ええ？」おれは傾きかけた陽の光に目をしばたたいた。

目の前の女は笑みを浮かべた。「お邪魔じゃなかったわよね？」

「ええ、だいじょうぶです」急にそれが誰なのかわかった。いつもキャットフードを届けてもらっている、スタインバーグ夫人だ。「だいじょうぶ。失礼」おれはこっそり背後に目をやった。玄関はしっかりしていて羽目板はなく、四歩進めばその先に居間がある――居間は明るく風が通って、元どおりの広さだった。

「いつものを持ってきたわ」夫人はそう言って顔をしかめた。「ねえ、本当にだいじょうぶなの？」

「ええ、何でもないんです」おれは大きな笑みを彼女に向けた。心は脱出用エレベーターに乗ったみたいに、現実に向かって急上昇していた。「ちょっとキッチンで居眠りしちゃって、まだちょっと、ほら、あれなんです」

スタインバーグ夫人は笑顔になった。「わかった。手を貸してくれる?」

おれは私道のはずれまでいっしょに歩いて、バンからキャットフードの箱を下ろしながら家を見やった。とくに変わったところはない。夫人に礼を言い、箱を抱えて家に戻る。夫人は車で走り去った。おれは家に入り、玄関のドアを閉めた。

とても気分がいい。

キッチンに行ってみると、思ったとおり、あの男たちは消えていた。ゆっくりとキッチンの中を見まわしてみても、おれが物心つく前からそうなっていたとおりだった。何の異常もない。あたりまえだ。

たぶんお茶を淹れながら眠ってしまい、寝ぼけたまま玄関まで歩いていってドアを開けたんだろう。これは夢だろうかと自分に問いかけ、夢ではないと結論したのは覚えていたが——つまりあれは大間違いだったってことだ。妙に生々しい夢だったし、玄関から外に出たとたんにはっきり目が覚めたのも不思議には違いないが、とにかくあれは夢だった。今こうしてキッチンに立っていて、おかしなことは何もない。きれいに片づいていて、きちんと整頓され、ごみはすべてごみ箱の中に、鍋類はあるべき場所に、牛乳は冷蔵庫の中に、割れたマグカップは床の上に。

これにはちょっと困った。おれのマグカップが、冷蔵庫のすぐ前に割れて落ちている。どうしてこんなことになったんだ?

たぶんカップを持ったまま眠ってしまったんだろう。かなり考えにくいが、ありえないことじゃない。あるいは目を覚ましたとき叩き落としてしまい、その音を夢の中で聞いたと思ったか。このほうがわずかながらありそうな話だが、その場合、おれはいったいどこで寝てたんだ? カウンターに寄りかかって——あるいはその上に横になって、やかんを枕にでもしてたのか?

そのとき冷蔵庫のドアに目がいった。小さなへこみがあって、塗料も少しはげ落ちてる。ほぼ頭の高さだ。これもちょっとうまくなかった。

割れたマグカップを片づけ、やかんを火にかける。お湯が沸くまでのあいだ、玄関と居間をぶらついてみた。何もかもがきちんとしていて、片づいていて、異状はない。最高。キッチンに戻ってみる。やはり何事もない。

すばらしい。

冷蔵庫の扉の頭くらいの高さに、小さなへこみがあるのはともかくとして。

割れていない別のマグにお茶を注ぎ、それを飲みながらキッチンの窓越しに外の私道を覗いた。苛々して落ち着かない気分で、しかもその感情を持て余している。夢だとしても、ずいぶん奇妙な夢だ。なかなか溶け去ってしまおうとしないところがとくに変わっている。自分で感じる以上に疲れているのだろうか。病気かもしれない。食中毒のせいで頭がひどくおかしな具合になることもあるのを、トーストより複雑な料理を作ろうとした学友二人を見て、おれは知っていた。だが体調は悪くない。少なくとも肉体的には。

キャットフードの箱を食品貯蔵庫に運び込み、缶詰を取り出して隅のほうに積み上げ、もう一度やかんを火にかける。と、いきなり心臓が止まりそうになった。

どうしてそうなったのか自分でもわからないうちに、その原因が繰り返された。裏口の外の、かたんという小さな音だ。

おれは急いで窓の前に行き、外を見た。私道に人影はない。首を伸ばして裏口の外の様子を窺おうとしたが、見えるのは片側に積み上げた大量の薪の束だけだ。

そのときまた音が聞こえた。ゆっくりと裏の廊下を歩いて耳を澄まし、ゆっくりと拳を固める。耳の奥を血が流れる音以外は何も聞こえなかった。ノブをつかみ、一気にドアを開ける。

外は静まり返っていた。夕方の長方形の光、私道の一部、静かに揺れる暗い植え込み。おれは私道に足を踏み出し、立ち止まってもう一度耳を澄ました。

一拍置いて、ごくかすかな物音が聞こえてきた。小石と小石がそっとこすれ合っているような音だ。また聞こえた。おれは私道に目を凝らし、小石の一つ一つまで見分けようとした。やがておれの正面、十メートルほど向こうで、道の一部がかすかに動いたのに気づいた。のたうったと言ってもいい。

その動きが止まり、また音が聞こえてきた——私道の別の一部、一メートルほど近いあたりが同じような動きを見せる。目に見えない足に踏まれているかのように。

あまりにも注意を集中していたので、口笛の音にすぐには気がつかなかった。はっとして顔を上げると、あの金髪の男がいた。私道の先に立って自転車を担ぎ、その車輪が夕闇の中でゆっくりと回転している。口笛の高音部の旋律が、風の奏でる低音部と完璧なハーモニーをなしていた。おれはそいつを見つめ、じりじりと家のほうに後退した。石のこすれる音がだんだん大きくなる。と、スーツの男がおれの目の前、鼻と鼻がぶつかりそうなくらいのところに立っていた。

「また会ったな」男が言った。

金髪の男も近づきはじめる。「やあやあ、どうも」そう言って笑う。「さあ、中に入ろう」

とたんにおれは、とにかくこいつらがもう一度家に入るのだけは阻止しなくちゃならないと思った。

おれは一跳びでドアを抜けて廊下に飛び込んだ。スーツの男は不意を衝かれ、あわてて前に踏み出したが、おれはすばやくその鼻先でドアを閉め、鍵をかけた。いい気分だったが、男はドアを激しく、とんでもなく激しく叩きだし、見るとキッチンはまたしても散らかりはじめ、冷蔵庫は古くなり、窓も汚れがこびりついて、向こうが見えないくらいになっていた。心がかすかに揺らぎ、一刹那を見落としたようだと思って、これは本当に夢じゃないんだってことを理解した。おれは悪い場所に戻っていた。キッチンに退却するとき足を取られて転倒し、箱やベーコンの皮や泥や、どうも反吐らしいものの中に大の字になって倒れ込む。ドアを叩く音が大きく、大きく、さらに大きくなった。ドアを壊そうとしているのがわかる。ぶち破る気だ。呼び戻してしまった。やつらは裏口から入ってこなくちゃならない。おれは入ってくるドアを間違えた……

そのとき自分のすべきことがわかって、おれは急いで立ち上がり、がらくたを蹴飛ばしながら駆けだした。冷蔵庫のドアが開いて行く手をさえぎる。内部は暗くて汚く、何かが腐っているようだ。おれはそれを叩きつけるように閉め、唇を強く噛んで頭をはっきりさせた。

玄関にたどり着かなくちゃならない。

玄関を開け、外に出て、また中に戻るのだ。玄関の扉が正しいドアなんだ。早くしないと、裏口を破ってやつらが入ってきてしまう。もうすでに叩く音に混じって木の割れる音が聞こえていた。裏口のドアの厚さは五センチもあるのに。

玄関は予想以上にひどい状態で、おれは思わず足を止めた。ドアさえ見えないくらいだ。方角を間違えたに違いないと思ったが、そうじゃなかった。ドアがあるはずの左のほうに、それらしいものが見えたのだ。ただし角度はでたらめで、そっちを見るにはまずうしろを向いて、それから右を見なくちゃならなかった。だが見えてしまえば、ドアが進行方向左手にあるのはわかる。しかもひどく近くに見える——数十センチ先なんてことがありえるのか？　——のに、触ろうと手を伸ばしても何もない。

指はドアを突き抜けていてもいいはずなのに、やはりドアの手前に見える。

おれは必死にあたりを見まわした。方向感覚がおかしくなって、どっちへ行けばいいのかわからない。と、裏から聞こえるドアを叩く音が急に大きくなった。金髪の男もいっしょに叩きはじめたらしい。おかげで部分的にだが、方向感覚が戻ってきた。玄関のドアを再発見したおれは、それがある場所に意識を集中し、その方向に歩きだした。

とたんに転倒してしまう。床が思ったよりもずっと低い位置にあったのだ。見た目は水平だが、どうも傾いているらしい。片足はすんなり床に届いたのに、同じ高さのもう一方の足は空中でぶらぶらしている。膝立ちになると、壁面と天井のあいだに斜めの壁が見えた。壁面からは引っ込んでいるのに、天井からは突き出している。ドアはやはり左のほうにあるが、それを見るには正面を向いて顔を上げなくてはならなかった。

そのとき裏口を叩くのとは別の音が聞こえ、おれはその音のほうに顔を向けた。見ると居間のドアが開いていて、その向こうは真の闇だった。その闇が煙のように玄関に流れ込み、空中のねじれた空間の角に溜まって、まるで黒いプリズムのようだ。また音が聞こえた。ごろごろという低いうなり声が居間の奥、はるか遠くから、夜の物音と風に揺れる植物の音にかき消されそうなくらいかすかに響いてくる。近づいてきてはいないが、それは居間が家そのものよりもずっと大きい、何百キロも続く鬱蒼としたジャングルになっていることを示していた。耳を澄ますと、はるか右のほうから渦巻き流れる川の音まで聞こえてくる。水音に混じって、闇の中を吹く暖かな風の音も聞こえた。それはとても平和な音で、一瞬おれはうっとりと聞き入った。

だが、またしても木の割れる音がしてわれに返り、おれは居間に背を向け、玄関のドアがあるはずのほうへと前進を再開した。飾りテーブルが目の前にそびえ、立ったまま下をくぐれそうだと思ったが――結局はそれにつまずいてまた転倒し、頭から冷たい床板に突っ込んだ。マットが動いてしまっていて、いや、今も動きつづけていて、液体のようにゆっくりと階段を上がっていく。ごろりと仰向けになって天井を見上げると、床がぎくしゃくと迫り上がり、壁が低くなっていくのがわかった。

寝転んだまま息をあえがせていたとき、一陣の冷たい風が頬を撫でた。最初は居間からの風かと思ったが、あそこは暖かかったはずだ。そのとき白分が床に寝転がっていることを思い出した。だとすると、玄関のドアの下から吹き込む隙間風に違いない。ドアはすぐ近くにあるんだ。あたりを見まわしたが、見えるのは羽目板と床と背後にあるものだけだった。目を閉じて手探りする。だが、頭の中はもっと混乱していて、やっぱりまた目を開いた。と、そのときちらりとドアが見えた。かなり遠くて角の向こうに隠れているが、どこを見ればいいのかがわかればちゃんと見える。

　反射的に、正反対とも言えない方向に手を伸ばした。温かいざらざらした木の表面に触れる。

　ドアだ。やっと見つけた。

　床に沿って身体をドアのほうに引き寄せ、立ち上がろうとする。だが十センチも起き上がらないうちに、またうしろ向きに倒れてしまった。もう一度やってみたが、結果は同じ。何か完全に自然の法則に反することをやっている気分だ。もう一度挑戦し、かなり筋肉に無理のかかる姿勢ながら、なかばしゃがんだ格好になることができた。その姿勢もたちまち崩れはじめる——が、おれは同時に身体を前に投げ出した。気がつくと身体を丸め、両足が床から六十センチほど離れた恰好で、ドアの上に横になっていた。その状態を維持しようとは考えもしないことにして、脇のほうを手探りし、ドアノブを見つけた。回そうとしたが、手が汗で滑って、滑らかな金属のノブを撫でまわすばかりだ。掌をシャツで拭いてもう一度やってみると、今度はある程度しっかりつかむことができた。ノブが回って、かちっと音がする。大喜びでドアを引いたとたん、すさまじい音とともにとうとう裏口が粉砕された。

　玄関のドアは動かない。パニックを起こしながら、おれはもう一度ドアノブを引っ張った。だめだ。隙間を覗いてみたが、鍵もボルトもかかってはいない。どうしてびくともしないんだ？

　裏の廊下に足音が聞こえた。

　そのとき、自分がドアの上に横たわっていることを思い出した。自分の体重でドアを押さえながら引っ張っていたわけだ。

　足音がキッチンに入ってくる。

　おれはドアの上から脇の壁に転がり、あらためてノブに手を伸ばした。だが、遠くまで滑りすぎてしまった。背後に近づく足音を聞きながら、つるつるした壁の上を少し引き返す。ドアノブをつかんで回し、全力で引っ張った。ドアが開くのと同時に、二人が玄関ホールに入ってきた。おれは外に転がり出て、何か固くてごつごつしたものの上に激しく不器用に落下した。一瞬、自分が誰でどこにいるのかもわからなくなり、ただ転がって何とか息をしようともがいた。

しばらくして、ゆっくりと上体を起こす。おれは玄関の外、ドアマットの上に座り込み、背中をドアに預けていた。私道の端から若いカップルが好奇の目を向けている。おれは立ち上がって笑顔を作り、よくドアマットに座ってるんだ、とても楽しいからぜひやってみるといいよって顔をカップルに向けた――ドアの上、三分の二くらいのところから落ちてきたのを見られていないことを祈りながら。カップルは笑みを返し、安心したようにそのまま歩き去った。自分たちもやってみようと帰りを急いだのかもしれない。

おれはおそるおそるドアに向きなおり、中を覗いた。

うまくいった。ふたたび何もかも異状なし。

マットは床の上だし、直角はちゃんと九十度に見えるし、天井もあるべき位置に戻っている。一歩後退して、私道から裏口を眺めた。ドアは完全に粉砕され、すぐ外に積み上げられた薪と大して変わらないくらいだ。

おれは玄関から、正しい戸口から家の中に戻り、ドアを閉めた。用心して、静かに居間に入り、キッチンを覗く。何もかも異状なし、だいじょうぶそうだ。何事もない、普通のすてきな家。

正しいドアから入りさえすれば。

間違ったドアは無数の破片に砕け散った。それをどうするか考えながらもう一杯お茶を飲み、数か月ぶりのような気がする煙草を吸う。二階から下りてきてまだ三十分も経っていないのが、はっきり言って信じられなかった。裏口の、間違ったドア。そこから中に入ると、あの悪い世界に連れていかれてしまう。玄関から中に入ると、いつもどおりのまともな世界になる。つまり当面は安全だと考えていいだろう。また外に出て、裏口から家に入らない限り。あいつらはやってこられない。たぶん。

しかし粉砕されたドアを放っておくのは気に入らなかった。安全だってだけでは足りない。あの入口を完全にふさいでしまわないと、心から安心はできない気がした。

おれは裏の廊下へ行き、ドアが壊された裏口から不安な思いで私道を覗き見た。このままでもとくに問題はない。締め出しておかなくちゃならないようなものは見当たらなかった。でもやっぱり気に入らない。おれがこの戸口をくぐりさえしなければいいのか？　落ち葉が舞い込んだら？　もしかして、そよ風が吹き込んだだけでも？　本当にこのままでだいじょうぶか？

そんな危険を冒せるか？

心を決めかねて立っていると、裏の廊下の外に積み上げてある薪があらためて目に入った。その薪の大部分が古い床板――近所の人からもらったもの――でなかったら、まだ二足す二の答えは出ていなかったかもしれない。廊下の内側にある道具棚を覗くと、金槌と丈夫な長い釘も見つかった。もう一度外の木材に目を移す。

　こんなところ、釘づけにしてふさいでしまえ。

　おれは煙草の吸い殻を私道にはじき飛ばし、袖をまくった。金槌は大きくて重かったが、ドア枠に板を打ちつけるには固い煉瓦に釘を打たなくてはならないから、むしろ好都合だ。下から上までびっしり板を打ちつける必要があるものの、板ならたくさんあるし、それだけやれば突破はほぼ不可能になる。

　だいぶ気分がよくなって、おれは作業に取りかかった。鼻歌さえ出ていたかもしれない。戸口のすぐ内側に膝をつき、手を伸ばして床板を引き寄せる。できるだけ厚くて、傷んでいないのを選ぶよう心がけた。必要なのは十五枚くらいだろうと思ったが、何しろ裏の廊下を要塞に変えるのははじめてだから、これはまったくの当てずっぽうだ。板を引き込むだけでもかなりの重労働だった。手をいっぱいに伸ばさなくてはならず、たちまち暑くなって疲れてきたし、早く釘づけを始めたくてしかたなかった。外は夕闇が迫って暗くなりはじめ、空気は冷たく、あたりは静まり返っていた。

　裏の廊下に引っ張り込んだ板の山が大きくなるにつれ、作業はだんだんと難しくなった。遠くまで身を乗り出さないと、次の板に手が届かないのだ。少し不安になってきた。おれは家の中にいて、両足は廊下から出ていない。〝外から中に入って〟きてはいないわけだ。ただ身を乗り出して、そのあと、つまり、中に戻ってきているとも言えるが、実際にはそうじゃない。両足は廊下から離れていないのだ。それでもおれは不安になって、作業の手をどんどん速めていった。玉の汗が顔からしたたる。左手でドア枠をつかんで、最後の数枚の板を引き込もうと手を伸ばした。十一枚。十二枚。あと二、三枚は欲しいところだ。とうとう手の届く範囲にある最後の一枚になった。これで何とか足りるだろう。左足をドア枠に引っかけ、左手にぐっと力を入れて、精いっぱい板に手を伸ばす。指先から板の端まで、あとほんの三センチほどだ。もう少しだけ……左足を少しずらし、指先が一センチほど板に近づく。ぎりぎりまで背中を伸ばすと、指先が板にかかった。最後の一押しだ。

　そのときふと頭に浮かんだことがあった。おれは今こうして、目に見えない拷問台にでもかけられているみたいに無理に背を伸ばしているが、どうして玄関から外に出て、板を何枚か抱えて、また玄関から戻ってくるってふうにしなかったんだ？　そうすれば簡単だし、速いし、間違ったドアから足を踏み出さないように、曲芸じみた真似をする必要もなかったはずだ。まあ今となってはどうでもいい。この最後の一枚が手に入らなくても、じゅうぶんな枚数は確保できた。こんなに暑くて疲れてはいなかっただろうが。とはいえ、急ぐあまり無用な危険を冒したんじゃないかって不安はあった。少しペースを落として、落ち着いて、休息したほうがいい。

　どうってこともない思いがちらりと頭をかすめただけだ。だが、それが一秒の何分の一か、おれの注意をそらした。ようやく指先が最後の板に届いたとき、ドア枠にかけた手が滑りはじめているのに気づいて、おれはぞっとした。懸命に身体を引き戻そうとしたが、掌の汗のせいでドア枠自体も滑りやすくなっている。手の筋が伸びきって、おれは何とか重心をうしろに戻そうと、意志の力で体重を引き戻そうとした。と、額が地面に激突し、おれはその場にうつぶせに倒れていた。

　もちろんすぐに飛び起きた。誓ってもいい、両足がそろって廊下の床を離れたことはなかった。おれはすぐに廊下に取って返した。例の板をつかんで引きずり込んだことにも気がつかないくらいだった。

　ドア枠の前にうずくまり、荒い息をつく。外に何も変わった様子はなさそうだった。私道は静かで、小石も動いていないし、別の世界を連想させるあの音も聞こえない。おれは腹を立てていた。危険を冒した自分に、玄関から回って板を取ってくるって手を思いつかなかったことに——とりわけ、あそこで転んでしまったことに。ほかのはともかく、あれはやたらと痛かった。

　でも外に転がり出たわけじゃない。そこまではなかった。だから裏口から中に戻ったことにもならないはずだ。私道は問題なし、キッチンも問題なし、何もかもオーケーだ。

　遠くから聞こえてくる夕方の交通騒音にも慰められて、おれの心拍数も徐々に下がり、通常の二倍程度にまで落ち着いた。何とか一息入れようと、山積みにした板の上に腰を下ろして煙草を一服する。倒れたとき道具棚を蹴飛ばしていて、戸口の内にも外にも、そこらじゅうに釘が散乱していた。まあ釘はたくさんあるから、外に転がったやつは放っておけばいい。同じばかな間違いを繰り返す気はなかった。

　金槌と片手いっぱいの釘をつかむと、戸口に板を渡して作業を開始した。板を貫通して煉瓦に釘を打ちつけるのは考えていた以上に大変だったが、数分でどうにか形になり、板はしっかりと固定された。次の板を手に取り、釘を打ちつけはじめる。これならうまくいきそうだ。

三十分ほどするとこつが呑み込めてきて、板は戸口の下半分をほぼ覆うまでになっていた。腕は痛み、狭い廊下で金槌をがんがんやったせいで、頭もじんじんしている。完成した部分に寄りかかって休憩し、おれはぼんやりと私道に目を向けた。ごみか何かが目に入って視界がぼやけた気がして、ふとわれに返った。瞬きをしても治らない。痛いわけじゃないが、道路に近い私道のはずれあたりが揺らいで見える。片方ずつ目をこすったりつぶったりしてみて、不安の高まりとともに、その揺らぎがどちらの目でも見えることに気がついた。

おれは立ち上がった。私道のはずれで明らかに何かが起きている。

陽炎のような視界の揺らぎは、頭をどっちに向けてもつねに同じ場所にあった。ごくかすかだが、明滅までしはじめている。質の悪いフィルムを現像したみたいだが、そのちらつきは白ではなく、黒っぽく見えた。もう一度、強く目をこする。だが目の前の星が見えなくなっても、それはやっぱりまだそこにあった。じっとそれを見つめ、正体を判別しようとする。見ているうちに揺らぎはきれぎれで動きのある、無数の垂直の線になっていくようだった。幕のような雨の向こうに何かが隠れていて、その雨には色がついていて、その色で私道のその部分を描き出しているみたいだ。その印象はだんだんと強くなり、やがてまるでビニール紐で作ったカーテンを見ているいような気がしてきた。垂れ下がった細長いビニールのあいだを通り抜けられるやつだ。そんなビニール・カーテンが私道の端にかかっていて、そこに生き生きした３Ｄで私道の絵が描いてある。そのカーテンの向こうで何かが動いていた。

と、いきなりそのバランスが崩れた。ちょうど黒と白の点々で描かれた絵を長いこと見つめていると、ダルメシアンが見えてくるような感じだ。おれは未完成の障壁の陰に膝をついた。

あいつらだ。

私道の端に立って、まるで編み込まれたみたいにその姿を背景から浮かび上がらせているのは、あの二人だった。

凍りついたような不自然な姿勢で立っている様子は、まるでストップモーションだ。顔は脱色したように白く、全体に色むらがあり、その姿はおれの目の前で明滅しながら踊っているようだった。二人は立ったまま、そこにいるわけではないのに、ある意味では確かにそこにいる。呆然と眺めていると、スーツの男の足が動いているように見えてきた。うまく焦点が合わないし、ひどくゆっくりしているが、確かに動いて、徐々に地面から離れている。一分もすると足はすっかり持ち上がり、元の位置から一歩先の地面にふたたび下ろされた。男の身体が少しだけ前傾する。

　おれは自分が目にしているものをやっと理解した。ちらちら明滅しながら、とんでもないスローモーションで、どうやってか古いホーム・ムービーを私道に投影しているみたいに、スーツの男がこの家のほうに歩いてきている。もっともその映像はもうあまりちらついてはおらず、色もしっかりしてきて、その身体の向こうに私道が透けて見えることもない。やつらが戻ってこようとしている。うまく逃げられたと思ったのに、そうではなかった。

　あのとき倒れたせいだ。誰の基準で見てもさほど遠くにつてわけじゃないが、それでじゅうぶんだった。あれで間違ったドアから家に戻ったことになったんだ。それでやつらはこの世界に戻ってきた。あるいはおれをやつらの世界の引きずり込んだのか。そしてごくゆっくりと、こっちに近づいてきている。

　懸命に落ち着こうとしながら、おれは板を手に取って前の板の上に並べ、釘を打ち込んだ。もう一枚、さらにもう一枚、息を継ぐ間も考える間もなく。狭まっていく空間から二人の近づいてくる姿が見える。もう二次元的ではなく、足取りも速くなっていた。次の板を取ろうとキッチンのほうを向いたとき、床の上に汚れた箱が転がっているのが見えた。もう始まっている。

　次の板をあてがい、釘を打つ。二人はすっかり実体化し、どんどん家に近づいているが、それでもその動きは不気味なほど優雅な、通常の十分の一ほどのスピードだった。打ちそこなって指を叩く回数が増えるのも無視して必死に釘を打ちつづけながら、ときどき血走った目でキッチンを盗み見る。冷蔵庫がまたおかしなふうに見えはじめていた。鋭角的な一九九〇年代のデザインが丸みを帯び、周囲にごみが集まってきている。出現するところは見えないが、振り返るたびに新たな段ボールの切れ端やがらくたや、汚れの層が増えているのだ。まだ始まったばかりで進行もゆっくりなのは、おれがちょっと外に出てしまっただけだからだろう。だが始まってしまった以上、家じゅうに広がっていく。

　おれは釘を打ちつづけた。いずれは玄関まで駆けていって、一度外に出てからまた中に、正しいドアから入ってこなくちゃならないのはわかっていた。でも、それはまだあとでいい。そうでなくちゃ困る。今回は事態の進行がとてもゆっくりしているし、頭もまだはっきりしていた。まずは裏口をしっかり封鎖しなくてはならない。できるだけ急いで。いつも異変の先触れになるあの二人は確実にそこに存在して、どんどん近づいてきている。やつらが何をしようと、おれが玄関まで行って外に飛び出すまでのあいだ、確実に外に閉め出しておけるようにしておく必要があった。玄関ホールに駆け込んだとき、そこがどうなっているかわからないのだ。裏口を中途半端で放置して、もし玄関のドアにたどり着くのに手間取ったりしたら、何が起きるかわからない。

　おれは精いっぱいのスピードで板を打ちつけつづけた。外の二人は着実に近づいてきて、中ではキッチンに次々と箱が増えていく。最後の横板を打ちつけたときにはスーツの男と金髪の男はもう二、三メートル先まで近づいて、動きもすっかりふつうの速さになっていた。最後の釘を打ち込むと同時に最初の一撃が来て板をたわませ、おれは驚いて跳びすさった。急いでさらに板を取り上げ、縦と斜めにも打ちつける。戸口の上下左右にしっかり釘を打ち込んで障壁を補強しようと、おれは懸命に金槌を振るった。

　しばらくすると背中の痛みも感じず、血だらけの手も見えなくなった。聞こえるのは金槌の音だけ、見えるのは釘の頭だけで、おれはなおも板を重ねて釘づけしていった。板はたっぷりあった——あの最後の板を取ろうと無理をする必要なんかなかったんだ——から、障壁は場所によっては板四枚分の厚さがあり、補強用の板が戸口の左右に一メートル近くもはみ出していた。最後の三枚はつっかえ棒のように廊下に水平に渡して、一方の端を板の隙間に食い込ませ、もう一方の端は反対側の壁にしっかり押しつけた。

　ようやく障壁が完成すると、おれはうしろに退がって出来を眺めた。いかにも頑丈そうだ。「入れるもんなら入ってきてみろ！」おれはそう叫んで、なかばへたり込むように床の上に座り込んだ。

　そのとき、あたりが妙に静かなのに気がついた。敵はいつの間にか障壁を叩くのをやめていた。自分がものすごい音を立てて釘を打っていたから、それがわからなかったのだ。まだ頭がじんじんしている。おれは障壁に耳を押しつけた。何の音もしない。

　煙草に火をつけ、疲れと安堵に身をひたす。マッチを擦る音が少しくぐもって聞こえたが、それはまだ耳の中に金槌の音が響いていたからだろう。キッチンはひどい様子だが、ただそれだけのことだ。いい気分だった。外の二人は何をしてるんだろうと考える。諦めて——おれが正しいドアと間違ったドアの区別に気づいていないと思って――とりあえず変化が進行するのを待っている、なんてことがあるだろうか。しばらくは二つの世界のあいだで宙ぶらりんになっているという事態を満喫した。どうせすぐに玄関から出ていって、家は元どおりになり、そんなことはどうでもよくなってしまうのだ。

　立ち上がったおれは苦痛にうめいた。あしたは身体じゅうが痛むだろう。キッチンに入ると、箱の一つから走り出てきた大きな黒い蜘蛛を危うく踏みつけそうになった。キッチンはひどいありさまだった。蛆虫の死骸にびっしり覆われた干からびた肉が散乱し、そのあいだに、じっくり見たいとは絶対に思わない何かがいくつも、小さな山になっている。すっかり形の変わってしまった冷蔵庫の前を通ってドアまで行き、玄関に向かう。

　玄関ホールにはまだがらくたは出現してなくて、見たところとくに異状はなかった。今はもうさっさと方をつけてしまいたくてまっすぐ玄関のドアに――裏口のことを両親にどう説明したものかと考えながら――向かうと、遠くからかすかにとんとんという音が聞こえた。しばらくすると音はやみ、そのうちまた少し違うほうから聞こえてくる。不思議に思ったものの、今はもっと重要なことがあった。玄関ホールがこれ以上妙なことになる前に、一度ドアの外に出るのが最優先だ。舞台へ向かう俳優のように、おれは手を伸ばし、ドアノブをつかんで回し、手前に引いた。

　最初はわけがわからなかった。なぜ私道じゃなくて、一面の茶色なんだ？　ただの茶色の平面。

　見えると思っていた私道よりずっと間近にある茶色の平面に目の焦点が合って、やっと理解できた。むしろ見慣れたものだ。同じようなものをついさっき目にしている。

　それは障壁だった。ドアをふさぐように外の壁に釘づけされた、木の板。おれが裏口の障壁の仕上げをしているあいだ、二人が何をしていたのか、これでわかった。

　やつらはおれを閉め込んだんだ。

　考えつくことはすべて試してみた。拳、肩、椅子。障壁はびくともしない。

　外に出られない。つまり正しいドアから入ってくることができない。だがとりあえず、やつらが間違ったドアから入ってくることもできない。一種の膠着状態《ステールメイト》だが、状況はおれのほうが不利だった。向こうは強力だし、さらに力を強めている。家はどんどんひどい状態になっていて、おれにはそれを止める方法がなかった。

　痛めた肩をさすってキッチンに戻りながら、おれは猛烈に頭を回転させた。何かできることがあるはずだ。急いでやらなくてはならない。変化のスピードも上がってきていた。玄関ホールはまだまともそうだが、キッチンはすっかり汚れきって、冷蔵庫も五〇年代に戻ってしまっている。骨董的な意味ではなかなか魅力的だが、こんなのは間違いだ。

　背景にはまだあのとんとんという音が続いている。屋根から入ろうとしているのかもしれない。

　とにかく外に出ないと。どこかに出口を見つけなくてはならない。おれは水平思考を試してみた。家を出るときはドアを使う。ほかにはどうだ？　ほかの方法はない。いつもドアを使うんだ。でももし中にいて、たとえば命のかかった緊急事態で外に出なくちゃならないとなったら、ほかにも出口はあるんじゃないか？　ドアがだめなら……窓だ。窓はどうだ？　正しいドアと間違ったドアがあるなら、窓にも正しいのと間違ったのがあって、正しい窓からは本当の世界が見えるかもしれない。ひょっとして、あくまで推測だが、そういう正しい窓を破って外に出て、また中に入ってきたら、うまくいくんじゃないか？

　本当にうまくいくかどうかはわからない。何もかもわかったなんてふざけたことを言うつもりはなかった。もし間違った窓を選んだら、どこに飛び出すことになるかは神のみぞ知るだ。もしかすると間違った窓から外に出て、家のまわりを二人の狂人に追いまわされ、中に戻る正しい窓を懸命に探すことになるかもしれない。まるでどたばた喜劇だ。テレビドラマの『ファン・シティ』だ。でもほかに選択の余地があるか？　居間に駆け込み、大きなはめ込み窓をめざす。さあ子供たち、四角い窓を覗いてごらん。

　どうして思いつかなかったんだろう。たぶんとんとんという音が小さかったからだ。おれはぽかんと口を開けて居間に立ちつくした。今度は向こうに先を越された。窓にもすっかり板が打ちつけられていたのだ。

　玄関ホールに駆け戻ってダイニングに入り、二階の寝室に向かう。窓はどれもふさがれていた。釘をどこで手に入れたのかはわかっている。おれが転んで、たっぷりばらまいたんだから。でも、どうやって……そのとき、敵がどうやって金槌も使わずに釘を打ち込んだのか、どうしてあんなに音が静かだったのか、その理由が脳裏に閃いた。嫌になるくらいはっきりと、スーツの男が拳で釘を打ちつけ、額でさらにそれを打ち込みながら、にやにや笑っている場面が思い浮かんだ。

　くそったれ。

　ふたたび階下に、今度はゆっくりと降りていった。通り抜けられないくらい小さなものまで、窓は一つ残らずふさがれていた。もう一度キッチンに、増えつづけるごみの山のあいだに立ったとき、裏口を叩く音が聞こえはじめた。家の外に出る方法はなく、起きようとしていることを止める手段もない。今度こそ事態は最後まで進行して、おれもその中に巻き込まれるだろう。いずれやつらは障壁を突破し、いっしょに中に入ってくるに違いない。おれを捕まえに。おれはごみを眺めながら、だんだんと大きくなる音を聞いていた。

音は大きくなりつづけ、板が何枚かはずれかかっているのがわかった。家はとっくにバランスを取るのをやめてしまい、変化の速度はいよいよ増している。キッチンは爆撃されたみたいで、今やとんでもない数の蜘蛛があふれていた。おれはキッチンを蜘蛛どもに明け渡し、一度か二度曲がるところを間違えたものの、どうにか玄関ホールを抜けてここまで来た。居間の中に。今はそこに座ったまま、待っているところだ。変化はもうどうにもできない。どうにも。外にも出られない。やつらが入ってくるのも阻止できない。

それでも一つだけ、できることがあった。ここにじっとしているのだ、この居間の中に。もう小さな影が部屋の四隅に凝って、椅子の下から飛び出そうとしているのがわかった。奥の壁のあたりはまっ暗になっている。壁そのものもどうでもいい、実体のないものに見える。障壁にはならないだろう。どこか遠くで水の流れる音が聞こえたような気がした。生い茂る闇の植物のにおいも、ごくかすかに感じられる。

やつらに捕まる気はない。集いはじめた闇の中で待ちつづけ、夜の物音の訪れに耳を澄まし、そよ風が顔を撫ではじめるのを待とう。壁が溶け去って部屋が大きく開くまで、暗く暖かい空気の中で静かに座っていよう。それからおもむろに立ち上がり、闇の国を歩きはじめる。闇の奥に広がるジャングルの中を、木々のあいだを、あたりの植物のにおいを嗅ぎながら、どこか右手にある、穏やかな川の音を聞きながら。おれは幸せな気分で夜の中を歩きつづけ、どこか遠くから聞こえはじめている、あのうなり声の主にいずれ出くわすだろう。そしておれたちはいっしょに流れる水のほとりに腰を下ろし、闇の中に安らぐのだ。

夢魔は目醒めのうちに

悪夢

Fetched

ラムジー・キャンベル

Ramsey Campbell

植草昌実 訳

「ジャスパーはそこにいる」(『幻想と怪奇3　平井呈一と西洋怪談の愉しみ』所収)に続き、イギリス怪奇小説界の大御所、ラムジー・キャンベルの作品を御紹介します。初出は名編集者スティーヴン・ジョーンズが恐怖の精粋を求めたアンソロジー『恐怖学』*Horrorology*(2015)で、収録時の題名〝Nightmare〟そのままに、目覚めたまま悪夢の中をさまよう不安と恐怖に満ちた一編です。巨匠の筆の冴えを御堪能ください。ただ、訳者のように読後に心身に変調をきたしても、編集室では責任を負いかねます。どうぞお気をつけて。

ホテルから二、三マイル遠ざかった頃、ローレンスが口を切った。「昔よく行ったところがあるんだ」

「ストライダーズ・ハルト」ヴァイオレットは高速道路の次の出口表示を読み上げた。「この地名、どんな由来があるの」

「谷の景色がいいから、そう呼ばれるようになったらしい。急ぎ足の旅人《ストライダー》が立ち止まる《ハルト》ってね。見にいってみるかい?」

「遠い?」気乗りなさそうに聞こえなければいいけれど、と彼女は気にかけた。「行ってみる価値があればね」

「あると思うよ。週末の魔法はまだ使えるだろうし」

「あなたが楽しければよかったんだけど」

「それは言わないでおこうよ」

　ローレンスは彼なりに楽しんでいた、とヴァイオレットは思いたかった。彼女といる手前、自分を抑えていたのだろう。子供時代の思い出の詰まったホテルは、今は老人の団体客で込みあうばかりだった。老人たちはホテルを占拠し、年齢特有のにおいを漂わせ、苦しげな息遣いで古ぼけた廊下をのろのろと歩いていた。ローレンスは子供の頃の自分を取り戻し、ヴァイオレットと分かち合おうとしたのだろうが、目にするものは過去ではなく、自分たちを待ち受ける未来だった。日中は山歩きなどして過ごしたが、ホテルは周囲のどの町からも離れていたので、夜になると年長の客たちの熱心な誘いに応じて、バーでコーラスに参加したり、込みあったラウンジのＴＶで時代遅れの喜劇を見て無理に笑ったりしていた。「孫と思われたかな」一連の経験をまとめるようにローレンスは言った。

「嫌じゃなさそうだったわ」老人たちはヴァイオレットにも、ローレンスと同じように接していた。「わたしを置いて一人で楽しんでいなかったから、いいけれど」

「贔屓されるのは気にならなかったが、ああいう扱いを受けるには、ちょっと歳を取りすぎていたな」

　ぼやいているのか、自慢しているのか。二人とも大学の常勤は辞めたが、それ以来ローレンスは自信を失っているのか、言い訳めいたもの言いが増えてきた。学生たちの前で見せてきた安易な権威が、結局は脆《もろ》い性格を守るためでしかなかったかのように。お互い、前ほど講義に時間を取られることはもうないから、そのぶん今までより親密になれるだろう、と彼女は思っていた。ここで不仲になることは、お互い望みはしないので、彼女は高速道路を降りたいと仄《ほの》めかした。「その景色、見にいきましょう」

　傾きかけた一月の太陽を、大理石のような厚い雲が隠そうとしていた。その光は冷たく、景観の影をくっきりと際立たせていた。何もない中をくねって走る道の一方は、刺《とげ》のある大きな木が生け垣をなしている。そのからみあった枝のあいだにときどき小鳥を見たように、ヴァイオレットは思ったが、車の中まで冷やす風を受けて絶え間なく揺れているのは、わずかに残った木の葉ばかりだった。道がまっすぐになったとき、ローレンスは首を伸ばして前を見た。「なんだ、あれは？　あんなものはなかったのに」

　道の先、緑地の向こうに、行く手を遮るようにバンガローが列をなしている——もとは緑地のあいだを通る道しかなかったのだろう。車が生け垣を抜けると同時に、緑地を横切って並ぶバンガローが目に入った。

「元の眺めが好きだった人もいるでしょうね」ヴァイオレットが言った。

「残しておいてくれてもよかったのに」

「帰りましょうか?」

「いつでも帰れるさ。少し走ってみてくれないか。脇道くらいは残っているだろう」

「ローレンス、どこまで行きたいの?」

「行けるところなら、どこでも」彼は目につく家々を指さした。「見覚えのあるものに気づいたら、声をかけるよ」

　ずんぐりしたコンクリートの支柱に掲げられた表示板が、このバンガローの並ぶ道に「メドウ・プロスペクト」という名があると告げていた。迷い犬捜しのポスターが最初の単語を半分ほど隠しているが、ヴァイオレットにはそう読めた。次に目に留まったのは、百フィートほど先で脇道を示している表示板だった――どうやら「クリフ・ロード」と書かれているようだ。「あっちに行ってみよう」彼女が尋ねるより早く、ローレンスが言った。

　長く続く、灰白い石造りのバンガローの列を左右に、道は蛇行しながら続いてはいるが、崖に続きそうな気配はない。ヴァイオレットが落ち着いて三つめのカーヴを曲がると、バンガローの車寄せに駐まっていた車――銀色のジャガーが彼女の倍のスピードを出し、バックで道を塞いだ。ローレンスが悲鳴を呑み込んで両手を前に伸ばす前に、ヴァイオレットはブレーキをかけたが、ジャガーの主は車を動かしもせず、ウインドウを下げた。

　生え際の後退したその男の髪は、色褪せた古い写真のような茶色だった。目のまわりを縁取る皺は深く、血の気のない唇を堅く結んでいる。自分が何をどう言っても相手は聞くものだと思っている様子だったので、ヴァイオレットは震えを抑えながら、窓を下ろして尋ねた。「すみませんが、今なんと?」

「フェッチャーを捜しにきたのか?」（Fetcherには「捕まえる者」の意あり）

「まさか」ヴァイオレットは今聞いた名前を口にしてみた。「フレッチャーなんて人は知りません」

「フェッチャーと言ったんだ」迷惑きわまりない、と言いたげに、男は顔をしかめた。「ここは道に迷って来るようなところじゃない」

　非難しているのか、そういう話しかたをする人なのか。ローレンスがウインドウを下げて、道を尋ねかけたとき、男は「誰に用があって来たのか教えてもらおう」

「誰でもありません。夫が昔よく行ったところに行こうとしているだけです」

「知らない顔だ」男はローレンスを睨みつけた。「このあたりで見かけたことはない」

「お互い知らないのは当然です」ローレンスは答えた。

「あなたがここに来るよりも前にいたものですから」

「それはありえない」男はおかしげに笑みを浮かべた。

「そんな者はいないからな」

「まちがいなく、私の両親は――」

男はヴァイオレットに目を戻し、値踏みするように見た。「この町に悪さをしにくるには歳を取り過ぎているな」

「何を言っているんだ?・」ローレンスが思わずウインドウから身を乗り出すと、その勢いで車が揺れた。「人の細君に向かってよくそんな口がきけるな」

「あんたの連れがきゃんきゃん鳴いてるな」男はローレンスに目を向けもせずに言った。「おとなしくさせたほうがよかろう」

ローレンスは窓枠から乗り出して怒りの声をあげた。

「何が鳴いてるって?・」

「ローレンス、やめて」ヴァイオレットは彼の腕を押さえて、シートに座るよう促し、胸についた窓枠の跡を払った。「相手にしないで」と小声で言う。

「おふざけのつもりかね」怒っているのか、男の顔はまだらに上気していた。「フェッチャーがそんなふうに鳴くと思ったか?」

「なんのことか、さっぱりわかりません」ヴァイオレットはきっぱりと答えた。「もしあなたが、わたしたちに――」

男がまた睨みつけたので、彼女は口ごもった。「私が戻る前に立ち去るがいい」

「お望みどおりに」ローレンスの返事も待たず、男は自分の口と同じくらいにウインドウをしっかりと閉ざしていた。ジャガーがヴォクソール・ヴィヴァのドアミラーを掠めて走り去るとき、男が携帯電話を顔に近づけているのを、ヴァイオレットは見た。「誰にでも知らせるがいいさ」ローレンスが叫んだ。「ご近所の全員だって、かまうものか」

「もういいわ。わたしたちには縁のないことだし」だが、ローレンスがふるまいに若さを取り戻したようにも見えて、ヴァイオレットは励みを感じないではいられなかった。「もう帰りましょう」

「まだ日は暮れていないよ。ぼくのわがままが過ぎると思ったときには、止めてくれればいい」

あの老人を相手にしたことは、自分が思う以上にヴァイオレットの体に堪えていた。ハンドルにかけた手は震え、脚もまだがくがくしている。次の通りを示す標識が見えた頃ようやく、彼女は「フェッチャー」と口にできるようになった。

「独り言かい？」

「ほら、あの人が言ってたじゃない」

　表示板にポスターが貼ってあるのが目に入った。後肢で立っている犬の写真で、足元に大きい文字でその名前が、下には小さい文字で何か書かれている。犬としてはありふれた名なのかもしれないが、誰かが顔のところを塗りつぶしていた。ジャガーの男が文句を言っていたのはこのことで、わたしたちが関係ないとわかってくれるよう、ヴァイオレットは願った。「このあたりの住人はどうかしているよ」ローレンスが言った。「道の名前を知られたくないみたいだ」

　ヴァイオレットがハンドブレーキをかける間もなく、ローレンスはシートベルトを外すと、張り紙に向かって歩いていった。最初の文字を隠して「レー・ロード」にしていたポスターをめくり、彼はその下の文字を見た。ポスターを戻すと同時に、ざんばらな白髪の女が、黒いロングコートのボタンを留めながら、急ぎ足で近づいてきた。「犬はどこ？」彼女は声をかけてきた。

　女が履いている革のサンダルがヴァイオレットの目にとまった。女が一ヤードも離れていないところで見上げてくるまで、ローレンスは返事をしなかった。「犬はいないと思いますよ」

「いないわけがないでしょう。知らないとは言わせないよ」女の声は次第に大きくなっていった。「あんた、聞こえないの？」

「あなたの犬のことですか？」

「きまってるでしょう。ここの誰もが捜してる。余所の人たちみたいに知らん顔をしないで」そこで眉をひそめたが、ローレンスは余所者だと言いたかったのかもしれない。「時間を無駄遣いさせないで。犬はどこに行ったか言いなさい」

「犬は一匹も見ませんでしたよ」そのあと、ローレンスがこう言ったので、女は言い返そうとしてか、息を吸った。「その犬なら私ですから」

「ふざけるのはおよし」女はひときわ声高になった。

「どういうつもり？」

「このあたりの人の真似ですよ」女は苛立っても、あきれてもいる様子で、今にもローレンスを怒鳴りつけそうだ。彼は続けた。「こんな物言いをされてきたものですから」

彼が謝っているつもりでいるのは、ヴァイオレットにはわかったが、女が彼に向ける目はまさに犬かなにかを見るようだった。「いい歳をして、くだらないおふざけね」

「すみません。でも、あなたも相手を見ずに尋ねてこられたから。だから――」

女は彼に向けるでも、ポスターを差すでもなく、指を立てた。「で、あんたは犬？」

「共通項はまったくありませんね」

「わかってるじゃない。犬がいなくなった責任はあんたにあるの？」

「正直にお答えください、あなたはそうお考えですか？」

「わたしの言ったことがわからないみたいね」

「わかっていますよ。私には責任はありませんし、あなたもそうは思っていないはずだ。では、こちらから簡単な質問をさせてもらいます。ここから先の――」

「どこへ行くというの？　このまま来た道をお戻りなさい」女は立ち去りかけたが、不意向いて言い足した。「ごまかしはきかないから」

ローレンスが助手席について、シートベルトを着けようと引っぱっているあいだに、ヴァイオレットは言った。「このあたりの人たちには歓迎されていないようね。もう帰らない？」

「帰る？」ローレンスは驚いたように瞬きをした。「一緒に出かけて途中で帰ったことはないだろう」彼は言った。「ぼくと一緒にいるのに嫌気がさしたかな」

「ばかなこと言わないで。本気じゃないくせに」

「じゃあ、先に行こう」ローレンスはシートベルトをなんとか着け終えた。「あの魔法は、ここいらの連中だけのものじゃない」

その言葉は、彼が子供の頃の純真さを取り戻そうとしているかのように、ヴァイオレットには聞こえた。彼と同じ歴史学の教鞭を執っているので、人々が魔法を空想でなく現実にあるものとして信じてきた時代のことはよく知っていた。ヴァレー・ロードをたどるあいだ、ローレンスに声をかけた老女をまた見かけることはなかったので、ヴァイオレットは安心したが、その先には彼が期待していたような眺めはなく、外来者にはまったく見分けのつかない平屋の家が並び続けているばかりだった。

カーヴした道を過ぎると、「ヴァレー・クレセント」と記した表示板が、ヴァイオレットの目に入った。迷い犬のポスターに隠されてはいなかったが、ローレンスが期待する方角からは遠ざかっていた。思い出の場所を見つけたいという彼の頑固さがうつってきたので、彼女はヴァレー・レーンからヴァレー・ドライヴを抜けて、ヴァレー・アヴェニューに入った。どの表示板も迷い犬のポスターで部分的に隠されていたが、どのポスターも犬の顔が見られないよう損なわれていて、ヴァイオレットはわけもなく、この一角に侵入してしまった罪悪感のようなものを感じていた。道を通る権利は誰にでもあるのだし、出歩いている住人は一人としていないというのに。たぶんヴァレー・ロウと呼ばれている道を行けば、ヴァレー・テラスに出るのだろうが、どうして外から来た者が迷うような紛らわしい名前ばかりなのだろう、と彼女は思った。ローレンスは身を乗り出し、両手を固く握っていたので、ヴァイオレットには彼が心をこめて祈っているように見えた。「まちがいない、ここだ」と彼は言った。

　まっすぐに延びた道に沿う家並は、向かい側に並ぶバンガローの二倍の高さはあった。景観を楽しむために建てたのだろう。道の半ばほどで、ローレンスは言った。

「そう、ここだよ」

　彼がシートベルトを外す前に、彼女はなんとか車を停めた。後を追っていくと、彼は柵のない家々の前の草地に見入っていた。「ここがあの小道だよ」

　そこは小道とは呼べそうになかった。手入れされずぼさぼさした芝生の中を通る、不揃いな敷き石の列で、歩道の端から始まって、家々の裏手に立つ木製の柵に向かって延びていた。石は不揃いだが、その並びはまっすぐで、自然にできたものとは考えにくい。ローレンスが足をかけたので、不安のあまりヴァイオレットはとがめた。

「人の敷地じゃないの」自分が感じている不安は、その一言にはおさまらなかった。「入らないほうがいいんじゃない？」

「道は誰もが通るものさ。昔のまま残してあるくらいなんだし」彼はそう言うと、そのまま踏み込んでいった。

　家のあいだを抜けると、裏庭を囲む柵に行く手を阻まれた。柵の高さは七フィートはあり、小道をたどっても庭には入れない。「抜け道を見つけないとな」ローレンスは言った。

　抜け道なんてあるとはヴァイオレットには思えなかったが、もちろんローレンスにも見つけられなかった。確信に満ちた足取りで路地に踏み込んでいったものの、彼女が追いつく前に踵《きびす》を返して戻ってきた。反対側に回っても同じで、彼は指が見えなくなるほどに拳を固く握りしめていた。だが、急に屈み込むと、柵に向かって勢いよく飛び上がった。「たぶん、こうすれば――」

　何を言おうとしたかを彼は動作で表したが、そのまま落ちて地面に足を叩きつけた。衝撃にふらつきはしたが、それで発奮したか、さらにもう一度試して、今度は柵の上の端をつかんでぶら下がった。体を引き上げようと彼があがいているとき、近くの家の二階の窓で人影が動くのをヴァイオレットは見た。身振りで注意を惹こうとしていたのではない。その女は窓の内側を拭いていたが、窓をあけて呼びかけてきた。「そこの人、いったいぜんたい、何をしているの？」

　ローレンスは柵にしがみついたまま顔を上げた。「犬の真似はしていませんよ」と声をあげる。「聞かれる前に言っておきますが」

「何を言っているの？　そこから動かないで」その女は窓を閉めた。

　今の言葉は、ローレンスに柵から手を離すなと言ったのではないか、と、ヴァイオレットはばかげたことを思った。彼がずり落ちかけ、ぶらさがったまま震えているので、降りられるように腰のあたりを支えた。彼は固い地面に足を叩きつけてうめいたので、自分が役に立たなかったと知った。自分とヴァイオレットの弱さに文句は言うまい、という気持ちでうめいたのだろう。「あの人は話がありそうだったな。ぼくも話したい」

「騒ぐのはやめて。もう帰りましょう」

「もう少しでわかるんだ。このまま帰っては納得できないよ」とローレンスが言うあいだに、背後で門を解錠する音がした。

　その女は開いた門扉の枠いっぱいに、門衛のように立っていた。きちんと整えた銀髪は毛皮の帽子のようだし、しわが目立たないよう丁寧に化粧をしているせいか、実際の歳よりは若く見える。それを見たヴァイオレットは、自分がだらしない身なりをしているような気になった。

「犬のことは何と言ったの？」女はローレンスに尋ねた。

「みなさんと同じように、私も捜しているんです」はローレンスはそのあとで「昔このあたりで見た眺めを探しながらね」と付け加えたが、彼が女を落ち着かせようとしているのか、ふざけているのか、ヴァイオレットにはわからなくなった。

「ここからは見えないわ」

「どこに行けば見られますか？」

「無理ね。わたしたちのものだから」

「それはないと思いますね。世界を区切ってしまうことはできないから」

「そこは世界じゃないのよ」

　ヴァイオレットには、一方がローレンスであっても、今の会話を聞いて理解できなかった。「ところで」女は尋ねた「犬はどうするの？」

「一人でできることではありません。私はさほど犬が好きではないし、もし好きだったとしても、あなたがたのように犬に執着するとは思えませんね」

「だったら、ここにいることはないから、早くお帰りなさい」

「目的を果たしてからですがね」止せばいいのに、ローレンスはわざわざこう言い足した。「私たちが不法侵入をしているとおっしゃりたいのなら、警察を呼んでもらっても結構ですよ」

「警察を呼ぶ必要はないわ」

　警告のつもりだったのかもしれないが、この一言はかえってローレンスを反発させた。「それは最悪の選択でしょうね」彼は言った。「しばらく見ているのをお許しください」

　彼が路地を駆け出すと、ヴァイオレットは女に言った。

「少しのあいだ、見させてあげてください。あの人、子供の頃にこのあたりに住んでいたんです」

「だからって、ここで何をしているの？　知らない人にうろついてほしくはないわ」そう言うと、女はヴァイオレットの鼻先で門扉を閉じた。

　振り向くとローレンスがいなくなっていたので、ヴァイオレットは女と向きあっていたことを後悔した。そして、懇願と叱責の入り交じる声で彼の名を呼びながら、急ぎ足で路地の曲がり角に向かったが、その先は行き止まりになっているような気がして、恐慌に陥りかけた。だが、すぐそばで彼の声が聞こえた。

　ローレンスは有頂天の様子で叫んでいたが、何を言っているのかは聞き取れなかった。「ローレンス」と繰り返し呼んでも、何かに夢中になっているせいか、返事もできないようだ。思うほどには早く足を運べず、曲がり角に着く頃には息が切れていた。ローレンスが歓声をあげた理由はすぐにわかった。角を曲がってすぐのところで、柵に穴があいていたのだ。

　彼の姿は見えない。這ってそこを抜けたのだろう。穴は幅が四フィート、高さはそれより狭い歪《いびつ》な円形で、雨風にさらされてそこだけが古いように見える。ペットが出入りできるようにドアの隅に切った開口部のようだ。迷い犬ならすすんで通っていくだろう。「ローレンス」穴の前にかがむと、ヴァイオレットはひときわ大きな声で呼びかけた。

　かがんだだけでは穴の向こうを見通すことはできなかった。ただ背中から頭にかけて痛みが走るだけだ。ざらつくコンクリートに両手をついて、さらに身を低くしなくてはならなかった。光がまっすぐ目に差してきて、日の傾く先にあるのが崖なのかどうかさえ、眩《まぶ》しくて見えない。この先に崖に向かう道があるのだろうか。ヴァイオレットは目を瞬《しばたた》かせたが、やはり何も見えなかった。だが、太陽は崖の下に沈んだのか、雲に隠れたのか、穴の向こうに見えるのはただ仄白いだけの何もない広がりで、フェンスの向こうが空虚の断崖になってしまったようだった。

　目がどうかしてしまったのかもしれない。屈み込みすぎて、かえって何も見えなくなっていたのだろう。自分がどんな目にあったか、あとでローレンスに言ってやろうと思いながら、穴を這って抜けようとしたが、激しい痛みを覚えてその場に座り込んだ。穴のあいたフェンスに手を触れかけると、凍りつきそうなほど冷たかった。「ローレンス、どこにいるの」静寂の中にヴァイオレットが聞いたのは、自分が叫ぶ声だけだった——このあたりの住人たちに咎《とが》められそうな、耳障りな自分の声。携帯電話を使えば大声を出さなくてすむ。ゆったりしたコートのポケットから携帯電話を取り出し、ローレンスの電話番号に触れた。

　呼び出し音がはじまったとき、彼の携帯電話の着信音が近くでするのではないか、と彼女は耳をすませたが、一回だけで呼び出し音は止まった。画面に目をやると、ほんの一瞬、不自然に直立した人の姿が見えた。顔のところの画像が乱れていて、彼女はここに来るまでに目にした、同じように顔を消された迷い犬のポスターを思い出した。画面には名前も映ったが、ローレンスよりも短いとは見て取っても、一度だけ鳴ったあとの携帯電話の画面は、真っ白になったままだった。彼女が電源ボタンを押したとき——それでも何も変わりはしなかったが——ローレンスの声が聞こえたように思った。

　彼は「はい?《イエス》」と言ったのだろうか。耳障りな高い音は、言葉だとしたら、たしかにそれにいちばん近かった。路地の角を曲がった先の、ここから見えないところ——柵から離れていないところにいる、とヴァイオレットは望みをつないだ。急ぎ足で角を曲がり、路地を覗き込むと、その先はなぜかひどく暗くなっていた。日が沈みかけていても、あたりには誰一人いないと見てとれるほほど明るいというのに。「ローレンス」彼女は呼びかけた。「どこにいるの」

　声は柵のあいだに弱々しく響いたが、すぐに乱してはいけないほどの静寂が戻ってきた。おふざけにもほどがあるわ。彼女をびっくりさせて、あとで一緒に笑おうとでも思っているのだろうが、そうだとしてもぜんぜん面白くない。「ローレンス」呼ぶたびに、声に怒りがこもっていく。「ローレンス」路地を歩きまわり、柵に別の穴がないか、わずかな隙間でもないかと探しながら、彼女は呼び続けた。懸命に目を走らせ、耳をすまして路地を歩くうちに、道のはずれに出ていた。破れ目のない柵が崖縁に沿って、目の届くかぎり延びている。夕暮れの訪れは早く、街灯がないことに彼女は気づいた。このストライダーズ・ハルトという町を誰が作ったかは知らないが、余所者のために明かりを灯すのは無駄なことだと考えていたようだし、どのバンガローの窓辺にも、通りにも、人がいる気配さえない。

　ローレンスにまた電話をかけようとしたとき、彼女は道路標示に目を惹かれた。「ヴァレー・テラス」の最初の音節が隠されていると思ってたが、貼りついていたポスターが役目を終えたかのようにはがれ落ちていて、最初の単語が想像していたものと違う、もっと短い言葉なのに気づいた。

　落ちたポスターが寒風に吹かれ、道の敷石の上をヴァイオレットに向かって這ってくる。迷い犬の顔は落書きで潰されたのではなかった。別の顔に換えようと、引きはがされていたのだ。そうしたほうが、見た目ではわからない犬の特徴がはっきりするとでも思ったのか、と彼女は考えた。フェッチャーという名前の下に印刷された文字が、どうして読めないのか。コンピュータの不調のせいで意味のない文字列が繰り返されていたのだとしても、誰も気づかないのはおかしい。考えているあいだ、彼女はローレンスを捜すことを忘れていた。ポスターの動きが止まったとき、ヴァイオレットは彼の名を呼び、返事を聞いたような気がしてあたりを見まわした。

　ローレンスだ。駐めておいたヴィヴァの方にいる。そこならお互い戻るに決まっているから、思い出の場所を見つけたといって案内するつもりなのだろう。家々のあいだにまた入っていく前に、一緒に来るよう手招きしているにちがいない。「待ちなさいよ」ヴァイオレットは叫んだ。「なにもそんなに急がなくても」日が沈んで景色が変わる前に見せたいのだろうと思い、彼を失望させないようにと小道を急いだ。が、最初に入ってきた家々の裏手の路地に着いても、誰もいなかった。

「おふざけはもうやめて、ローレンス。お願いだから、出てきて」ふらつく足で路地に分け入りながら、切れる息の合間に、彼女は懸命に声をあげた。あの穴に戻ったんだ――彼女が来たら一緒に通ろうと、穴の前にかがんで待っているにちがいない――少なくとも、あのあたりで待っているだろう、と彼女は思った。「わかったわ。

わたしに――」と言いながら角を曲がったが、そこで言葉が止まった。ローレンスがいなかっただけではない。あの穴がなくなっていた。

その光景を見て、彼女は口の中だけでなく心まで乾ききり、考えることもできなくなった。たしかに穴があいていたはずの柵の前にへたり込んで、気を確かに持とうとした――本当はここに穴があいているのだ、と。だが、柵はどこを見ても穴などなく、真新しい木材を強く叩いてみても、拳に痣ができただけだった。ローレンスを捜しているあいだに修理されたのではないか、あるいは入る道を間違えて、穴のあいた柵は別の路地にあるのではないか、と考えた。ローレンスを見つける可能性があるなら、年老いた自分の脳がもたらす失望にも堪えられる。歳をとれば、お互いの心の支えになるものだろう。ことの起こりはローレンスにあるのだから、自分が道に迷ったからといって恥じることはない。顔を合わせたら彼をとがめもするだろうが、どれだけ早く彼を許すかが大事だろう。そう考えつつ、ヴァイオレットは路地の反対側に向かったが、そこにも穴はなかった。

よろめきながら道路標示まで戻ると、落ちていた迷い犬のポスターが、剥がされた顔をもたげた。ローレンスの名を呼びながら車に足を向けたとき、家の陰に人影が現れ、あたりをうかがってすぐに身を引いた。ローレンスだ、と彼女は確信したが、なぜこんなことをしているのか、理解できなかった。こんな短いあいだに加齢が進んで、ぼけてしまったのだろうか。弱々しい声で彼の名を呼びながら、ヴァイオレットは人影を見た路地に向かった。

これまで見てきたどことも同じで、寂れた路地だった。ヴァイオレットは失望のあまり叫びだすところだった。なんとかローレンスを見つけようと、懸命にあたりを見まわしていると、窓の中に掃除をしている女の姿が見えた。

白いカーテン越しでぼんやりとはしていたが、たしかに人がいた。彼女は足をひきずって道を横切り、その家の玄関まで行くと、ドアベルを鳴らすと同時に声をかけた。「助けてください」

物音は何も聞こえなかったが、玄関の磨りガラス越しに影が映った。白くぼやけて、顔も見えない。「何をそんなに騒いでいるの」非難したいのを堪えているような声だ。「あなた、いったい誰？」

「先ほどお会いしましたよね」言っても助けにはならないかもと思いながら、彼女は続けた。「お宅の裏に入った者です。さっき少しお話ししましたよね」

「それはありがたいこと。でも、もうお話は終わりました」

「夫を捜しているんです」

「ここでは見つかりません」

「さっきお会いになっています」なんとか望みをつなごうと、ヴァイオレットは嘆願した。「彼の顔はわかりますよね。どこに行ったかわかりませんか」

「遠くには行けません」

「そうでしょうけれど、道に迷っているみたいなんです」じゅうぶん可能性はあることだ。「この町では、外から来た者は迷ってしまいますし」

「長くは続きません」

その返事が不吉なものに聞こえたのは、ローレンスが姿を消したままだからだろう――誰一人通らない、家の中のように薄暗い通りに立って、ガラス越しのぼやけた影を相手に話している。「電話を貸してもらえませんか」

「それはできません」

何か勘違いをされたと思い、彼女は続けた。「夫に電話をしたいんです。でも、わたしの携帯電話は電池が切れてしまって」

「ここでは良くないことですから」

自分とローレンスの携帯電話のことを言っているのか、他に意味があるのか。「ちょっとだけ助けてほしいんです」ヴァイオレットは懇願した。「夫が見つかれば、もうお邪魔はしません」

「すぐに見つかるでしょう」

なぜ脅されているような気がするのだろう？　ヴァイオレットはさらに狼狽した。「助けてください」彼女は懸命に言った。「助けてくれないと、ここでご近所に聞こえるくらい大声をあげますよ」

「かまいません。寝ている人もまだいませんから」そう言うと、女の影は屋内の暗がりに溶け込むように、見えなくなった。

「追い払おうたって、そうはいかないわ。夫を捜すのに手を貸してくれるまで」と彼女は叫ぶと、近隣の住人たちが外に出てきて自分を助けざるを得なくなるように、さらに大声をあげようとした――が、そのとき、ローレンスの声がした。

彼女の名を、それも最初の音節だけ呼んだ。ヴァイオレットは自分の名前を略されるのが好きではなかったが、今は気にもならず、仔犬が吠えるような甲高い声だったが、聞こえたのを喜んだ。彼は通りから離れたところにいるようだが、崖の方ではないようだ。「ローレンス」倒れそうになるほど勢いよく振り向きながら、彼女は声を張り上げた。「ここに来て。帰ってきて」

誰もいない通りに彼女の声だけが響いた。明かりを灯さない家々は壁も窓もただ白いばかりで、深まる夕闇に浮かんでいた。夜がローレンスとのつながりを切ってしまうかもしれない。「声を聞かせて」ヴァイオレットは叫んだ。「そっちに行くから」

「だめだ」

どうしてそんなことを？　そう言うよう、誰かに無理強いされている？　いや、聞き間違えたにちがいない。

「今行くわ」と言うと、彼女は車に急いだ。

運転席に座り、シートベルトを締めたとき、ふとこんな考えが浮かんだ。これは悪い夢なのではないだろうか？　ローレンスが運転しているあいだに助手席で眠ってしまい、目を覚ませば二人とも何の問題もなく、車の中にいるのではないか。そうであればいいのに、と思いはしたが、それでは彼を裏切って、この人気《ひとけ》もなく暗い通りに置き去りにするような気がしたので、ヴァイオレットは落胆した。ローレンスが見つからないからといって、夢と決めつけてはいけない。夜の冷気で目を覚ますよう、左右のウインドウを下げた。「ローレンス」ヘッドライトを点灯させ、彼女は呼びかけた。「話しつづけて」

車の向きを変えると、まったく見分けのつかない同じ外観のバンガローが、次々にヘッドライトに浮かんだ。まっすぐ進めば行き止まりかもしれないし、そうでなくても暗く不案内な道に迷うのはまちがいない。痛むほど目を凝らして前方を見据え、ローレンスの名を呼びながら、歩くより少し早いくらいの速度で交差点に向かう。交差点に着くと、彼の声が聞こえた。

返事をしようとして、犬の声がするのに気づいた。ストライダーズ・ハルトに踏み込んで初めて聞く声だった。そういえば、鳥の声も聞こえていなかった。はっきりとは聞こえず、犬ではなく人の声ではないか、ローレンスが「来るな、来るな」と言っているのではないか、と思ったほどだった。それはかの謎のフェッチャーだとしたら、誰かが見つけて飼い主のところに連れていくだろう。

「ローレンス」大きな声で呼びかけてみたが、返事のかわりに聞こえたのは、けたたましく鳴く犬の甲高い声だった。次の交差点にさしかかったとき、その犬の姿が見えた。

ポスターを見たかぎりだが、きっとあれがフェッチャーなのだろう。誰からも、何の褒美ももらえないというのに、犬は後肢で立ち上がった。ヴァイオレットにはそれがぼんやりとした影としか見えないうちに、犬は前肢をついて、角を曲がっていった。その角まで行ってみたが、何の姿もなかった。犬に気を取られたり、誰も犬を捕まえに出てこないことを不審に思っていたりしている暇はない。「ローレンス」犬を意識から追い払い、彼を思い出そうとするかのように、彼女は呼びかけたが、答えるのは開いたウインドウから吹き込む寒風ばかりだった。ローレンスがどこに行ってしまったのか、わからないまま緑地まで戻ってきた。

ここまで戻るのは早すぎたのだろうか。何か見落としてはいないだろうか。居並ぶバンガローのあいだからローレンスが姿を表すのではないかと、ヴァイオレットは目が痛むほど夕闇を見つめながら、携帯電話を手にした。消耗した電池が少しでも残ってはいないかと思ったが、携帯電話は四角い石のように沈黙していた。ローレンスはまだこのストライダーズ・ハルトにいるはずだ。車より足が早いわけがないから。

街灯もない通りを何度往復したのか、わからなくなっていた――緑地に戻ったのは何回か。いったい何台のジャガーが車寄せを出入りしていったのか。それは同じ車だったのか、今いるのがどこなのか、混乱させられているようだ。ローレンスを呼ぶ声が嗄れ、かすれていく。クラクションを鳴らしても通りに出てくる人はなく、夢の中にいるかのようだった。道に迷ったままのローレンスを置き去りに、スピードを上げて走り去っているような気がした。二人でいてもいつかは一人になるときが来る。そうと知ってはいても、そのときがこんなふうに来るとは夢にも思わなかった。あの女と話すまでは彼は迷ってはいなかったのではないか、という考えが急に浮かび、彼女は怖ろしくなった。あのとき言われたことは言葉どおりで、彼を連れ戻すことができる、という意味だったのではないか。

ローレンスの名を呼びながら、彼女はハンドルに伏してクラクションを鳴らした。そのとき、ヘッドライトの光の先を、唯一目にしてきたあの生きものが横切るのが見えた。くんくん鳴く声は、懸命に人間の言葉らしく「行け、行け、行け」と言おうとしているかのようだった。犬が光から逃げているさまは、姿を見られるのを恥じているようでさえあった。あの犬はローレンスのいるところまで案内しようとしているのか。そう思い込むほど惑乱してはいなかったが、悪意を感じるほど無関心な町の中を、彼女は知らず知らず、その犬を車で追っていた。だが、間もなく見失ってしまい、また緑地に戻るほかなかった。

絶望の声をあげるかわりに急ブレーキをかけ、ヴァイオレットは大声をあげて車を飛び出した。暗い家々から出てきた住民たちが、彼女を追い出そうとすればいい――そうなれば、ローレンスを捜しつづけられるから、と彼女は思った。あるいは、これはローレンスにずっとそばにいてほしいという願いがゆがんで見せる悪夢で、目覚めれば彼と一緒にいるのだ、と。本当は助手席で眠っているだけなのだ――いや、それはあり得ない。ローレンスは運転ができないのだから。両手が震えて、口元に添えることもできない。「ローレンス」それでも彼女は呼びかけた。「戻ってきて」

自分の声が耳だけでなく、全身にまで痛みを運んだとき、彼女はどこかの家から人の声を聞いた気がした。「去るがままに」

自分に向けられた言葉かどうかはわからなかった。バンガローの列に目を凝らすと、あいだから何かが飛び出してきた。ヘッドライトが緑地を虚しく照らしてはいても、深い闇の中ではその姿をとらえることができなかった。それは息を切らせながらくんくん鼻を鳴らし、毛足の長い頭は風に吹かれて、顔がはっきり見えない。何を求めているのかわからないが、それは後肢で立ち上がり、前肢を彼女の肩にかけて、鼻面を顔に押しつけてきた。彼女にはローレンスの名を呼ぶことしかできなかった。

ショートショート

メデュウサ

井上雅彦

……あなたに会いたい……

あなたに会える日を、わたしは待ち焦がれている……

◇◇◇

「とても夢とは思えないのです」

寝椅子に横たわった女は言った。「それは、あまりにも、鮮明で……彩りも豊かで」

「ということは、色があるのですね?」

傍らでは、医師が肯きながら、サラサラとペンを走らせる。「とても明晰に見えると」

「ええ……まるで、解像度の高い映像のように」

女が言った。「細部まで、くっきりと……」

「たとえば、どのようなものが見えるのです?」

医師が訊いた。「思い出せる範囲で――」

「たとえば、床は……輝くばかりのフロアタイルで――幾何学模様のも、マーブル模様のもあるけれど、みなその表面はぴかぴかに輝いていて――デパートの内装みたいで……」

「デパートですか?」

医師が反応した。「なにかを買い物に来られたのですか?」

「……いえ」

女は言った。「そういうわけでもないのです。ただ……華やかな場所を黙々と歩いて……移動しているという状況のようです。美術館や劇場らしい場所の時もあります」

「ほう。美術館……」

医師が、再び反応した。

「今朝見たばかりなのは……大きな商業施設のようであり……」

女が答える。「ごめんなさい。はっきりしないのです。ここのところ、何日も続けて見ている夢だというのに」

「それが、ここに診察に来られた理由でしたね」

医師の声色に、少しだけ温かみが灯った。「連日、同じ夢を見る。しかも……あなたはその夢に悩まされている」

「いつも、この夢は鮮やかすぎるのです。目が覚めると、かなり疲労しているのです」

「濃い夢――というわけですね」

医師が言った。「もしかすると、あなたは夢の中で、今ご自分が見ているものが現実ではなく夢であると気づいておられるのでは？」

「そうです。そのとおりなんです。先生」

「覚醒夢ですね」

医師は言った。「明晰夢ともいいます。通常、夢はレム催眠中に起こる現象ですが、ノンレム睡眠中にも夢を見る可能性が指摘されています。非常に鮮明であることや、夢であることを自覚するという特徴が顕著なのです。けっして、異常なことではないのですが、消耗するという報告もありますね。連日というのは、確かに珍しい。しかし、それは夢以上のものというわけでは、けっして――」

「はい。それが、ただの夢だということは、承知しています」

女が言った。「それが、けっして、非科学的な現象ではないことも。とても夢とは思えぬほどの、ただの夢。でも……それが、毎日となるとストレスが溜まります。自分でも気づかない、なにかのコンプレックスが見せるものではないかとも。というのも……夢の中の私は……俯いて、足下ばかりを見て歩いている夢の中の私は……なんとも、気味の悪いことに……」

「気味の悪い？　とおっしゃると？」

医師が訊いた。「夢の中のあなたは？」

「夢の中の私は……」

女は、少し喘ぐように言った。「なんとも怖ろしい……醜い姿をしているようなのです」

◆◆◆

「とても夢とは思えないのです」

横たわったまま、男は言った。「それは、美に満ちあふれていて……燦然と眩しくて」

「ということは、光を感じるというのですね」

傍らでは、医師が肯きながら、ガシガシと筆記具《スタイラス》を走らせる。「そして、とても美しいと」

「ええ……まるで、天界から舞い降りてきたかのような」

男が言った。「たとえ、夢であれ幻であれ……僕なんかに似合わないほど、眩しくて、美しい存在であることはわかっているのですけれど……」

「たとえば、どのようなものが見えるのです?」

医師が訊いた。「――思い出せるものだけでも」

「それは……真冬の雲の奥で輝く太陽です。ささやきかける薔薇です。甘く薫りたつ黄金の蜜です。柔らかな輪郭を持った音楽です。星空のように輝く瞳です」

「ようするに――」

医師が簡潔に確認する。「あなたの夢に現れるのは美女ということですね」

「そのとおりです」

男が言った。「あまりにも神々しい、僕なんかがこれまで出会ったこともない……美しい女の顔です。最初は、僕の足下に……輝くような床に目映いものが映っていた。なんだか、よくわからなかった。まるで……雲に隠れた太陽だ。でも……それが、女の顔だとわかったのは、次の夜も同じ夢を見たからだ。そう……毎晩、毎晩、夢の中で、僕はそれに出会ったからだ。薔薇のような唇、蜜のような肌、調べを奏でる髪、星空のような瞳……」

「それは、素晴らしい夢ではありませんか」

部屋の壁で微笑んでいるモザイク画の女性の顔を見あげながら、医師が言った。「吉兆だとは思えないのですか? なぜ、そこまで悩まれるのです?」

「だって、ありえないことじゃありませんか」

男は言った。「あんなに美しい女が、僕のようなものに語りかけるのですよ」

「ほう? 語りかける」

医師は興味深そうに、「いったい、なにを?」

「あなたに会いたい――そう言うのです。つまり、この僕に」

男の目は潤んでいた。「あなたに会いたい。あなたに会える日を待ち焦がれているのだと……そう、訴えかけるのですよ、あの美の女神のような顔で。眩い光に満ちあふれた、美しい顔で……」

◇◇◇

「醜い姿ですって？」

医師は、女に言った。「夢の中のあなたは……怖ろしい容姿なのだと？」

「たぶん、そうなんです」

女は言った。「自分でわかります。床の上をぐねぐねと這うように歩く私の身体は、すでに人間のものではありませんでした」

「なんですって？」

「ええ、そうなんです。さきほど、さまざまな場所を歩く夢と言いましたけれども……二本の足を使って、歩いているのではないのです。自分の身体を見ることができないのですが、そのことは、自分で、はっきりと体感できるのです。輝くばかりのフロアタイルは、私の視界のすぐ下にあります。私は腹這いになっているのですが、腹部から下半身にかけて、びっしりとなにやら小さな肉の器官のようなものが、無数に生えているような感触があるのです」

「肉の器官……ですか？」

「ええ……こう説明していても奇妙な感じなのですが、それは、床に密着した私の身体に生えている感触なのです。見ることはできませんが、感じるのです。それは、棘のように小さなものから、赤ちゃんの拳のような大きさのものまで、部位によってちがうようなのですが、無数に生えていることがわかるのです。そのそれぞれを、私は自由に収縮させたり、膨張させたり、蠕動《ぜんどう》させたりできるんです。まるで、唇や舌を動かすような感覚で……」

「それは、確かに……」

医師は、言った。「珍しい夢ですな。ありもしない器官のリアルな体感を伴っている、と」

「はい、夢の中では、その感覚がはっきりとわかります。私は、その器官を使って、身体をぐねぐねと動かしながら、床の上を移動するのです。しかも……その瞬間……無数の器官を動かすたびに——収縮や膨張をくりかえすたびに——私は恍惚感すら感じるのです。……こう申し上げたなら、性的な夢だと思われてもしかたがないでしょうね」

「少なくとも」

医師は言った。「その可能性を否定するにも肯定するにも、さらなる問診が必要でしょう」

「性的な夢の根拠になりそうなことはまだあります。床の上を這いまわりながら、私はシュウ、シュウという無数の音をたてているのです。おわかりですか。先が二股に分かれた舌を頻繁に出し入れするかのような……」

「蛇ですか?」

「そうなんです。フロイト以来、ステロタイプなほどの象徴でしょう? 私の身体からは、無数の蛇の声が聞こえるんです」

「確かに興味深いですね」

医師は言った。「蛇の夢が男性とのセックスを象徴するとは限りません。蛇は生命力の象徴という意味もある。知的な追及の意味もある。エネルギッシュに大地を這いながら、なにかを追い求めているようにも思えますね」

「ということなら——私の仕事と結びつきますね」

女は言った。「象徴どころか、そのままです。仕事の上でも、私は求めていますので。ある意味、極めて貪欲に」

「そのお仕事にストレスは感じていませんか?」

医師が言った。「あなたの夢の中で注目すべきは、自分を怖ろしく醜いものと感じていることなのです。心理学的には、醜いものとは〈嫌悪〉の意味合いがある。自己嫌悪なのか、あるいは……」

「自己嫌悪はありえないです……」

女は言った。「私は気に入っているんです。私自身が、とても貪欲であることが……」

◆◆◆

「夢の美女は、あなたを強く求めている、というわけですね」

医師は、男に言った。「美女があなたを求めている。……そんな夢を毎晩、あなたは見ているというわけですか。しかし……あなたは、その夢のどこが不安なのです?」

「僕だからですよ」

男は言った。「なにひとつ取り柄のない僕だからです。取り柄がないどころか、欠点ばかりの僕だからです。美女に好かれる理由なんてあるはずがない……いや、あってはならないことなのです。僕なんかに」

「なにもそこまで、自分自身を卑下することは」

医師は、男の顔を覗き込む。

「なにをやっても、うまくいかなかった」

男は言った。「絵画、彫刻、詩……。僕ほど芸術を愛しているものはいない。そう。それは確かだ。僕ほど才能があるものはいない。そう。僕は思い込んでいた。ギリシャの美を理想とし、神話の奥深さを、現代に甦らせようとした。そうして、創りあげる芸術はこの世の万民に愛される筈だった。でも……現実はちがった。僕の造った肖像彫刻ひとつ、満足に受け入れてもらえない」

「肖像彫刻ですって？」

医師は目を丸くした。「なんとも……そういうのは難しいのでは……」

「恋人にも嫌われた。親からも勘当された。誰からも見捨てられたんだ！　僕を求めてくれる者なんか、誰ひとりいない……」

一気にまくしたてる、そのあとで、

「でも……あの美女だけは、僕を求めてくれる」

男は言った。「あなたに会いたい。会える日を待ち焦がれている、と」

「眩い光の中で、美女がそう言うのですね」

医師は言った。そして、ふと気がついたかのように、

「ところで……あなたはさきほどから、しきりに〈美しい顔〉と仰いますが、夢の中でのその女性、顔以外はどのような特徴を？　やはり……ビーナスのように豊満な肉体を？」

「いや……それが」

男は言った。「顔以外は、はっきりと見えないのです。顔以外は光に包まれているようで」

「やはり、光ですか」

「その顔ですら、眩しくて直視できないほどなのです。太陽の下で鏡に映した顔のように……強い光が乱射しているかのようで……」

「それでは、あなたは、その美女の顔すら、よく見ていないのでは？」

「そんなことはない。誰にも理解はされないが、僕は芸術家の端くれだ！」

男は言った。「彼女の顔の写しなら、ここに持っている」

と、布に包まれたものを見せようとしながら、その手が止まった。

「見せる自信がないのなら結構ですよ。まあ、落ち着いてください。あなたは、まず食事を摂ることだ。医者としていえるのは、それだけです。牡蠣でも、野兎でも、鵞鳥の肝臓でも、滋養のつくものを」

医者の言葉が続いたが、男は聞いていなかった。

夢だけでは満足できない。彼女に会いたい。彼女の顔……あの顔だけでも……いつでも、僕の傍にいてくれればいいのに。できることなら、せめて、彼女の顔だけでも、夢の中から奪い取りたい……。

◇◇◇

診察を終えると、女は医師のいる雑居ビルをあとにした。

同じようなカウンセラーが幾つか入っているビルだった。選んだのがあの医者でベストだったのかはわからないが、話し終えて、幾分かすっきりとした。頭の中の整理はついた。

奇妙な夢を見る原因は、仕事に起因しているのだろう。自分の仕事ぶりを「貪欲だ」など妬む年長者たちの視線。確かに貪欲だとも思う。今の地位を得るために捨ててきたものへの代償が、夢の中に異化されて現れているのだ。そう。確かに貪欲だと思う。

その時、電話が入る。

「主任、ビンゴでした！」

耳をつんざくばかりの副主任の声。「みごとに見つかりました！　なにもかも、主任のお見通しの通りの場所から！」

「今から行くわ！」

彼女は言った。「すぐ、そっちに着くから。注入作業も、それからってことで」

「もちろんです。主任に立ち会っていただなければ」

電話を切ったが、あまりのうれしさに、小躍りしそうになった。

オートバイを停めてある路地まで、興奮を抑えるのがたいへんだ。

雑居ビルの周囲では路上の芸術家たちが絵を売ったり、管楽器を鳴らしたりしていたが、知らず知らずのうちに、彼女も歌をくちずさんでいた。

バイクが目前に見えてきた時、空が曇った。

獣の唸り声にも似た雷鳴が轟いた。

その瞬間――彼女は首筋にぞくりと冷たいものを感じた。

◆◆◆

男が医者の部屋を出た時に、突然、空が昏くなった。

雲間から、獣の唸り声が聞こえる。

だが、男の歩みを止めたのは、そのせいではなかった。

ぞくりとした。前を歩いている女の後ろ姿。その細い首……。

あの女神か？　だとしたら、その顔を、その顔を、僕は……。

女は振り向く。似ても似つかぬ顔だ。

人違い。呆然として、歩き出そうとした時だ。

眩い光。あたりが赤く照らされた。燃えるような色。

思わず、空を見上げる。

瞬間、空一面に女の顔が見えた。シュウシュウという音。

眩い光とともに、女の顔が笑いかけた。

男が歓びの声をあげたその時――数千度の赤い熱気がとぐろを巻くように男の身体を呑み込んだ。

◇◆◇

「主任、いよいよ、ご対面ですよ」

副主任が感動したように呼びかけた。

「今日のこの瞬間のために――主任は長い年月を掛けて、あらゆるものを犠牲にとりくんでこられた。――なによりも、主任の情熱の賜《たまもの》です」

感極まったように、副主任の声は震えた。

そして、目の前の布を取り去った。

そこに立っているのは、まるで、ギリシャ彫刻のように屹立したままの痩せた男。

「まさに生きているように見えます。一瞬のうちに火砕サージに巻き込まれ、火山灰に埋もれた男性。肉体が腐敗してできた火山灰の空洞にセメントを流し込んで復元した石膏像です……」

拍手が巻き起こった。

「紀元七九年のヴェスヴィオ噴火は火砕流や土石流でポンペイやヘラクラネウムなどの周辺都市を壊滅させました。その発掘作業は十九世紀に始まりましたが、今日まで約二千年間、その被害すら正式に証明されてこなかった忘れられた地での発掘作業は……まさに主任の努力の賜です……圏内のあらゆる地質を調査し、レイザー・スキャン、X線分析、そして、有機物とDNA解析の新しい手法を駆使して、ついに、発見に至ったのです。――まさにそれこそ地べたを這いずり回るような努力の果てに……」

……あなたに会いたい……

あなたに会える日を、わたしは待ち焦がれている……

犠牲者の痕跡を求めて、ローマ時代の公用語である世俗ラテン語で、絶えず発掘場に呼びかけていた主任の姿は、ここに集まったスタッフの誰もが知っていた。

「せめて――本当に会わせてさしあげたかったわよね」

女性スタッフが小さな声で言った。「あの空洞が発見されたその日に、まさかオートバイ事故に遭うなんて……」

副主任の持っている主任の遺影に目を馳せた。

「ひどい事故だったようですね……」

列の後ろでは、ひそひそと噂話に興じる声。

「なにしろ、不気味な幽霊話まで囁かれてるぐらいで」

「聞いた。なにか這いまわるものを見たんだとか」

「噂といえば……事故のあと、いくら捜しても、いまだに……見つかっていないらしい……」

「見つかってないって、いったい、なにが……?」

「おや、あれはなんだい?」

外部スタッフのひとりが石膏像を指さして言った。

「彼の抱えているもの。だいじそうに胸元に抱いているようだけれど、あれはなんだか、その……女性の頭みたいに見えるのだが……」

一瞬の沈黙があった。

「肖像彫刻ですよ。ローマ時代に好まれた」

復元に携わった技師が言った。「おそらく、彼は芸術家だったのでしょう」

そう答えながらも、彼は、その「女性」の見覚えのある顔をしげしげと眺める。

もちろん、偶然の一致だろう。そうとでも思わなければ、これから先……恐ろしい悪夢に悩まされることになるではないか。

ショートショート

金の鋏

荒居蘭

黄金郷は存在するか——と問われれば、「する」と答えねばなりますまい。

しかし、そこに至る道行は容易ではございません。熱帯雨林は昼なお暗く、天を仰げば高木の枝が魔物の腕さながら、降り注ぐ神の恩賜さえ遮りましょう。地には草木が密に茂り、悪意あるかのごとく旅人の足を絡め取りましょう。忍びやかな獣の追跡を逃れ、群がる毒虫どもを振り払い、なお命あらば。

眼前に、黄金の園が開けましょう。

人々は漆黒の髪に極彩色の羽飾りを挿し、陶酔を誘うリズムを踏み鳴らし森の神を讃えましょう。黄金で塗られた王宮はとろりとした輝きを放ち、まるでみずからの熱で熔解しているようにも見えましょう。

ええ、われらは現《うつつ》にあってもっとも黄金郷に近き者。かつてそこに暮らし、生贄として放逐された者。ここはその末裔の集落にございます。

たしかに、森の案内役としてこれ以上の適任はない。われらを雇いたがる探検家は、そりゃあ大勢いらっしゃる。ですが村一番のガイドと呼ばれたわたしも今はこのとおり。貧しい土地を耕し、わずかな作物と少しの家畜を育て、ようよう暮らす年寄りひとりの詫び住まい。何度訪ねてこられても、ご期待には添えますまい。

黄金郷の発見は、探検家の見果てぬ夢でありましょう。

しかし夢とは便利なことばです。そして怖い。

睡眠にともなう幻覚も、熱病めいた冒険心も、生臭い野心も、高邁な理想も、果敢《はか》ない願いも、あれもこれも一緒くた。娼婦と交わす約束のように頼みがたくも思わせぶりで、見る者を惑わせ骨を食む。

そう、黄金郷の民にとって夢は特別なのです。

われらは夢の源は森にあると考えております。当世風に申せば、森は人間を含むあらゆる生物の記憶を蓄えた脳であり、睡眠はそれに接続するための術……といったところでしょうか。

そうですねえ。眠りにつくとまず、月の光で撚《よ》った銀糸が森の奥深くまでのびているのが見えます。その糸をたどってゆくことで、いざ夢の世界へ――とはいえ、内容は取り留めのないものや意味をなさぬものが殆ど。

なにせ蓄積された記憶は風に流され雨に弾け、混じり合い浮遊しながら、森のすみずみにゆきわたっておりますから。しかし、まるっきりの出鱈目というわけでもない。無作為ゆえときに託宣めいた知恵を得られることも……ああ、立ち話もなんですね。

よろしければうちで朝食をご一緒しませんか。ポークと野菜をいっぱいにはさんだサンドウィッチが自慢の郷土料理でしてね。

それとガイドをお引き受けできないお詫び、といってはなんですが、あなたに差し上げたいものがあるのです。

凶夢から身を護る、金の鋏《はさみ》です。

あなたがたの国では赤子に銀の匙を贈るそうですが、われわれはこのちいさな鋏をプレゼントするのです。

まあ、お守りですよ。

悪夢凶夢に出くわしたらこれで糸を断ち、夢との接続を切るのです。あとは糸をたどって、もと来た道を引き返せばよい。糸は夢と現を往還するための命綱。朝日を待たず、すみやかに逃れられましょう。

ええ、このあたりには金の鋏にまつわる、このようなお話が伝わっております。

その昔、黄金郷に美しい王女がおわしたそうです。

浅黒い肌は蜜を塗り付けたようにつややかで、黒曜石の瞳は強く鋭く、のびやかな手足は王国の健やかな未来そのもののようでもありました。

美は善なりと申しましょうか。そこに在るだけで、民に明日を信じる気持ちを呼び起こす。そのような不思議な魅力が、彼女にはあったのです。賢明な家臣団に支えられ、いずれよき女王になると誰もが思っておりました。

しかしそんな王女にも、暗い秘密があったのです。

民によりよい明日を夢見させる、その代償でしょうか。

　みずからは夢を見ることができないのです。

　王家の者は代々、夢から啓示を得る達人でありました。

　眠りを通じて森の声を聴き、民を導く巫覡《ふげき》。それが王が王たりうる根拠なのですから、父母にさえ打ち明けられない苦しい秘密であったに違いありません。

　ですから、もし西の大陸から「彼ら」がやって来なければ、彼女が金の鋏を使うことも生涯なかったでしょう。

「彼ら」は珍しい品々を携えた異国の商隊で、海を渡り、深い森を超えて、わが黄金郷にたどりついたのです。

　ええ、たしかに運に恵まれたのでしょう。

　黄金郷の人々は森の神が招き入れたものとして彼らを歓迎し、彼らもまた王にさまざまな宝物を献上しました。

　気分がすっきりする香料や遠くが近くに見える筒、ビロードの帽子など、過酷な旅路ゆえ大きなものではありませんが、いずれも王国にはないものばかり。

　異国の商人は青い瞳をもち、礼儀正しく、それでいて気の好い連中でした。文字をもたぬ黄金郷に読み書きを伝えつつ、現地の言葉をよく学びました。つたないやり取りではあったでしょうが、心を通い合わせるには十分だったようです。

　王女には花々を編みこんだレースの肩掛けや、七色に輝く貝細工の小箱などが贈られました。なかでも素晴らしいのは宝石を砕いた粉で、瞼《まぶた》に刷くと青いきらめきが瞳に反射し、星がふたつ並んだようになる。

　美しさを増した彼女にみなが溜息をつきましたが、しかし民が夢心地になるほど、王女の心は重くなるばかり。

　王女は商人らに、そっと秘密を打ち明けました。

　よく知らぬ相手だからこそ気楽に相談できる、誰しもそのような経験がおありでしょう。

　悩める王女に、彼らはこう提案いたしました。

「ならば、民に夢を与えぬよう振る舞えばよいこと」

　それは愉快と、王女は化粧土で顔を塗り奇抜な色の服を着て、裸足で街に繰り出しました。かくして民から受けたのは、当たり前の讃美やいつもの羨望ではなく、少しの嘲笑とあからさまな好奇。滑稽な顔の道化があの美貌の主だと、誰ひとり気づく者はありません。

　なるほど商人らの助言は正しかったのでしょう。王女はその夜、生まれてはじめて夢を見ることができました。

　月の光で撚った糸が、森のほうへとのびております。

　手には、父王から贈られた金の鋏。

　長らく胸を圧《お》していた秘密は消え失せ、にわかに力が湧いてくるのを感じました。

　人はみな、心のなかにひとつの糸車をもっている。ゆきたいところへゆくための糸を、それで紡ぎ出すのだ。

車を回す動力はきっと、わからないとか見たいとか知りたいとか、そういう気持ちじゃないかしら。

　慣れない手つきで糸をたどって森に分け入り、曲がりくねった道を足取りも軽く進むと、急に視界が開け、遠くに人影が——背の高い男が、どこか寂し気にたたずんでいるのが見えました。しかし糸はそこで途切れており、これ以上は進めそうにない。

　王女は自分たちが人類で最初の男女であるような気持ちになり、喉が壊れるほどに叫びましたが、彼は微動だにしません。

　潜ったが最後——ふとそんなことを思いました。

　彼は、森のはずれにある湖によく似ている。つめたく澄んだ水をたたえているくせに、暗く底まで見通せない。

　それでも、潜ってみたい。目を合わせ名をたずね、寂しさのわけを聞いてみたい……。


　しかし夢を見ることができたのは、この一夜きり。

　この数日は寝台に横たわり目を閉じても、ただ無辺の闇が広がるばかりなのです。

　王女は失望いたしました。心の糸車が回らないことに。ゆきたいところへゆけないことに。

　見かねた商人らは、ふたたび助言をいたしました。

「それは恋でありましょう。人を恋うゆえ姫君はますます美しくなられ、民はそんな貴女に夢を見た。夢ゆえに夢から遠ざかるならば、貴女が民になにも望まぬように、民が貴女になにも望まぬよう仕向ければよろしい」

　さてさて、妙なことになったものです。

　男も女も、好いた相手に会う前は身ぎれいにするものでしょう。なのに王女ときたらまったくの逆、顔を土埃で汚し、髪を乱して蔦を絡ませ、母君から賜《たまわ》った翡翠《ひすい》の腕輪と引き換えに奴隷から襤褸《ぼろ》を買い上げると、物乞いのなりで街へ飛び出したのです。

　そうして行き交う人々の口元に、あきらかな侮蔑や露骨な嫌悪が浮かぶのを見て取ると、耳元で糸車がぶんぶん回る音が聞こえ、ゆきたいところへゆける喜びが血の流れにのって身体じゅうに染みわたるのが感じられる。

　家臣の目を盗みつつ、そのようなことを繰り返すたび糸はわずかに長くなり、少しずつ夢の男のもとへと近づいてゆきます。

　彼はこの国ではあまり見かけない、ゆるい巻き毛の持ち主でありました。それが肩のあたりで柔らかく波打ち、引き締まった背には蛇の刺繍が施され、緑色の瞳でこちらをねめつけております。

　声が届かないなら、手が届く距離までゆけばよい。

あと少し、もう少し——それなのに。

あの物乞いは、じつは王女ではなかったか。

どこからか、そのような噂が立ったのです。

貧者に心を寄せ同じ境遇に身を置く、なんと慈悲深い姫君か。みながそう彼女を褒めそやし、敬愛を深めたせいでしょうか。糸車の音はぴたりとやみ、王女は眠ることさえできなくなりました。

苦い夜を幾つ数えたかも忘れたころ、やがて王女は国中の穢《けが》れを一身に集めるかのように振る舞いはじめます。

父母を軽んじ侍女を怒鳴りつけ、豚のように食い散らかしては火の酒をあおり、なるべく野卑に笑おうとつとめ、沐浴をこばみ、神を呪うことばを吐き、不気味な生き物を呼び入れ、さらには王宮に塗られた黄金の上に酷い臭いの液体を撒き散らした。

民は戸惑い、夢は砕けましょう。幼子は泣き、若者は王宮の庭に石を投げ、老人は重い溜息をつくばかり。

老いた父王は大いに胸を傷めましたが、なぜ王女が卑しい振る舞いにでるのか、まるで見当がつきません。

さらに王にはもうひとつ、気がかりがありました。

十二年に一度の祭りが迫っているのです。

黄金郷は外界との交渉がありません。邪なものが入ってこない代わりに、出てもゆかぬのです。恨み妬み罪科は長い月日の間に留まり澱んで、いずれ民の安寧を脅かしましょう。ゆえに国中から選りすぐった美童を生贄とし、十二年ぶんの穢れを背負わせ、森の神にお任せするのです。

王国が永遠に美しく在り続けるため、はたして幾人の少年少女が神の御許へ送り出されたか。爪を剥がされ目を衝かれ、身体の出っ張ったところすべてを削がれて、黄金の都の底に黒々と横たわる穢れを抱きしめ、しんと静まり返る森の暗がりへ……。

王は悩んだ末に異国の商人らに意見を求めました。

彼らは見たこともない農具で作物で収量をあげ、不思議な薬で癒えぬ病を癒し、民と親しく交わり評判もよい。誰もが彼らの話を聞きたがり、はるか異郷を夢見て胸を躍らせました。王に仕える家臣団の一員として、いまや欠かせぬ存在となっております。

王の苦悩に、彼らは答えました。

「姫君のことは、もはや打つ手がございませぬ。いまは祭りに専心し、しかるのち王家の血筋より聡明な者を後継にお選びなさいませ」

ですが一方で、家臣らにはこう忠告もしていたのです。

「王は実子である王女を廃し、名も知れぬ傍流の子に王座を譲ろうとしている。森の声を聴く、王家の血統は守らねば」

ええ、彼らは商隊などではない。

足ることを知らぬ侵略者。武力による支配と改宗による魂の征服をたくらむ、軍人と宣教師でありました。しかし黄金郷は深い森に護られており、進軍も補給もままなりません。ゆえに力による性急な制圧ではなく、わずかな手勢での乗っ取りを画策したのでしょう。

はからずも王女の奇行により王家の権威は地に堕ち、民の不安不満は少しの火種で憎悪の炎に変わりましょう。

侵略者どもはほくそ笑んだでしょうな。

後嗣であったはずの王女は不浄であり、民にとってもはや無用の存在。ならば次の生贄に選ばれるのは彼女であろうと。

分断して内から突き崩し、王家の血を根絶やしにしたら、森を焼き払って進軍路を確保すればよい。あとは民を奴隷として金を採掘させ、莫大な富を母国に引き上げるのみ……。

ところが当の王女は、国の行く末などおかまいなし。

穢れをひとつ纏うたび安らかな眠りがおとずれ、銀の糸は一夜ごとに一歩ずつのび、男の背中に施された刺繍の一針一針や、楽人のような繊細な手指が見えるところまでやって来ました。


それなのに。

あと一歩が届かない。糸車の、最後のひと回しが。

ええ、いまならまだ間に合いましょう。金の鋏で糸を断ち切りさえすれば、夢の名残に焦がれ、悔恨に暗い涙を流し、手に入らぬものへの狂おしい情熱に悶えながら、それでも夢は夢として、白けた日常に戻り人生をやり直すこともできたはず。

鋏は、そのためのお守りなのですから。

ですが——彼女はすでに断っていたのではありますまいか。夢との、ではございません。自身がたどってきた糸、つまり現とのつながりを。

王女は急き立てられるように王宮を出奔すると、まっすぐ娼館へと向かいました。そしてはじめて客を取った夜、見知らぬ男に身を任せたあとの重い眠りの奥に、ぶんと小気味よい音が——。

王女は弾かれたように目を覚まし、褥を飛び出して置き場へ駆けこむと、そこにひとりの背の高い男が、しろがねの像のようにたたずんでいるのを見ました。背中の蛇が、緑色にぬめる眼でこちらをねめつけております。

王女はいつの間にか床に膝をつき、崇めるような姿勢を取っておりました。ここが、自分のゆきたいところだったからです。

肩のあたりで波打つ巻き毛がふわりと揺れ、思い描いていたとおりのきれいな顔があらわれました。触れたらひいやりとしそうな肌も、柔和な眉も、暗い水底のような色の眼も。

ひとつ違っていたのは、彼の右頬から首にかけ、大きな目立つ傷が走っていたことでした。

お……と小さく呻いて、王女は骨ばった腕をのばした。

わからないこと、見たいこと、知りたいこと、そのすべて。

しかし男は差し出された手を取ることなく、暗い色の眼で一瞥すると。とくに気に留めた様子もなく、ほかの娼婦と連れ立って部屋に消えていきました。そして。

王女は金の鋏でみずからの目を打ち――そのまま王宮に幽閉されたと伝えられております。

奢侈贅沢で国が亡《ほろ》ぶ話は数多ありましょうが、夢で傾くのは珍しい。次の祭りの生贄は王女であり、黄金郷陥落の夢にまた一歩近づいたと、侵略者どもはそう考えたことでしょう。

しかし――。

もし、あなたの神が供物を所望されたとして、肋《あばら》の浮いた見すぼらしい子羊を捧げるでしょうか？　いいえ、いいえ。まるまると肥え、とくに毛艶のよいものを選ぶのではありませんか？

これまでの生贄はみな美童と決まっておりました。美しい都が美しいまま在り続けるには、同じくらい健やかで美しい子供の未来を差し出すよりほかない。ですから自分の子が選ばれぬよう、身体の目立つところに消えぬ傷をつける親もあったとか。なんとも痛ましい話でございます。

しかし此度の祭りは特別だ。民の動揺は大きい。

王女の凋落というかつてない穢れは、どんな美童も背負えまい。とびきりの罪科を清めるには、やはりとびきりの生贄が要る……。

ならば民にとり、それだけの価値あるものとはなんでしょう？　失うにはあまりに惜しいもの。

奪われたら、悲しくて遣り切れないもの。

希少なもの、かけがえのないもの。

閉ざされたこの地に新しい文物をもたらし、遥か異郷の夢を見せてくれたもの。見たこともない農具で作物の収量を上げ、不思議な薬で癒えぬ病を癒し、民と親しく交わって、ともすれば王家以上にみなに尽くしたもの。

ええ。つまり侵略者どもは、巧くやりすぎたのです。

ただ、信仰のなんたるかを少しもわかっていなかった。

生贄は、価値があるからこそ生贄たりうることを。

祭りは、月のない夜に執り行われました。

宣教師と軍人は金箔貼りの祭壇に引き出され、あちこちで焚かれた篝火の熱風が彼らの髪をかすかに揺らしておりました。

軍人は床に額を擦り付けて慈悲を乞い、宣教師はだらしなく手足を投げ出して満天の星空を仰いでおります。

重々しい楽の音、仮面の司祭、祭壇を取り囲む無数の浅黒い顔、顔。彼らの名を讃える声はやがて歓喜の歌となり、太鼓の荒ぶるリズムと同調して熱狂が伝染病のように広がっていく。ただ司祭のみが落ち着き払った手つきで宣教師の眼玉を匙ですくい、続いて軍人の股間を無造作に毟り取っていきました。

儀式は生贄が絶命しないよう工夫が凝らされており、絶え間ない絶叫と苦悶のなか、ひときわ高い叫びがあがるたび群衆から花が投げられ――。

まるで見てきたよう、ですか?

ええ、ええ! まさに、見てきたのですよ!

人生がかかった大事な試験や、高所で足を滑らせヒヤリとした瞬間。そんな強烈な体験を繰り返し夢に見ることがあるでしょう。

森も同じなのです。風に流されることも雨に弾けることもなく、ほかの出来事とわずかに混濁しながら、それでも忘れがたい記憶として幾度も幾度も再生される凶夢。眠ることなく、醒めてなお見ることができるのは、あまりに鮮烈な記憶だからでしょう。

あの日、わたしはあなたと同じ西の国から来た探検家の一行をガイドしておりました。スコールに見舞われ立ち往生するわれらの前に顕れたのは、篝火に照り映える黄金色と、恐怖に見開かれた生贄の瞳の青さ。羽飾りの極彩色が上に下にと踊り狂い、刃のさえざえとした銀が夜を斜めに裂いたかと思うと、血紅色が炎のように噴き出し――あふれんばかりの色彩は雨粒に宿って駄菓子屋のキャンディのように弾け飛び、その百宝色の乱舞の隙間から痩せさらばえた女が――暗黒の穴が穿たれているだけの眼でじっとこちらを見つめて――そして。

煮えたぎる歓喜の歌が、いよいよ絶頂に達しようというとき。

わたしは、依頼人を置いて逃げたのです。

板根につまずき、低木の棘に肌を裂かれる痛みも忘れ、依頼人の叫びを背にオリーブゴールドの魔境を駆けた。そして懐から金の鋏を取り出し、先祖の教えどおりに糸を切る仕草をすると――わたしの中で、ぷつりとなにかが途切れる音がした。

　黄金郷のその後ですか？　侵略者は森へ放逐され、のちに彼らのたくらみは王の知るところになったと、そう伝えられております。そうとは知らず外敵を駆逐したのですから、まさに森の神のご加護といえましょう。そして王家の傍流から聡明な王がたち、黄金郷はいつまでも栄えました。

　めでたし、めでたし。

　おや、納得できませんか。

　そりゃあ、黄金郷の民にも各々その後の人生がありましょう。どう栄えたのか、くわしく知りたい気持ちもわかる。でもね。

「めでたし」は、物語を断ち切る鋏なのです。

物語の終わりは、夢のはじまり。ここからふたたび銀の糸がのび、いまも美しいままの黄金郷とつながりましょう。だから、あるのかと問われれば「ある」としかお答えしようがないのですよ。

　そうでなければわれらの先祖はなんのために穢れを背負い、どうして故郷を追われたのか。

　まったく甲斐がないじゃありませんか。

　あなたは英国軍人として立派な経歴をおもちだ。頼りになる息子さんもおられる。黄金郷の――あなたが「Z」と呼ぶ――その夢を断つことさえできれば、人生を「めでたし」で終えることもできましょう。

　それでも探検を続行されるのなら、くれぐれもお気をつけて。あれは夢を追う者を滅ぼす夢。忍びやかな獣より、群がる毒虫より恐ろしい、密林の白昼夢。

　もしゆきあってしまったなら急いでその場を去り、差し上げた鋏で躊躇なく断ちなさい。これがガイドだったわたしにできる、精いっぱいの忠告です。

　だってそうでしょう。

　朝刊を取りにポストを覗いて、眠気まなこに「英国の探検家、密林に消ゆ」なんて見出しが飛び込んできたら、せっかくのサンドウィッチの味が台なしだ。

　ねえ、フォーセットさん。

毎夜死ぬ私達が、現実上手になるために

斜線堂有紀

夢というものにどうして人はこうも惹かれるのだろうか。この夢への飽くなき恐怖の根源は、夢の持つ本質的な恐怖に由来するのではないかと思っている。私達は夢が恐ろしいが、生きている限りそれから逃れることは出来ない。だからこそ、私達は夢を見つめ続ける他ないのである。

人間に対する夢の引力がどれほどのものかが分かりやすい例がある。鎌倉時代に生きた明恵上人という高僧は、高山寺を築くという一大事業と並列して四十年近くに渡って自身の夢を記録した『夢記』というものを著したことで有名である。個人の夢日記がここまで重要なものとして残されてきたことには驚きを隠せない。しかし、人間が夢に対してどれだけ畏れと興味を抱いていたかを考えれば、これはむしろ自然だろう。この異形の大作は、どれだけ時が過ぎても人間の興味を引き続けるはずだ。

さて、夢の明恵上人の『夢記』であるが、これには奇妙な特徴がある。この『夢記』では時折夢の記述と明恵上人が実際に行ったことが入り交じるようにして書かれているのだ。明恵上人が意図的にそうした書き方を取ったわけではなく、恐らくは『夢記』を記述している時にこれが現実のことだったのか夢のことだったのか本人ですら分からなくなってしまったのだろう。この部分に、夢というものの恐ろしさが詰まっている。夢は現実に肉薄する。よく、夢から目覚める為に頬をつねるという描写が出てくるが、それですら夢と現実を区別する決定打にはなれない。夢の中での痛みは相応のリアリティーを伴っている場合があるからだ。

そんな状況下で私達が夢を夢だと判断しているのは、他人からの複数の観測と不確かな実感だけである。この部分にこそ、夢の恐ろしさがあるのではないだろうか？

実際に、夢をテーマにした映画で描かれる恐怖には、夢が現実に侵食してくるというものが多い。最も有

名な悪夢映画であろう『エルム街の悪夢』では、夢の中に現れるフレディという殺人鬼に現実の自分の命が脅かされる。あるいは夢の中に入り込むことによって重要な情報を抜くという犯罪が描かれる『インセプション』では、今自分が夢にいるのか現実にいるのかを見分けるための駒――トーテムが重要なキーを握り、とあるシーンでのトーテムの行方を巡って活発な議論が交わされた。あのシーンが夢であるのなら、話が大きく変わってしまうのが恐ろしい……というわけだ。

更に、ホラー映画の中では主人公達が危機に陥る前に事前にその様子を夢に見るという演出も出てくる。『スクリーム3』では、主人公のシドニーが窓を割って入ってくる殺人鬼の夢を見た後に、同じシチュエーションで襲われるというシーンがある。この現実と夢の境が曖昧になる演出が、観客へ効果的に恐怖を与えてくるのは言うまでもない。『夢記』を読んでいた時に感じたのと同じ、境目の恐ろしさだ。

その中でも現実に肉薄する夢という恐怖を描ききっているとして今回取り上げたいのが、ジェイク・パルトロー監督の『恋愛上手になるために』（２００７年）（原題「The Good Night」）である。ロマンティックコメディ風の題名であるし、実際に公式も夢をテーマにしたコメディとして売っていた面がある。しかし、この映画で描かれるシニカルな展開とこちらに決断を迫ってくるようなラストは、現実に生きる観客をも侵食してくる。果たしてこの物語は幸福だろうか？　不幸だろうか？　と。

あらすじを簡単に記載しておく。主人公のゲリー（マーティン・フリーマン）は、かつては人気ロックバンドの一員として名を馳せた人物であるが、今は凋落しており、CMソングの作曲などで生計を立てている。彼は誰からも忘れ去られ、恋人のドーラ（グゥィネス・パルトロー）とも上手くいっていない。だが、この現状に決して満足しておらず、いつか華々しい場所にカムバックすることを願っている。そんな彼は、夢でアンナ（ペネロペ・クルス）という名の理想の美女に出会うことで、明晰夢の世界に嵌まっていくのだった。

上手くいかない現実を捨て、理想通りの夢の世界に逃避するゲリーの姿には共感を覚え、夢の中の美女といい仲になっていくというストーリーには、確かにポップなラブストーリーの趣がある。だが、どんどん夢の世界に溺れるゲリーの現実に、アンナとそっくりな美女が現れた時から、この映画の風向きは大きく変わっていくのだった。

この映画を恋愛映画として見るのなら、夢の美女と現実の恋人のどちらを選ぶのか？　という二項対立を楽しむ物語として見ることになるだろう。だが、この映画のポイントは「夢を永遠に見続けることが出来れば勝ちである」という価値観もまた提示されることである。

映画の終盤、ゲリーは大勢の人間に囲まれながら笑顔でピアノを弾く夢を見る。かつての輝いていた時代のように、ゲリーの周りには沢山の人がいて、彼は幸せそうだ。けれど、現実のゲリーはこれがただの夢だと知っている。そしてゲリーは、静かに涙を流すのだ。ここまで見てきた観客は、やはり理想的な夢より、厳しくとも現実で生きることが大切だと言いたいのだろうか？　と思う。だが、この映画はこれでは終わらない。なにせせ、先に提示された夢を見続けることに対する肯定の思いがこの作品にはある。

それを反映するかのように、ここから『恋愛上手になるために』は思いも寄らないシニカルな結末へと疾走していく。結末を観終えた時、私はそのウィットとそこに至るまでの盛り上がりを素直に楽しみ、感動すると同時に底知れない恐ろしさを覚えた。理想の夢と現実の境目が曖昧になり、溶けて昇華していく。それを観ながら、そもそも「どうして人間は永遠に夢を見続けることを否定するのか？」と、そこを疑問に思ってしまったからだ。夢の中の化物が現実に侵食してくるのだけが恐怖ではない。夢のハッピーエンドが侵食することも恐怖なのだ。先に挙げた『インセプション』と似た恐ろしさだが、こちらの方が数段容赦が無い。人間は夢を見続けた者が勝者なのかもしれない、と思ってしまうのは恐ろしい。覚めた後の悲しい現実よりも、勝ち続ける夢の方がいいのでないか、という気持ちを捨てられないのが人間なのではないか。だからこそ、人間は夢に多大なる興味を持っているのかもしれない。すぐ傍に完璧な理想郷があると、心のどこかで気づいているのだ。チルチルの青い鳥が家の中にいたように、私達の青い鳥は枕の中にいるのでは？

これに連なる作品として、連作SFドラマシリーズ『ブラック・ミラー』の中の一篇「サン・ジュニペロ」を挙げておきたい。この作品では身体を捨て、意識だけを完全に電脳世界へと移行させた人々の幸福な生活と、そこで出会った女性同士の恋が描かれる。これはある意味で能動的に見ることが出来る夢であり、先の「恋愛上手になるために」とは違い、こちらは主人公達が死を目前にした老いた身体を捨て、電脳世界（≒夢の世界）で半永久的に生きる

『恋愛上手になるために』アメリカ版ポスター

ことを選ぶという結末になっている。

これはある意味で夢を見続ける人間の物語である。他の作品と違うのは、彼女達があくまで自発的にそれを選んだところだろう。この物語は文句なしのハッピーエンドとして幕を下ろし、多くの人類の意識を格納するハードディスクを点検する機械のカットで終わるところなどは少しひやりとしたものを感じさせるが、それを差し引いても余りあるほどに、この作品には幸福が漂っている。

この作品のように、夢の世界の価値が比較的高まると、夢に入り込むエンドでも幸せな終わりとされることが多い。そこで、新たな視点が提示される。即ち、私達が夢を見続けることを不幸だと思うのは、その夢が単に現実世界の価値に釣り合っていないからだ。フレディの徘徊するエルム街は言わずもがな、断続的に醒めるゲリーの夢でもまだ足りない。サン・ジュニペロに到達する頃にようやく、夢と現実の主従関係は逆転する。

そこで、ようやく真理を悟ることが出来る。醒めない完璧な夢を見続けることが出来れば現実なんて要らないのだ。

『恋愛上手になるために』に漂うどことない閉塞感と、はっきりと伝えられる夢を見続ける勝者の概念、そしてあのラストは、私達の現実を紙一重で手放さないようにさせつつ——永遠の夢への渇望を煽る絶妙な塩梅なのだ。

だが、今のところ永遠の眠りに一番近いものは死である。死を恐れる私達は、毎朝理想の夢から目覚めることを祈らずにいられない。それがどれだけ幸せなものかを知りながらも、その誘惑を退けなければならない。だが、私達はいつゲリーになるかも知れないのだ。

夢見る人々

アルバート・モアランドの夢

The Dreams of Albert Moreland

フリッツ・ライバー　Fritz Leiber

若島正訳

フリッツ・ライバー（米　一九一〇―九二）は、小説家であると同時にチェスプレイヤーでもあり、チェスを要素に取り入れた作品もしばしば手がけている。本作の主人公モアランドもまたチェスプレイヤーだが、彼は夢の中で、この世界のものではないチェスの対局を繰り返す。初出はファンジン *The Acolyte* 第十号（一九四五年春号）。翻訳家のみならずチェス・プロブレム作家としても著名で、チェス小説のアンソロジー『モーフィ時計の午前零時』（この表題作もライバーによる）の編者でもある若島正氏の翻訳でお届けする。

一九三九年の秋というと、私にとっては第二次大戦の始まりではなく、アルバート・モアランドが夢を見た時期である。とはいえ、戦争と夢という二つの出来事は、私の頭の中では切り離せない。それどころか、この二つのあいだには何かつながりがありそうな気がしてときどき怖くなる。ただ、正気の人間なら、そんなつながりなんか真剣に考えないほうが無難だろう。

アルバート・モアランドはチェスで生計を立てていた。たぶん今でもそうだろう。この事実は夢、というか幾夜の夢に大きな関係がある。彼はわずかな収入をローワー・マンハッタンにあるペニーアーケードで得ていた。相手にする客には実にいろんなやつがいる——強豪に勝とうとすることで刺激を得る熱心家、麻薬をほしがるようにチェスに救いを求める孤独な男、そして尾羽打ち枯らし、クオーター銀貨一枚で三〇分間の知的威厳を買うという誘惑に駆られた男。

モアランドと知り合ってから、私はよくその店にふらっと入っていって、彼がピンボールマシンの音や射的場から間断なく聞こえる銃の音を気にもかけず、三、四人を相手に多面指しをしているのを見物したものだ。彼は一勝すると一五セントもらえる。残りの銭は店主のもの。負けると、どちらも儲からない。

そのうちに、私は彼が店の仕事をさせておくには惜しいプレイヤーなのを知った。国際的に知られた名手たちが遊びで指したゲームに勝ったこともある。大きな大会に引っぱり出そうとしていたマンハッタンのチェスクラブもいくつかあったが、彼は野心がないので無名のままだった。チェスがつまらない仕事で、真剣に打ち込むには値しない、そう思っているような印象を受けたが、彼は相変わらず店で人生を棒に振ることにすっかり満足しきっていて、いつ来るかもわからないような、本当に重大なことが起こるのをじっと待っていた。たまにはクラブの団体戦に出て稼ぐこともあったが、それもたかだか五ドルだった。

彼に会ったのは、同じ古い石造りのアパートの同じ階に住んでいたからで、彼から初めて夢の話を聞いたのもそこだった。

私たちはちょうど一局指し終わったところで、使い込んで傷だらけになっている駒が盤からすべり落ち、ベッドの毛布の中にたくし込まれるのを、私はぼんやりと眺めていた。外では恨みがましい風が乾いた塵を巻き上げていた。打ち寄せる波のような車の音に、壊れたネオンサインがたてるバズ音。私は負けたばかりだったが、モアランドが店でときどきやるように、相手を気遣ってわざと負けるような真似はせず、決して勝たせてくれないのが嬉しかった。それどころか、モアランドと指させてもらえることじたいを幸運だと思っていた。彼にとって、おそらく私がいちばんの友だとは、そのときには気づいていなかったのだ。

私はチェスについてごくありきたりなことを口にしていた。

「チェスが複雑なゲームだって、きみはそう思うのか？」と彼は訊ねてきた。不思議そうに私の顔をじろりとのぞきこんだ彼の黒い目は、重い軒下から持ち上げられた丸窓のようだった。「まあ、そうかもしれない。でもおれは、その千倍も複雑なゲームを、毎晩夢の中で指しているんだ。そして奇妙なことに、その一局が毎晩毎晩続いてる。同じ一局が。おれは本当にぐっすり眠ったことがない。その一局の夢を見ているだけなんだ」

それから彼はこんな話をした。その話しぶりには、私たちのやりとりの特徴になる、気楽な冗談とどうも落ち着かない真剣さが入り混じっていた。

彼が語った、夢に出てくるイメージは、夢にはつきもののの混濁したところや辻褄の合わないところが一切ない、感心するほど単純なものだった。盤があまりにも広くて、彼は駒を動かすのにわざわざそこまで出かけていくこともある。マス目は数がチェス盤よりはるかに多く、色も違って、駒の利きもどのマス目にいるかによって変わってくる。盤の上と両端には暗黒があるだけだが、星も見当たらない無限を想わせる暗黒で、あたかも、彼の言葉を借りると、その景色は宇宙の頂点に置かれているようだった。

目が覚めると、ゲームのルールをすべて思い出せるわけではなかった。ただ、ばらばらな点をたくさん思い出せた。たとえば、興味深いことに――チェスとはまったく違って――彼の駒と相手の駒がお互いに同じではないとか。それでも、夢を見ているあいだはゲームを完璧に理解しているだけでなく、チェスの名手のように高度な戦術を駆使して指していることはたしかだった。それはまるで、彼に言わせると、夜の頭脳が覚醒時の頭脳よりもはるかに多くの次元を持っていて、ふつうだと一手一手考えないといけない複雑な手順でも、直感的につかめるようなのだ。

「頭が良くなったみたいな感じは、夢を見ているときによくある妄想じゃないか？」彼はそう付け加えて、私を鋭い目でにらんだ。「だから、きみに言わせればごくありきたりの夢だということになるんだろうな」

その最後の言葉をどう受け取ればいいかわからなかったので、私はこう質問してみた。

「駒はどんな恰好をしてるんだい？」

駒はかなり様式化されてはいても、発想の元になった形――建物、動物、装飾――を想起させる点で、チェスの駒に似ているという。しかし、似ているのはそこまで。元の形は、彼が推測できるかぎりでは、きわめてグロテスクなものだった。垂直からかすかに歪んでいる、段重ねになった塔。寺院や墓石を想わせる、奇妙にも非対称形になった多角形。分類不能な、植物とも動物ともつかない物の形。その駒の様式化された手足や外に出ている器官は、さまざまな未知の機能を想像させた。もっと強力な駒は生命体をモデルにしているらしく、様式化された武器や道具を持ち、王冠やティアラに似たものをかぶり――チェスのキングやクィーン、ビショップにちょっと似ている――彫りぐあいからするとたっぷりとした衣や頭巾を着けているように見える。だが、他の点ではまったく人間に擬したものではない。ヒンドゥー教の偶像、先史時代の爬虫類、未来派の彫刻、触手に短剣を持つイカ、巨大なアリやカマキリ、それに環境に適応するためにとんでもなく変化した末端器官を持つ他の昆虫を引き合いに出して、モアランドはなんとか現実世界とのアナロジーを見つけようとしたが無駄だった。

「元になったモデルを見つけようと思えば、全宇宙を探さないといけない――どんな星も、死滅した太陽も」彼は顔をしかめながら言った。「夢に出てくる駒そのものには、曇っているところも曖昧なところもない。このルークみたいに、実体がある」彼はルークを手に取り、一瞬握りしめてから、私の方に差し出して手のひらを開いてみせた。「曖昧なのは、何を想像させるかという点だけだ」

不思議なことだが、その言葉のせいか、私自身の心の中で夢の目が見開かれたようだった。それで、彼が言っているものをほとんど見ることができた。夢を見ているあいだ、恐怖を感じたかどうか、私は訊ねてみた。

彼はこう答えた。駒はどれも反吐が出そうなものだった――建築物を模した駒よりも、高度な生命体を元にした駒のほうがはるかにそうだ。そういう駒を触ったり、手にしたりするのは嫌だった。夢の中の自分にとって、とりわけ病的なまでに激しく目を奪われる駒がひとつあった。それを「射手」だと思ったのは、そいつが持っている様式化された武器が遠くの相手を傷つけられるような気がしたからだが、他の駒と同じように、まったく人間らしさがない。彼が語るところでは、中間的な、歪んだ生命形態のようなものを表していて、獣じみた残虐さと邪悪さを失うことなく――いやむしろさらに増しながら――人間に優る知力を獲得しているように思えた。それは彼の駒には同じものがない、相手の駒だった。胸の中にわきあがった、恐怖と嫌悪が混じり合った気持ちは、ときにはあまりにも強くなって、夢のゲーム全体をどう戦えばいいのかがつかみづらくなることもあり、その駒に対する感情が高まりすぎると、たとえ形勢を損ねることになっても、ただ盤から取り除きたい一心でそいつを取らざるをえなくなるのだった。

「どうやっておれの心があんなにおぞましいものを作り上げたのかは、神のみぞ知るだ」ちょっと苦笑しながら、彼は話を終えた。「五百年前だったら、悪魔の仕業だと言ってたところだろうな」

「悪魔と言えば」と言った尻から、私は軽はずみなことを口にしたのを後悔した。「きみが夢の中で対戦している相手は誰なんだい？」

　彼はまた顔をしかめた。「さあな。相手の駒はひとりでに動くんだ。おれが一手指すと、チェスを指してるときみたいに空気が張りつめるなか、永劫のような時が流れてから、相手の駒のひとつがかすかに震えだし、それから前後に揺れはじめる。だんだんその動きが激しくなって、とうとうその駒はバランスを崩し、ぐらぐらしながら盤を横切ってくる。まるで揺れている船内のグラスみたいに。それで目指すマス目にやってくると、最初のときみたいにゆっくりと、動きが収まる。どういうわけかは知らないが、そいつを見ているといつも、何か巨大で、目には見えない、老いぼれた生き物を想像してしまう――ずる賢くて、自分勝手で、残酷なやつを。きみは店で、あのぶるぶる震えている老人を見たことがあるか？　いつも駒をつまみ上げようとしないで、盤の上をずるずる引きずって動かす爺さんだよ。手をしょっちゅう震わせてる。それにちょっと似てるんだ」

　私はうなずいた。そう言われると、光景がまざまざと浮かんでくるようだ。そういう夢がどれほど不快なものか、初めてわかるような気がしてきた。

「それでその夢は毎晩続くのかい？」と私は訊ねた。

「毎晩さ！」彼は吐き捨てるように肯定した。「それにいつも同じ一局なんだ。もう一月以上になるが、おれの軍はまだ敵と戦闘を始めたばかり。それで知力を振り絞るだけの元気もだんだんなくなってきた。たのむからもう終わりにしてくれと思っている。眠るのが嫌になってきたくらいだ」彼は一息入れて、顔を背けた。「妙なものだな」しばらくしてから、彼は少しおだやかになった声で言って、申し訳なさそうに微笑んだ。「妙なものだな、夢のことでこんなにムキになるなんて。でも、もし悪夢を見つづけているとしたら、一日中そのことばかり考えてしまうのは、きみにだってわかるだろう。それでもまだ、夢を見ているとき、必死になってその一局に没頭し、手順を次から次へと読み、無数の複雑な可能性を検討しているときに、おれがどんな思いにとらわれているか、本当のところをきみに伝えきれていないんだ。そこには嫌悪感と、そう、恐怖がある。それはきみにもう言った。しかし、いちばん強い思いは責任感だ。おれはその一局に負けられない。何だかよくわからないが、とにかく何か恐ろしいものが賭けられているんだ。

「きみは小さい頃に、何かが心配で心配でたまらなかったことがあったかい？　子供の頃によくある、小さなことが大きなことに思えてしまうというやつだ。何かささいなこと、何かたいしたことじゃない義務を正しく実行するのに、すべてが、文字どおりすべてが賭かっていると感じたことは？　というのも、おれは夢を見ているあいだ、何かとんでもなく大きなもの、人類の運命といったものが賭かった対局をしているような気になるからだ。一手間違えたら、宇宙が終わりのない夜に突き落とされてしまうかもしれない。ときどき、夢の中で、きっとそうだと思うことがある」

　声がとぎれ、彼は駒をじっと見つめていた。私は二言三言口にしてから、ちょうど見たばかりの空襲の悪夢の話をしはじめたが、さほど大事なことだとは思えなかった。それから、寝るときの習慣を変えてみてはどうかとぼんやり言ってみると、それもたいして大事なことだとは思えなかったが、彼はそうしてみると丁重に答えてくれた。私が自分の部屋に戻りかけると、彼はこう言った。

「頭を枕につけた瞬間に、またその一局を続けるなんて、考えてみたらおかしな話じゃないか」彼は苦笑して、軽い口調で付け加えた。「予想より早く終わるかもしれないな。近頃、どうも相手は奇襲攻撃を仕掛けてきそうな気がする。守勢にまわっているようなふりをしているくせに」彼はまた苦笑してドアを閉めた。

　私は眠りが訪れるのを待って、目の外側というよりは内側にあるような、波打ち渦巻く暗闇をじっと見つめていると、並のチェス指しとは比べものにならないほど、モアランドは精神科医の治療を受ける必要があるのではないかと思えてきた。たしかに、家族も友人もなく、ちゃんとした職業に就いていない人間は、精神異常に陥りやすいものだ。しかし、彼はまったく正気に見えた。おそらくこの夢は、チェスを指していても、豊かな才能が持っている潜在能力を充分に引き出せていないことに対する補完なのだろう。たしかにそれは、この世のものではない世界を背景にして途方もない知力を発揮するという点で、彼にとって満足のいく壮大なヴィジョンではないか。

　そのときふと浮かんだのは、『ルバイヤート』で宇宙のチェス指しを歌った数行だった。「そこかしこに動いては、王手をかけ、薙ぎ倒す。そしてひとつまたひとつと、戸棚の中に戻っていく」

　それから私は、彼の夢が醸し出す雰囲気や、恐怖と果てしない責任感という感情、それに途方もない義務と壊滅的な結果のことを考えてみた――それは夢を見ているときの私にも身に覚えのある感情だ――そしてそれを、現在の世界の狂気に満ちた、陰鬱な状態と比べてみた（というのも、今は十月で、決定的な破滅の感覚はまだ静まってはいなかったからだ）。夢の中をさまよう何百万人のモアランドたちが、もし現在の絶望的な状況や、過去にあったかけがえのないチャンスが永遠に失われてしまったことに、はっと気づいて愕然としたら。そしてもし、はっきりとはしないが、間違いなく、自分もその悲劇に手を貸していたことに気づいたとしたら。モアランドの夢は、運命と偶然の呵責なき勢力に対抗しようとする、最後の戦場であり、もはや手遅れになった戦いの象徴ではないか、そう思えてきた。そして神でも人間でもないようなある宇宙的存在が、戯れか実験か芸術作品のつもりか知らないが、はるか昔に人間を創り上げ、今になって、その創造物の運命をそのうちの一人と戦う頭脳ゲームの帰趨に委ねることにしたのではないか。私の夜想は、そんな妄想のまわりをぐるぐるとめぐるようになった。

　私はすっかり目が覚めていることにはっと気づいた。暗闇の中ではもう心おだやかにはいられない。あわてて電気をつけ、モアランドがまだ起きているか見に行こうと、衝動的に決心した。

　いかにも深夜のアパートらしく、廊下は薄暗く陰気だった。私は床のギシギシという音をできるだけたてないようにした。モアランドのドアの前でしばらく立ち止まったが、なにも聞こえないので、ノックをする代わりに、顔見知りなのをたのみにして、もし彼が寝ていても邪魔にならないようにドアを少しずつそっと開けていった。

　彼の声が聞こえたのはそのときだった。その声ははるか遠くから聞こえてきたような気がしたので、私はすぐに階段のところまで戻って、「モアランド、下にいるのかい？」と声をかけてみた。

　そのときになって初めて、彼が何を言ったのか気がついた。おそらく、その言葉があまりにも奇妙だったので、最初はただの音のつらなりとしか受け取れなかったのだろう。

「私の蜘蛛みたいなやつが、おまえの武器を執る者をつかまえる。それが狙い筋だ」というのがその言葉だった。

　すぐに思いついたのは、その言葉が、一般的な形で言うと、「ルークでビショップを取る。チェック」といったチェスの慣用表現の数々に似ているということだった。しかし、チェスや私が知っている他のどんなゲームにも、「蜘蛛みたいなやつ」や「武器を執る者」といった駒は存在しない。

　私はとっさに彼の部屋に向かって引き返したが、彼が部屋にいるとはまだ思っていなかった。声があまりにも遠くに聞こえたからだ——アパートの外か、少なくともその離れている部分から。

　しかし、彼はベッドで横になっていて、規則正しい間隔でまたたく遠くのネオンの灯に照らされて、仰向きになった顔が浮かび上がっていた。廊下ではほとんど聞こえなかった往来の騒音のせいで、灯の射し込んだ暗闇が落ち着きのない、癪にさわるほど生気を帯びたものになっていた。夕暮れ時と同じように、壊れたネオンサインが虫の羽音のようなノイズをたてている。

　私は抜き足差し足で近寄って、彼を見下ろした。またたく光のせいで、余計に青白くなった彼の顔は、痛々しいほど必死になって何かに集中している表情をしていた——額には皺が縦に刻まれ、目のまわりの筋肉が収縮し、唇は真一文字に結ばれている。私は彼を起こしたものかどうか迷った。まわりを取り囲んでいる、街の没個性的なさざめきがひしひしと感じられた——何ブロックも続く往来の騒音、日常的な、超然とした生活だ——それとは対照的に、彼の寝顔がいっそう繊細で、まざまざと一人きりの無防備なものに見えた。

　私が迷っているうちに、結ばれた唇が緊張感を失うことなく少し開いた。彼がつぶやくと、遠くからの声のような印象がまたしても強くなり、私は思わず肩ごしに振り返って、明るく輝いている埃だらけの窓の外を見た。そして震えはじめた。

「おれのとぐろを巻いているやつが、緑の支配者の陣地、十三番目のマス目ににじり寄る」それが彼の言葉だったが、その声がどんなものだったか、私にはぼんやりとしか伝えられない。何か想像を絶するような距離のせいで、よどみのなさや張りや響きがすっかり吸い取られてしまい、虚ろで、平坦で、かすかで、胸さわぎがするほど憂いを含んだ声になっていた。まるで広々としたところでときどき耳にする声、高い屋根から聞こえる声、接続の悪い電話で聞こえるような声なのだ。何かたちの悪いペテンにかかっているような気もしたが、腹話術のコツは声そのものをいかにも本物らしく変えることにあるのではなく、唇を動かさなかったり、巧みな印象操作をすることにあるのもわかっていた。私の脳裏にひとりでに浮かび上がってきたのは、無限の空間、そして終わりのない暗闇だった。まるでこの世界から強引につまみあげられ、遠くに連れていかれたような気がした。眼下に広がるマンハッタンは鉛色の水面に縁取られた非対称形の黒い槍先のようで、どんどん速度を増してさらに外に向かっていくと、しまいには地球も太陽も星も銀河もすべて消え失せ、宇宙の果てのさらにその先に来ていた。それほどまでに、モアランドの声が私を震撼させたのだ。

マンハッタンの騒音があたりに流れ込んでいても私は無感覚で、時計がカチコチと時を刻むようにネオンサインが変わることなくまたたいてはいたが、彼がまたつぶやくのを待っているあいだ、どれだけそこに立ち尽くしていたのか、私には今でもわからない。頭の中には現在進行中の一局のことしかなかった。モアランドの相手はまだ応手を指していないのだろうか。戦況はモアランドにとって有利なのか不利なのか。彼の表情からはなにも読み取れない。必死になって集中している様子は変わっていない。そこに突っ立っているあいだ、私は暗黙のうちにその一局が現実のものだと信じ切っていた。まるで自分自身がなぜか夢を見ているみたいに、その思い込みを疑いもせず、呪縛を破ることもできなかった。

ようやく彼の唇が少し開き、あのありえない、不気味な腹話術を聞いているような印象をふたたび覚えると——今度の言葉は「おれの角をはやした生き物が、ねじくれた塔を飛び越して、射手を攻撃する」だった——私は恐怖を抑えきれなくなって、よろよろと戸口に向かったのだった。

そして次に続いたのは、この一件全体のなかでも、藪睨みに見ればいちばん奇妙な部分だ。廊下を歩いて自分の部屋に戻るまでのあいだ、モアランドの顔を見守っていたときに私を支配していた恐怖と、すっかりこの世界から切り離されて異世界に行ってしまったような感じは、そのほとんどがあっというまに引いていったので、それがどれほど強烈なものだったかをしばらくのあいだ忘れてしまうくらいだった。どうしてそうなったのか、今でもわからない。おそらくそれは、モアランドの夢の病的な世界が、現実世界とはグロテスクなまでに似ても似つかぬものだったからだろう。原因はともあれ、自分の部屋のドアを開けた頃には、「あんな夢を見るなんて健康なはずがない。精神科医に診てもらったほうがいいんじゃないか。でも、ただの夢だしな」と考えるようになっていた。すっかり疲れて、馬鹿な真似をしたような気分だった。それで私はたちどころに眠ってしまった。

しかし、当初の感情の幻がまだいくぶんか残っていたのだろう、翌朝目覚めると、何かがモアランドに起こったような気がして怖くなった。あわてて着替え、彼の部屋のドアをノックしたが、部屋の中はからっぽで、寝具も乱れたままになっている。管理人の女将に訊ねてみたら、いつもどおり八時十五分に出て行ったという。このそっけない返事は、漠然とした不安感を拭い去ってくれなかった。たまたま、その日には職探しで店がある方角に出かけることになっていたので、それをいいことにしてぶらりとのぞいてみた。スラブ系の顔立ちで、ぼおっとした表情をして髪がくしゃくしゃの男を相手に、モアランドは無表情で駒を動かしていて、そのついでに遊びでチェッカーの早指しを二面指していた。その姿を見てほっとして、私は彼に声をかけることもなく出ていった。

その夜、私たちは夢一般について長時間話し合った。それでわかったのは、彼がこの件に関して驚くほど精通しており、科学的に慎重な態度を取っているということだった。情けないことに、千里眼やテレパシー能力、夢を見ている状態のあいだに奇妙にも遠くのものが近くに見えるというような、時空間の歪みの可能性といった怪しげな話題を持ち出したのは私のほうだ。昨夜彼の部屋に押し入ったことを愚かにも黙っていたので、そこで聞いたことや見たことを言うわけにもいかなかったが、彼はなんの隠しだてもなく、またいつもの夢の続きを見たと話してくれた。自分の体験を他人に打ち明けたことで、彼は今でははるかに思索的な態度を取っているように見えた。私たちは一緒になって、その夢が日中の世界のどんなところに源を持っていそうか、想像をめぐらしてみた。おやすみを言ったときにはもう十二時をまわっていた。

部屋を出て感じたのは幻滅だった——漠然とした失望感だ。昨晩に経験して、それからほとんど忘れてしまったあの恐怖感が、私の心のどこかを蝕んでいたに違いない。

そして翌日の夜にはまた恐怖が戻ってきた。モアランドは夢の話をするのにうんざりしているはずだと思って、私はチェスを一局指そうとむりやり誘ってみた。ところが中盤になって、彼は動かしかけていた駒を元に戻し、こう言った。「実は、あの忌々しい夢がひどく厄介なことになってきているんだ」

話を聞いてみると、夢に出てくる敵がついにかねてからの狙い筋だった攻撃を仕掛け、夢そのものが一種の悪夢と化してしまったのだという。「チェスの実戦で起こることによく似てるんだ」と彼は説明した。「有利な局面だし、流れもいい、と自信たっぷりで、相手が指す手はぜんぶ読みのうち。ほとんどチェスの神様のような気分になっている。そんなときに、いきなり相手がまったく読みになかった攻めの手を指してくる。一瞬、これは相手が大ポカを指したのかと思う。ところが、よく盤面を見てみると、あることをまったく見落としていて、相手の攻撃が正確なことに気づく。それで汗がどっと出てくる。

「もちろん、おれは夢を見ているあいだ、恐怖と不安、それに圧倒的な責任感をずっと覚えてきた。それでもおれの駒は壁のようなもので、おれを守ってくれていたんだ。それが今じゃ、その壁にできている裂け目しか見えない。百もある弱点のどこが崩れるかわかったものじゃない。相手の駒のひとつがグラグラと揺れはじめると、もしその指し手が完了すれば、必然的にこっちの負けにつながるような、逃れようのない手順が脳裏に閃くのではないか、という気になってくる。昨日の晩、そんな指し手を目にしたと思って、恐怖がふくれあがり、すべてが渦巻いて、おれは一瞬のうちに何百万哩《マイル》もの虚空の中をまっさかさまに落ちていくような気がした。だがちょうど目覚めようとする瞬間に、読み間違いをしていて、自陣は危険が迫ってはいるもののまだしっかりしていることに気づいたんだ。その夢は実に鮮明で、どうしてそうなのかという理由を目覚めているときの思考にそっくり持ち込めそうなほどだったが、夢の中の思考手順のどこかが抜け落ちてしまったらしく、まるでそのすべてが目覚めているときの頭脳には収まりきらないみたいだった」

　さらに話してくれたのは、「射手」に対する執着がますます気がかりなものになってきていることだった。「射手」を見ていると全身に感じる恐怖は特殊で、夢が全体として彼にもたらす恐怖とは質が異なっているが、いっそう強烈なものらしい。頭がおかしくなりそうな病的恐怖であり、激しい嫌悪感、神経を逆撫でされるような焦燥感、それと無謀な自殺衝動がその特徴だという。

「どうしても気になって仕方がないんだ」と彼は言った。「あの汚らわしいやつが、何かずるくて陰険なかたちで、おれの敗北をもたらす駒になるんじゃないかって」

　彼の顔はこじんまりして、鉄面皮でそんなにすぐには疲れが顔に出ないはずなのに、ひどく疲れているような表情だった。肉体的にも精神的にも大丈夫なのか、私には心配になってきた。そこで、医者に診てもらったらどうかと水を向けて（精神科医と言う気にはなれなかった）、睡眠薬でも飲んだら少しはましになるんじゃないかと言ってみた。

「だがな、眠りが深いと、夢がもっと鮮明でリアルなものになるかもしれないし」と彼は答えて、皮肉っぽく苦笑いした。「いや、それくらいだったら、現在の状態で最後まで戦うほうがましだな」

　彼がまだ夢を興味深い一時的な心理現象だと考えているのにはホッとさせられた（他のどういうものだと考え

ていそうなのか、深く掘り下げてみることはしなかった)。夢を見ているときに覚える感情がとんでもなく強烈なのを認めながらも、彼は冗談を言っているような口調を保っていた。誰かに狙われているという偏執狂の妄想に自分の夢を比較したこともあり、精神病院に入れてもらったほうがいいのか、きみはどう思うと訊ねてきた。

「そうしたら、店のことも忘れて、夢の一局に打ち込めるんだがな」と彼は言って、私がその言葉を半分本気ではないかと受け取りかけているのを見てとると、たちまち甲高い声で笑いだした。

しかし、私は心の中のどこかで、彼が打ち消した言葉には納得できず、晩になって暗闇の中で寝返りを打っていると、奇怪な妄想が止まらなくなった。そこに出てくる宇宙は巨大な闘技場で、どの闘技者も悪魔のような知力を相手にして頭脳ゲームを戦う運命になっている。この相手は、追いつ追われつの戦いをどれほど延々と繰り広げていようが、いつも最後にはこっちが勝つとまったく疑いもしない――いや、ほとんど疑いもしないので、もし負けることがあればそれは奇跡というものだろう。チェスを指す者の中には、実力では勝てないとわかっている相手に対して、相手をいらつかせ、明晰な思考を妨げる目的で、嫌がりそうな癖を用いるやつがいるが、私はいつのまにかこの悪魔のような相手をそういう人間になぞらえていた。

そういう気分が私自身の茫漠とした夢を彩り、翌日まで続いた。街を歩いていると、どこでも不安感に襲われ、通り過ぎるどの顔にも張りつめて、神経質になっているみじめさが浮かんでいるように感じ取れた。このときだけは、この混雑した街では実に特徴的な、どの人間もかぶっている仮面の裏側まで見透せて、そこに何があるかまで読み取れるような気がした――自己中心的な感性、くすぶっている不満、くじかれた願望、敗北感……そしてとりわけ不安感。恐怖と呼ぶにはあまりにも不明確で、はっきりとした対象を欠いているが、それでもあらゆる思考や行動に感染し、つまらないことを恐ろしいことに変えてしまう不安感だ。そして社会的、経済的、生理的要因では、死や戦争といったものですら、こうした不安感を説明するには不十分で、実際には、宇宙の構成そのものに関わっている、何かいかがわしくておぞましいものからわき上がってくるものだと私には思えた。

その晩、私はつい店に見に行っていた。ここでも事態は変化していた。というのも、心ここにあらずというモアランドの態度は、よく見かける退屈さを装ったものではなく、彼はびっくりするほど見た目にも疲れていたからだ。三人の対戦相手のうちの一人が、そわそわと何度も姿勢を変えた後で、指しましたよと声をかけると、モアランドはまるで居眠りしていたみたいにはっとして顔を上げた。彼はすぐに応手を指して、私の目にも明らかな罠にひっかかり、クィーンを取られて負けた。しばらくして、彼は同じくらい初歩的な見落としをしてまた一局負けた。大柄で肉付きのいい店主がやってきてモアランドのうしろに立ち、残ったゲームの形勢判断をしているようなそぶりを見せた。モアランドはその一局も負けた。

「どっちが勝った?」と店主が訊ねた。

モアランドは相手を指した。店主は不満そうなうなり声をあげてから去っていった。

指そうとして彼の前に座る者は他にいなかった。そろそろ閉店時間だ。モアランドは私がいることに気づいているんだろうかと思っていたら、しばらくして彼は立ち上がって私に会釈してから、帽子とコートを手にした。私たちはアパートまでの長い道のりを歩いて帰った。彼はほとんど一言も言わず、私も周囲の世界の真の姿を見抜いてしまったような病的な感覚がまだ続いていたので黙っていた。彼はいつものように、膝が少し曲がらないような大股の足どりで歩き、手をポケットに突っ込み、帽子を目深にかぶり、むずかしい顔をして舗道の四メートル先を見ていた。

部屋に着くと、彼はコートも脱がずに座り込んで言った。「言うまでもないが、負けたのは夢のせいさ。けさ目覚めたときには夢がひどく生々しくて、局面もルールもぜんぶほぼ正確に思い出せた。そこで図面を書きとめてみたんだ……」

彼はテーブルの上にある包装紙を指さした。あわてて引かれたらしい縦横の線は、完全なものではないにせよ、無限に続くようなパターンの隅を表しているのだろう。マス目は五百ほどあった。いろいろなマス目には駒を表す記号や名前が書かれていて、駒から出ている矢印が駒の利きだ。

「そこまで書いたんだが、だんだん思い出せなくなってしまって」と彼は床を見つめながら、疲れたように言った。「それでもかなりいい線を行ってるはずだ。完全には解けていない数学パズルのようなものさ。一日中、盤の一部が頭に浮かんできて、もうちょっと頑張れば全体をつかめるような気がした。でも、できていないんだ」

彼の声の調子が変わった。「おれは負けそうなんだよ。おれが『射手』と呼んでいる、あの駒のせいで。昨日の晩は、盤面に集中できなかった。視線がどうしてもそっちに行ってしまって。最悪なのは、あの駒が敵の攻撃の先頭に立っていることだ。おれはそいつを取りたくて取りたくてしかたがない。でも取っちゃいけない。というのも、そいつは餌みたいなものでもあって、敵が仕掛けている戦略的な罠の囮なんだ。もしおれがそいつを取ったら、敗北に身をさらすことになる。だから、そいつがだんだん近づいてくるのを指をくわえて見ているしかない――そいつは不恰好な、途中で角度を変えて跳んでくるような動き方をするんだ――おれの唯一のチャンスは、敵の指しすぎをとがめて反撃すること。でも、きっとそんなチャンスは訪れないだろう。やがて、もしかしたら今夜にでも、こっちの神経が保たなくなって、そいつを取ることになるんだろうな」

　私は夢中になってその図面を調べていたので、話の残りを聞き流していた――「射手」が実際にどんな姿をしているかという話だ。彼はこんなことを言っていた。「瘤が五つある頭……頭はほとんど頭巾に隠れている……ローブの下からのぞいている肢には、それぞれ関節が四つある……八岐になった武器には車輪やレバーが付いていて、袋みたいな恰好をした小さな容器には、毒でも入れているらしい……姿勢からすると、武器を持ち上げて狙いを定めようとするところ……精巧に彫塑された全身は何かつややかな赤い石でできていて、紫色の斑点がある……獣じみた、超自然的な悪意に満ちた表情……」

　ちょうどそのとき、私の全注意力が突然その図面に向けられ、興奮で全身がこわばって震えるのを覚えた。というのも、モアランドが目覚めているときに口にしたのを一度も聞いたことがない、二つの名前が書かれていることに気づいたからだ。それは「蜘蛛みたいなやつ」と「緑の支配者」だった。

　考えもせずに、私は三日前の夜に彼の寝言を聞いたことや、その図面の記載とぴったり合致する、彼が口にした奇怪な文句のことを話した。私は芝居がかった早口でまくしたてた。その図面の記載で見つけたことは、それじたいとりたてて驚くほどのことではないにせよ、おそらく私に強い印象を与えたのだろう。なぜなら、私はモアランドが眠っているのを見守ったときに体験したあの激しい恐怖を、どういうわけかは知らないが、これまで忘れていたか抑圧していたからだ。

　ところが、話も終わらないうちから、私は彼の表情に不安の色が濃くなってきていることを知り、自分がしゃべっていることが好影響を与えていないのかもしれないと気づいてはっとした。そこで、彼の声が不気味だったという話は最小限に切り上げることにした――遠くから聞こえているような、圧倒的な印象――そして私のうちに引き起こされた恐怖感のことを。

それでも、彼が激しいショックを受けたことは明らかだった。しばらくのあいだ、彼は深刻な精神錯乱に陥る寸前のように見え、せわしない、ぎくしゃくした動き方で歩きまわり、狂ったような言葉を投げつけ、夢が悪魔のように生々しかった話に何度も何度も戻った――私の発見が余計にそう思わせたようだ――そしてとうとう、たのむから助けてくれと訴えているらしい言葉をとぎれとぎれに口にした。

その訴えを聞いて私はたちまち我に返り、自分の妄想はすっかり忘れて、モアランド個人のことだけを考えた。モアランドを助けたい一心で、この一件は精神科医に任せなければとふたたび思うようになった。私たちの役割は変わっていた。私はもはや、半分恐れおののいた聞き役ではなく、彼が忠告を求めてくるような頼り甲斐のある友人になった。それが何よりも自信につながり、これまで憶測してきたことが幼稚で不健康なもののように思えた。彼の妄想を助長してしまった自分が恥ずかしくなった。

しばらくすると、大丈夫だよと何度も言ってやったことで、効果が現れだしたようだった。彼は気が落ち着き、私たちの会話もふたたび真っ当なものに戻った。ただ、ときおり、彼は特に気になっていることを私に訴えた。それで私は初めて、彼がどれほどその夢を本気にしているかを知った。独りで思い悩んでいると、眠っているあいだに精神が肉体を離れ、その一局が指されている宇宙を超えたどこかの領域まで途方もない距離をきっと旅しているに違いない、ときどきそんな気がするという。宇宙の内奥の秘密に危険なまでに近づき、それが腐りきって、邪悪で、人間を嘲笑するものであることに気づいてしまったような幻覚を覚えたそうだ。ときには、彼の精神とゲームの領域をつなぐ経路がぱっくりと「口を開き」、彼の言葉を借りれば、「この世界から身体ごと吸い上げられてしまう」のではないかと思って、怖くてたまらないこともあるという。その一局に負ければこの世界を奈落の底に突き落とすことになるという確信が、これまで告白していたよりもはるかに強いものになっていた。一局の進行と戦争の進行とのあいだの恐ろしい関係を追っていると、戦争の最終的な帰着は――どちらかが勝つというものでは必ずしもないが――一局の勝敗に掛かっていると信じるようになってきた、というのだ。

ときにはそんな状態がひどくなって、何事が起ころうが、その夢のリアルさを他人に納得させることは決してできない、そう思うことが唯一の慰めになるほどだった、と彼は明かした。他人の目から見れば、狂気の兆候か想像力過剰だと映るに決まっている。彼にとってその夢がどれほど生々しくても、具体的で、客観的な証拠を手に入れることは決してできない。

「こんな具合だ」と彼は言った。「おれが寝ているのを見ただろ？　ちょうどこのベッドで。それで寝言を言っているのを聞いただろ？　その一局のことを。それがきみにとって、ただの夢にすぎないという絶対的な証拠になるだろ？　他には信じようがない、違うか？」

最後になった、こんなに曖昧な質問が、よりにもよってこの私をどうして安心させたのかわからない。たった三日前の晩、夢を見ながらしゃべっていた彼の形容しがたい声に震え上がったこの私を。しかしそうなのだ。その夢がただの夢にすぎず、なんの意味もないという、私たちのあいだで交わされた合意文書に、それで最後の印章が押されたようなものだった。私はまるで危篤の患者を救ったばかりの医者になったような、高揚感と自己満足感を覚えはじめた。今にして思えば、まるで同情してやっているかのような口ぶりでモアランドに声をかけていて、おとなしくうんうんとうなずいている彼がどれほど意気消沈しているのか気づいていなかった。最後になった質問の後、彼はほとんどなにも言わなかった。

そのうえ、私は近所の昼飯屋で深夜の軽食をとらないかと誘った。まるで――神よお助けを！――夢に対する勝利を祝うみたいに。さほど汚くないカウンターに腰を下ろし、煙草を喫いながら、やけどしそうなくらいに熱いコーヒーを啜っていると、彼がまた微笑みはじめていることに気づいた。それで私は余計に満足した。その微笑みの裏に隠されている、この上ない落胆と手の打ちようがないという絶望感を見ていなかったのだ。

彼の部屋の戸口で別れるとき、思いがけないことに彼は私の手を取ってこう言った。「お礼を言いたいんだ。こんなざまからおれを助け出そうと力を尽くしてくれて、とても感謝してる」私はいやいやと手で仕草をした。「そんなことはない」と彼は続けた。「おれにとって、本当にありがたかった。とにかく、感謝するよ」

私はすっかり満足して、いいことをしたような気分で去った。不安はまったくなかった。まるで哲学者にでもなったようなつもりで、この哀れなほどもつれてしまった文明の中では、恐怖と不安は実に奇妙な形をとるものだな、という思いにふけっただけだった。

翌朝、私は着替えてからすぐに彼の部屋のドアを軽くノックして、返事も待たず衝動的に部屋に入っていった。

このときばかりは、埃だらけの窓から陽光が射し込んでいた。

　そのとき、そいつを目にして、光景から他のすべてが後退した。

　そいつはしわくちゃになった寝具の上にころがっていて、毛布の折り返しで半分隠れていた。背丈は三〇センチほど、彫像のようにどっしりして、紛れもなく現実だった。しかし，一目見ただけで、その形は地球の生物とはなんの関係もないことがわかった。この事実は、美術をなにも知らない人間の目にも、専門家同様に明らかだっただろう。そいつが彫塑か鋳造された原料の、紫色の斑点が付いた赤い物質は、地球上の宝石や鉱物に該当するものがないこともわかっていた。すべては彼が語ったとおりだった。ほとんど頭巾で隠れている、瘤が五つある頭。ローブの下からのぞいている、関節が四つある肢。車輪やレバーが付いている、八岐になった武器と、毒でも入っているらしい、袋みたいな恰好をした小さな容器。武器を持ち上げて狙いを定めようとしているような姿勢。獣じみた、超自然的な悪意に満ちた表情。

　疑う余地もなく、そいつはモアランドが夢で見たものだった。彼を震え上がらせ、魅了したもの、それが今の私を震え上がらせ、魅了していた。彼の神経を耐え難いほど逆撫でしたもの、それが今の私の神経を逆撫でしはじめていた。彼の敵が攻勢を仕掛けてくるときの、先鋒であり囮になるもの、それを取ってしまうと——その駒が取られたことは明らかなように見えた——おそらくその一局は負けになる。いつもぱっくりと口を開いている経路を通り、想像を絶する距離を越えて、宇宙を支配する狂気の領域から吸い上げられたもの。

　疑う余地もなく、そいつが「射手」だった。

　恐怖以外に、何が私を突き動かしたのか、何の目的だったのかもわからないまま、私はあわてて部屋から逃げた。それから、モアランドを探さなければと気がついた。彼がアパートを出ていくところを見た人間は誰もいなかった。私は一日中、彼を探した。店。チェスクラブ。図書館。

　アパートに帰り、勇を奮って彼の部屋に入ったのは夕方だった。駒はもうそこにはなかった。アパートの住人たちは、問いただしてみると、なにも知らないと言い張り、なかには怒りだす者もいたが、「射手」は見ただけでも値打品だとわかるし、その来歴を知らない人間にとってはさほどの恐怖心を抱くものでもないので、裕福で奇矯な蒐集家の手に渡ったというのはいかにもありそうな話だ。過去にも、似たようなルートをたどって消えていったものは他にもいろいろある。

　あるいはモアランドがこっそり戻ってきて持ち去ったのかもしれない。

　しかし、それが地球上で作られたものではないのはたしかだ。

　そして、事実がそうではないことを恐れる理由が多々あるものの――どこかの安アパートか宿泊所、もしくはどこかの精神病院で――アルバート・モアランドが、もしすでに負けと決まったわけではなくて、没収が始まっていないとすれば、想像するだけでもおぞましいものを賭けてまだあの信じられないゲームを戦っているのではないか。私にはそんな気がする。

夢見る人々

静かに！ 夢を見ているから

Silence, on reve

ローラン・トポール　Roland Topor

榊原晃三訳

町の人たちがみな自分の見た夢を見ていた？　結構ありそうな話なのだが、探してみると意外にないもの。本作はまさにその好例に挙げるべき一編だろう。作者ローラン・トポール（一九三八―九七）は、ポーランド系ユダヤ人移民の家に生まれ、パリで生涯を過ごした。小説、映画、演劇など生涯にわたり多彩な活躍をし、日本でも澁澤龍彦に絶賛された一齣漫画集『マゾヒストたち』（一九六〇）や、長編小説『幻の下宿人』（六四）などで知られている。本作は短編集『リュシェンヌに薔薇を』（六八）収録作の一編。

火星人が緑と赤とオレンジの三つの眼をまたたきながらクリスチーヌ・スポックの顔を覗きこんでいた。彼女は恐ろしくて悲鳴を上げた。

「声を上げても無駄だ」と火星人はr音を喉で発音しながらいった。「だれにも聞こえやしない。どうだ、用心がいいだろう！」

「クリストフ・アルノが助けてくれるわ。あんたたち情け知らずの火星人の汚ない手足からわたしを救って、あんたたちに罪の償いをさせるわよ！」

「地球の女、おれたちは情け知らずじゃないぞ。ただ、心臓に夢中になる性質《たち》でな。われわれの料理人は、心臓の料理法を千五百種類も知っているのだ。今思い出すだけでも、五つの感情を持つ心臓、熱い手の上の心臓、たまごを添えた押しつけ心臓、ピンク郵便の心臓、とざっとこんなものさ。お前の心臓はとくにやわらかいにちがいない。生のまま味わってやろう！」

　火星人は膜をひろげると、家具にぶつかりながら、部屋の中をあちこち飛びまわった。

「クリストフ・アルノがわたしを救い出してくれるわ」とあわれなクリスチーヌが喘ぎながらいった。

「お前のクリストフは……」

　ここまでいったとき、火星人は魔法にかかったように消えた。まだ煙を吹いている砕鉱機を片手に、クリストフ・アルノは気を失っている若い女性のそばに膝をついた。彼女が眼を開いた。

「あなた……クリストフ！」

「クリスチーヌ……いとしいクリスチーヌ！」

　二人は長い間抱き合っていた。眼覚時計の音など耳に入らなかった。

　クリストフ・アルノが四囲の状況を悟って眼を開けたとき、もう十一時を過ぎていた。彼が最初にしたことは、頭のてっぺんにできているコブにさわってみることだった。そのコブはモグラ塚くらいの大きさになろうとしていた。しかし、頭痛がしないのが、せめてもの慰めだった。前日、彼は科学書の山を後頭部にぶつけられたのだ。科学書があんなに重いとは知らなかった！　クリスチーヌは腰掛にへたりこんで、涙にぬれたものだった。

「わたしがいけなかったのよ……わたしって、何てぶきっちょなんだろう。あなた、もう、わたしなんか嫌いになって、追い返してしまうわね……わたし、とっても悲しい！」

　まだショックで頭をふらふらさせながら、彼は漠然と彼女の言葉を打ち消した。

「ちがう、そうじゃない、何でもないよ……」

　そして彼は気を失ってしまったのだ。

　でも、クリスチーヌと一緒に、町角にある薬局までいけないというほどではなかった。よく調べて包帯を巻いてもらった。

「さあよし」と薬局の主人がいった。「何でもないと思いますよ。レントゲンを取るに越したことはありませんがね。まあ、あなた次第ですがね。お家へお帰りなさい。明日になると、コブはもっと大きくなっていますよ」

　クリスチーヌが音を立てて匂いを嗅いだ。

「ああ、アルノ先生、わたしをゆるしてくださるのなら、何だってさし上げますわ！」

　彼は抑揚のない声で呟いた。

「ゆるして上げるよ」

それから、女学生らしい素直さで、彼女は彼の額に軽くキスすると、本屋へ逃げこんでしまった。

　薬局の主人が溜息をついて言った。

「キスなんかされたら、傷が重くなっちまう。もう直しようがないですな。唯一の療法は、もう一度本の山で頭をがんとやられることです。頭なんて吹っ飛んじまうくらい重い本の山でやられることですわ！」

　薬局の主人の悲観的な言葉を思い浮かべながら、クリストフは微笑んだ。それでも、やはり、こぶなんかよりキスのほうがよかった！　彼はベッドからおりながら伸びをした。あわれなクリスチーヌに彼と一緒でないいやな十五分間をすごさせてはならない。火星人は料理の話をしながら、冗談をいっているふうにも見えなかったではないか！

　階段の下で女管理人に出会ったとき、彼は昨夜の冒険の細部をもう一度胸の中で見直しているところだった。女管理人は彼の手を心をこめて握りしめながら、こういった。

「ブラヴォ、アルノ先生。ゆうべはたいへんなご活躍ぶりだったそうで！」

「え？　ぼくに郵便でも持ってきてくれたんですか？」

「いいえ。ではまたね、アルノ先生。ここじゃ、みんな、あなたの味方です！　火星人なんかくそくらえですわ！」

「ありがとう。では、今晩」

　サン＝ペール街の赤信号にひっかかったとき、やっと彼は女管理人とのばかげたやり取りを思い出した。女管理人は『ブラヴォ、アルノ先生。ゆうべはたいへんなご活躍ぶりだったそうで！』とか、『火星人なんかくそくらえですわ！』とかいう言葉と一緒に、一体何をいいたかったのだろう。彼女はクリストフの夢のことを知っていたのだろうか？　どういう方法で知ったのだろう？　そんなばかなことがあるはずがなかった。

　自動車を駐車場に置くと、係員が彼の肩をたたいた。

「アルノ先生、ゆうべはたいへんなご活躍だったそうですな。まったくすばらしい。先生を知ってるんだと女房に話してやったら、女房の奴、驚いていましたよ。みんなが、いつか晩にでも、あなたにお会いしたいといってますよ」

　係員はチケットをクリストフにさし出した。クリストフは口をぽかんとあけた。

「何でぼくが大活躍したって？」

「冗談はやめなさいよ！　火星人のばか野郎が、あのかわいいクリスチーヌの心臓を食っちまうといったんでしよう！　ところが、そこへあなたが飛びこんで、火星人に挨拶してやったってわけだ！」

　クリストフは係員と議論するのをあきらめて、チケットをひったくって、急いで本屋へ入っていった。

　彼が本屋のドアを閉めたとたんに、クリスチーヌが声をかけた。

「ありがとうございました、アルノ先生。あのこと、わたし、いつまでも忘れませんわ！」

「何を忘れないっていうのかね？　なぜ、ぼくにお礼をいうの？」

「ゆうべのことですわ！　ほら、火星人と！」

「本当にぼくに助けられたといい張るのかい？」

　すると、彼女が笑い出した。

「いやですわ、アルノ先生。わたしだって、夢と現実のけじめをつけることくらい、よく知ってますわ。でも、わたし、先生がご自分の夢の中でわたしに役を与えてくださったことを感謝しているのですわ。それにしても、なにもかもうまくいきましたわね。今では、町に出ると、みんながわたしのことを知ってましたわ。お友だちもびっくり仰天してます。何て愉快なんでしょう！」

　クリストフは腰掛にへたりこんでしまった。

「ぼくの夢がみんなに知られちまったというのか？　ぼくの夢を他人が見るっていうのかい？　いつからそうなったんだ？　なぜ、みんなはぼくに何にもいわなかったんだろう？」

「そりゃ、ゆうべ起きたばかりですもの。でも、あれは完全な勝利ですわ！　先生には、続いて夢を見ていただきたいわ。そうすれば、みんながわたしと同じように考えますわ。ともかく、パリではね。先生の夢がどこまでひろがるか知りませんが、それはきっと……きっと……」

「それはきっと、科学書を山ほど読むせいだろうね……」

　彼はあわれな顔をして笑った。

「どうして、みんなは、ぼく自身の夢が問題であって、その中にぼくが姿を見せる夢は問題じゃないことを、知ってるのかね？」

「だから、用心しなさいって申し上げてるのですわ。夢の前に『C・アルノによる夢のコピー』と表示されましたね。だから、まちがいようがありません。そして、わたしに夢の中で役を与えてくださった！　だから、男の人たちがみんな、わたしのことを夢に見たんですわ。わたし、先生が大好きですわ」

　それから、またも、彼自身の中から湧いてきた啓示に従って、クリストフは道を横切って酒場へいき、コニャックを三杯飲んで考えをまとめようとした。酒場の主人のジョルジョは、ときどき本屋から推理小説を買ってきて読んでいた。

「やあ、クリストフ。ゆうべは大活躍だったってな。今晩は寝る時間をおれにも教えてくれなきゃだめだよ。続きをぜひ見たいからな。続きがあるんだろ、え？」

「まあね。飲み終わったら話すよ」

アルコールで気分がすっかりよくなった。だんだん、いろいろなことが不思議でなくなり、あの冒険もひょっとしたら起こったのではないか、という気になってきた。このいまわしいこぶさえなければ……

「クリストフ・アルノ先生ですね？」

「そうです。何か用ですか？」

「わたしは、《S・O・U・P》つまり《広告組織活用協会》からきた、リュック・ナオミーというものです。インタヴューに応じていただけますか？」

「もちろんです」

二人の男がやってきて、酒場の奥にあるテーブルに腰をおろした。

リュック・ナオミーは小柄な若者で、どちらかというとひ弱な顔立ちをしていたが、強靭な意志の持主のようだった。ポケットから煙草の箱を取り出すと、それをクリストフにさし出した。

「ぼくは吸いませんから」

「お吸いにならない？　それは残念です。実は、お吸いになると思って、アルノ先生のところへうかがったんです。わたしはチュース煙草の広告を扱っておりますので。いい煙草なんですが、何しろ発売してから日が浅いので、まだ愛用者があまりいないんです。それで、一つ、あなたに夢の中でチュース煙草を吸っていただくだけでいいんですがね。おいやですか？」

クリストフは大声で笑った。そういうアイデアがいかにも滑稽に思えたからだ。

「いや、がっかりなさるでしょうが、ぼくは自分の夢をコントロールできないんですよ。だからお申し出は、お引き受けできませんでしょう！」

「いや、ごもっともです。でも、これがわたしの仕事でしてね」

リュック・ナオミーがすでに用意していた契約書をポケットから取り出した。

「これにちょっとサインしていただくだけで結構です。ご信用いただくために、今すぐ、ギャラをお払いいたします。その代り、あなたのアパートの鍵をわたしにお預けいただくだけで結構です。そして、たとえ一週間たっても、あなたがチュース煙草の夢をごらんにならなくとも、ギャラはお返しくださらなくても結構ですし、わたしもそのことを《S・O・U・P》に通知いたしません」

クリストフはリュック・ナオミーの真剣な顔と契約書のピンク色の紙きれとを交互に眺めた。といっても、彼はそのいずれをも見ていなかった。何をしたらいいかまるきり分からない女店員たちがたくさんいる、五、六階建てのウルトラ・モダーンの巨大な書店を想像していたのだ。この建物の中に、展示場や、酒場や、プールや、映画館を作ることを……

「よろしい。契約しますよ」

リュック・ナオミーがクリストフの小さな鍵と引き換えに大きな紙幣の束を威勢よく放り出した。「きっと、今晩九時に、ベッドの中で煙草を吸いますよ」

それからすぐ、リュック・ナオミーと入れかわりに、茶色の三つ揃いを着た、でっぷり太った男が現われた。

「クリストフ・アルノさんですな？ 《P・A・T・E》、つまり《芸術的安静開発広告》のバンジャマン・スコールというものです。リュック・ナオミーの契約書にサインなさいましたな。もちろん、わたしのほうともご契約くださるでしょうな」

バンジャマン・スコールが、テーブルの上の、それまでナオミーの札束があった近くに札束を投げ出した。

「アルノさん、早速ですが、あなたの夢の中で、食器をクラック洗剤で洗っていただきます。この金をさし上げますよ！」

「して上げたいのは山々ですが」とクリストフは辛抱強く説明した。「ご意向には添いかねます。わたしは夢をコントロールできませんのでね！」

茶色の三つ揃いを着た男の肉づきのよい口がまくれて、男がにやりと笑った。

「それでも結構ですから、ここにサインして、鍵をお預けください」

「分かりました」

こうして、一日じゅう、ポケットを札束でふくらませた男たちが、次から次へと酒場と書店に繰りこんできた。一人は《ガルフ・ストリーム洗濯機》からやってきたもの、もう一人は《ウァウァウーム自動車》からやってきたもの、さらに一人は《ボンラール豚肉商会》からやってきたものだった。さらに、《カンカンヌ製糖会社》、《ガムベッダ靴下会社》、《タトゥー・シロップ社》、《夜の新聞社》、《バスチーユ・ボンボン会社》からやってきたものたちがいた。また、個人としてはある若い作家がやってきて、その近著である《わがかなわぬ恋》という小説を推薦してもらいたいといった。

その日、クリストフは昼寝をしてなかったので、午後六時になると、もう眠くなってきた。

彼がクリスチーヌに「さよなら、また明日」というと、彼女が芸術的に化粧した顔を明るくほころばせて、こういった。

「じゃ、すてきな夢を見ましょうね、アルノ先生。では明日」

「じゃ……」

寝室はまるでディズニーランドのような壮観を呈していた。プラカード、吹流し、あらゆる高さの表示板などが、色とりどりに重なって、まるでバレーの乱舞を見ているような有様だった。シーツにはいろいろなスローガンが書かれ、枕はいろいろな製品の名前を呟き、天井にはさまざまなネオンがまたたいていた。

この夜、クリストフが夢見たのは、権力を握り、税金をへらし、建築にブレーキをかけて、国民の教育と科学振興のための莫大な予算を承認し、美術文学を愛好し、軍隊を廃止することだった……

翌日、書店に入ろうとしたとき、彼は二人の男に取り囲まれ、ちょっと一緒にきてくれといわれた。別に断わる理由もないので彼は承知した。見覚えのない役所みたいなところに連れていかれて、何かの委員会の連中みたいな人々の前に据えられた。みんな、しかめっ面をして、彼を不倫快そうに眺めていた。

「君がごたごたを起こした張本人か！」

「ぼくが……一体、何の話です！」

おそらく委員会の議長なのだろうが、一人のつるっぱげの老人が口を開いた。

「君は不当に得た権力を振りまわして、同胞たちに退廃的な観念を植えつけようとした。まことに不都合である。今後、君は、夜中に夢を見ようとすることの詳細かつ正確な予定表を委員会に提出しなければならない」

「でも、ぼくにはぜんぜん身に覚えのないことです！　何もしたい放題のことをしているわけではない」

「だからこそ、君にとってはなお悪いのだ。われわれはいかなる道義にもとることを容赦しない。子供たちさえ君の夢に夢中になっていることを忘れてはいけない！　いちばんよいのは、われわれが君の不健康な夢から大衆を守る方法を発見するまで、君が夜眠らないことだ」

「そんなばかなことできますか！」とクリストフは我慢し切れなくなってわめき出した。「あんたたちにとやかくいわれる筋合はないんだ」

「余り自信を持たないほうがよい。われわれにはきっと何かが分かる。そのときは……」

彼がこうした次第をクリスチーヌに話すと、彼女がこうたずねた。

「彼らのいう通りにしないつもりなの？　彼らには何だってできるのよ。そりゃ、あなたの夢はベルギーにも、スイスにも、もっと遠くにでもひろがるわ。でも、人々はもう言葉なんか理解しませんわ。あなたは現実にこの惑星でいちばん力を持っているものの一人です。彼らはあなたを打ち倒すためにあらゆる努力をするでしょう。アルノさん、あなたに悪いことでも起きたら、どうしましょう！」

「アルノさんなんていわないでくれ。七十のじじいと思われかねない。ぼくの名はクリストフだ」

「わたしは、クリスチーヌよ……」

「クリスチーヌ……」

「クリストフ……」

二人の唇が合わさった。

「……あんたは煙草を吸うかね？」と、火星人が緑がかった石けんのかけらをかじりながらたずねた。

「いや、煙草はきらいだ」とクリストフが答えた。「第一、煙草は健康によくない」

「あんたはクラスかクリスかクロスの煙草だったら吸うかも知れんね、どれだったかよく思い出せないが」

「ブリスっていう煙草じゃないかな？　いや、煙草なんか絶対に吸わない。ところで、あんた、なぜ石けんなんかを食うんだい？」

「まったく何の役にも立たんのだがね」と火星人が悲しそうに溜息をついていった。「それはそうと、あんたの作ったものも何の価値もないね。なぜ、火星に自分の食糧を持ってこなかったのかね？　どうもまずかったな」

「うん……そうかも知れない」

「火星の女たちも、地球の女たちよりずっと美しいぞ。とくにこのクリスチーヌときたら胸もむかつくくらい醜い女だ」

「完璧な美しさを持った女ではないが、でもかわいい女だよ……」

火星人が膜のしびれを直そうとして、その場でぴょんぴょんと飛んだ。

「そう……そう……火星の女たちのそばに置くと、彼女は品がないね。ただ彼女の持っている知性だけは滑稽じゃないな！」

「あんたは大げさだよ」とクリストフがちょっと抗議した。

「そんなことは絶対ないよ。あんただってよく知ってるくせに。ほら、見てみろよ」

火星人の一群がみだらなダンスを始めていた。それを見て、あわれな若ものは恥ずかしさの余り顔を赤らめた。

「やめろ！　やめろ！　委員会の諸君！　やめろったら！」

火星人たちが官能をそそり、みだらな気持を倍加させようと、叫声を上げた。すると、委員会のメンバーが現われた。彼らはまっ裸だった。クリストフはびっくり仰天してしまった。委員会の連中も踊り始めた……

彼は額に汗をかきながら眼を覚ました。

外では、太陽が輝き、小鳥たちが歌っていたが、彼にはすでに、これからの一日が困難に満ちたものになることが分かっていた。

要するに、夢はよい成果を収めなかったのだ。たちまちクリストフは、自分の人望が地に墜ちたことを悟った。書店へいっても、ひっきりなしに電話がかかってきた。電話の主は、怒りで息をつまらせたリュック・ナオミーか、怒りの余りいうこともしどろもどろのバンジャマン・スコールか、そうでなければ憤慨の余り金切声を上げる委員会のメンバーだった。クリスチーヌは何にもいわなかった。

それで、なおのこと悪かった。

彼女の眼はふくれ上がっていた。そのため彼女はうまく下唇が嚙めなかったが、それはまあ大したことではなかった。唇を震わしながらも、すすり泣きを洩らすことはできた。クリストフはみじめな気持になっていた。

自分で自分が嫌になっていた。自分が恥ずかしかった。弁解するために、こういった。

「クリスチーヌ……ありゃ夢だったんだ……君を愛しているよ……さっきいわれたことなんか少しも考えていないよ……」彼女が枕で耳をふさいでいった。

「黙って。もう、あなたのいうことなんか聞きたくありません。二度と見たくもありません。あなたが大嫌いです。おお、あなたはわたしに何て恥をかかせたの！　わたし、死にたいくらい！」

彼女はうちひしがれて、床の上にぶったおれると、身体を震わせて泣き始めた。

クリストフ・アルノは書棚に並んでいる科学書に近づいて、その一山を思い切って下に払い落とすと、それを頭で受けた……

……火星人は砕鉱機で身をかためた一ダースばかりのタラを引き連れていた。

「お前たちが火星人に協力するとは知らなかったな」と

クリストフがきびしい口調でいった。「だから、お前たちは惑星を正しく判断することもできないんだ」

「その通り」とタラの中でいちばん年嵩の奴が答えた。

「でも、彼ら火星人は魚を食わないからな」

「奴を粉砕しちまえ」と火星人が命令した。「思い知らせてやれ」

　タラどもがクリストフを土掘機に縛りつけた。

「九番めの時が生まれたら、お前はこなごなさ」

　それから、巨大な時計が現われた。文字盤の数字の一つ一つがタマゴの形をしていて、しょっちゅう、タマゴの殻の中からヒナが飛び出していた。

「助けてくれ！」とクリストフが哀れっぽく頼んだ。

　一人の老人が《一人ぼっち》と書いてある小さな荷車を引いて、彼に近寄ってきた。

「火星人たちに用心しろ！　さようなら！」

　九番めのヒナがかえったところだった。年寄りのタラが命令した、「狙え」……

　眼を開いてみると、彼は自分が白く広い部屋の中にいるのに気づいた。彼はベッドに寝ていたが、近くには、彼が寝ているベッドとそっくりのベッドが無数に置いてあった。男たちや女たちが押し黙って彼をぐるりと取り囲んでいた。

「目を覚ました」という声がした。

　クリストフは頭をまわした。まずクリスチーヌを見つけた。そして、彼女のかたわらに奇妙なものがいた。すぐに彼には、それが火星人であることが分かった。

「あなた、どう、気分は？　苦しいの？」

　彼は手を頭に持っていった。こぶは消えていた。その代り、その部分が少しへこんでいた。

「気分はいい。うん……それ、だれだい？」

　クリスチーヌが笑いながら火星人を眺めた。火星人が身体を左右に揺すぶった。

「あなた、これは、あなたのお友達の火星人よ。あなたを助けてくれたのよ。思い出した？」

　火星人がとてもやさしい声で「ひゃ！　ひゃ！」といった。

「とうとう、おれは気が狂っちまった！」とクリストフが呻くようにいった。

　クリスチーヌがかがみこんで彼の耳にキスしていった。

「そんなことないわよ。今はもうよくなったわ。もう恐がることは何もないのよ。もう、あの本屋が出てくる恐ろしい悪い夢を見なくたってすむのよ……」

夢見る人々

トルネード・スミスの大冒険

The Adventure of Tornado Smith

アルジャーノン・ブラックウッド
Algernon Blackwood
渦巻栗 訳

何を見たのかは覚えていないのに、目覚めたあとでいつになく爽快になるような夢を見たことはありませんか。なんでもできるような気がして、意気揚々と朝の支度にかかるような夢を。本作のスミス氏のある朝も、そのように始まりました。名だたる株式仲買人の不思議な体験とは？　『妖精郷の囚れ人』（一九一三）のミンクスやロジャーズを思い出させるおじさんと、朝のロンドンから冒険の旅へ！　初出は一九三五年の短編集*Shocks*（Grayson & Grayson）。

1

T・スミスは有名な株式仲買人で、ロンドンはシティ地区のカペル・コート（証券取引所が集まる一角）で働いていた。その日の朝、彼が起きてみると、心地よい寝室に陽光が差しこんでいた。住居はハイド・パークの北に位置する、高級住宅街にあった。彼の心は奇妙なほど浮き立っていて、不思議な幸福感でぽかぽかしていた。試験がうまくいったと思っている子どものように晴ればれとして心も軽く、胸を躍らせていた。暖かみは全身に広がっていた。まるで、これから楽しい出来事が起きる、ちょっとした幸運に、すばらしい偶然にめぐりあえると予期しているかのようだった。

　はっきりとはわからなかったが、そんな出来事は予感がするどころかいまにも起きそうだった。あまりに晴れやかな幸福感にじっとしていられず、ベッドから飛び出して、青と白の縞の寝間着を着たまま、開いた窓のところに立って外を見た。むき出しの首に当たる陽光は熱く、鳥たちは狭い庭のみすぼらしいヒマラヤ杉で歌っている。早咲きのヒヤシンスが数輪、真下にある申し訳程度の細長い芝生で咲いている。だが、あたりの光景は自分が感じたものの説明にはならなかった。雀など、これまでになく汚いくらいだ。

　彼は首をかしげた。眠っている間にほどけた寝間着の帯を締め直し、薄くなった髪をなでつけ、目をこすった。「夢でも見ていたんだな」とひとりごとを言った。「楽しい夢を見ると、たまにおかしなことが起きるからね」そうつけ加えて寝間着をはだけ、やせこけた胸に陽光を浴びた。ただし、夢は思い出せなかった。

　T・スミス氏は、物事にはきっちり説明がつかないと気が済まなかったが、この晴れやかな幸福感は説明できなかった。これは仕事とはなんの関係もない、株の売り買いとはなんの関係もない。それは直感でわかった。仕事は楽しいが、いまの気分ほど楽しくはない。

　むき出しの胸をなでて笑った。重大なことが起きようとしている。そんな予感がした。もしかすると人生をがらっと変えてしまうことかもしれない。……でも、いったいどんなことだろう。そう自問しながらもうひとつボタンをはずし、近くにいた牛乳配達屋をじっと見た。

　T・スミス氏はとても几帳面で、とても規則正しく生活していたので、こんな風に感情をかき乱されて動揺していた。彼の商売はおじから引き継いだもので、安定しており、儲かるものだった。「T・スミス証券」はシティ地区で名声を博している。会社は家業であり、顧客はものすごく地位が高いので、まちがいは許されない。顧客は日常から墓場まで――T・スミス証券の世話になる。秩序を乱す事件の出る幕はない。北ロンドンの住まいもまた、すばらしくきっちりしていた。大家のミス・スランバブルには二十年も世話になっている。服を繕ってもらうこともあった。すり切れてできた穴からお金がこぼれ落ちると、ポケットをつけてくれた。はじめてつけてくれたポケットのことも覚えていた。あまりに深くて、手を膝までつっこまないと硬貨を取り出せなかった。だが、それもずいぶん昔のことだ……。

　開いた窓から離れた。牛乳配達屋がもの珍しそうにこちらを見ているように思えたのだ。T・スミス氏は着替えてから、朝食を食べに階下へ降りた。

「よく眠れましたか？」ミス・スランバブルはいつものように尋ねて、いつものベーコンエッグを持ってきた。「ぐっすり眠れましたか、スミスさん」

「いつも以上に眠れましたよ。ありがとうございます、ミス・スランバブル」彼もいつものように答えた。心のなかでは期待感がまだ炎のように燃えているが、彼女は気づいているだろうか。気づいていないといいが。

どうやら彼女は気づいていないらしい。「あのマットレスはロンドンでもとびきり上等なんですよ」と言った。「それに、スミスさんのベッドはいつもあたしが自分で支度していますからね」

この言葉はここ二十年で毎朝聞かされていたし、T・スミス氏はどう答えればよいかも心得ていた。「そうだと思っていましたよ」笑いながらそう言って、卵を食べはじめた。

ただ、ミス・スランバブルには知りようがなかった。一時間前に、奇妙なほどわくわくしながら「ロンドンでもとびきりのマットレス」から飛び出したことも、これからなにかが起きるという、とても不思議な幸福感を胸に出かけようとしていることも、知りようがなかった。彼は完璧なネクタイを、そんなことができればの話だが、さらにまっすぐに直し、口ひげを引っぱり、傘を取って出発した。「今朝はなんだかそわそわするな」自分が小声で言っているのを聞いて――さっとふり向いた。ミス・スランバブルが後ろに立っていたのだ。彼女はいつもシティ地区へ行くのを見送ってくれる。

「それでは行ってきます、ミス・スランバブル」といつも通りに声をかけた。「七時までには帰ります」

「夕食を用意しておきますね」大家もいつも通りに答えた。「雨が降らないといいですね」

スミス氏はちょっと動きを止めてから、いつも通りの言葉をかけようとした。普段なら「きっと降りませんよ」と言うところだが、今朝はその言葉がいままでのようには出てこなかった。「降るはずないですよ――きょうはね」自分がそう言っているのが聞こえた。

だが、そう言ったのと同時に扉が勢いよく閉まった。ばたんという音が聞こえた。ミス・スランバブルがさっきの言葉を聞いたのかどうかはわからない。彼はひとりで笑った。口ひげを引っぱった。いつもなら柔らかいのだが、きょうは堅くてごわごわしていると気づいた。それどころか逆立ってさえいる。彼はまた笑って、足どりも軽く歩き出した。ハイド・パークを通って仕事場へ向かうつもりだった。もっとも、傘のことは忘れていた。

「なんだか変だぞ」ひとりで静かに笑った。「いや――もしかすると――これでいいのかもしれない」ついに堂々と笑い出した。「どちらにせよ、いつもとは――違うな」

大股で歩いていて、ふと思い出した。ミス・スランバブルがいつもとは違うことを言っていた。彼の頭は、そのときは別のことでいっぱいだったので気づかなかった。それをいま思い出したのだ。彼がきょうは雨なんて降るはずがないと言ったとき、彼女は思いもよらぬことを言った。

いつもなら「降らないといいですね」と言ってくれる。今朝は言わなかった。「なにか起きるかもしれません」彼女はそう言ったのだ。

「なにかねえ」T・スミス氏は同意して、朗らかに笑った。あまりに大笑いしていたせいで、ベイズウォーター通りを渡るときには轢かれそうになる始末だった。

2

何年も続けてきた習慣通りに、彼はハイド・パークをぶらぶら歩いていった。トラファルガー広場まで行ってバスに乗るつもりだった。だが、きょうはなぜか、出勤する気が起きなかった。

彼はこの気持ちと戦った。T・スミス氏ともあろうひとが遅刻したら、なんと言われるだろう。いままで遅刻したことは一度もない。名声を博しているのは時間に厳しいおかげなのだ。顧客たちはきっとうわさする。その話はミス・スランバブルの耳にも入るかもしれない。道草なんて絶対だめだ。

「ミス・スランバブルには悩んでいてもらおう！」彼はいきなり叫んだ。「客も待たせればいい。遅刻してなにが悪いんだ」

道中ずっと、心のなかでなにかが歌っていた。きっと春が全身を駆けめぐっていたのだろう。なぜなら、いまになってやっと春らしくなってきたからだ。五月も下旬になって、ようやく太陽が姿を現し、終わりなき冬は永久に姿を消したように思えた。燕が一羽、煙突のそばを飛んでいった。暖かく芳しいそよ風が吹いてきた。ハリエニシダや松が生える砂の荒れ地を思い浮かべた……蜥蜴《とかげ》や……蝶を……。

そしてふと気づいた。これは春よりもすばらしいものだ。彼の全身が新しい旋律にときめいていた。だれかが――どこかで――奏でていたのを……耳にしたのだ。それに応えたのは、本当の彼だった。

応えたのはカペル・コートのＴ・スミス氏ではなく、もうひとりのほう——トルネード・スミスだった。

　いま、突然思い出した。自分の名前はトルネードだ。たいていのひとは、Ｔ・スミス氏の本名をトマス・スミスとかティモシー・スミスだと思っているが、実際はトルネードという。たしかに、竜巻《トルネード》と呼ばれるだけのことはあるのだ。

　なかば名前を持っていたトルネードが、あの奇妙な旋律を耳にして応え、分別にも理性にも逆らって、小さなヨットを安全な港から出港させ、休日の冷たい強風のただなかへ乗り出したのだ——トルネードこそは、実務家の内に眠る冒険家であり、向こう見ずな、常識はずれでさえある危険を時々冒してきた、彼の一部分だった。この「トルネード」が持つ「なにか」があるために、彼は、シティ地区へ出勤する途中でいつも見かける、押し合いへし合いしている大衆とは一線を画しているのだ。

　なにかが心のなかで跳びはね、弾け、踊っていた。そのなにかは眠っているときに見つけたものらしかった。

　知らず知らずのうちに、歩くのが遅くなっていった。気づくと、仕事場に顔を見せない言い訳がこれといって思い浮かばず、悔しく思っていた。ことあるごとに足を止めては、あたりを見まわした。店の陳列窓をこれ以上ないくらいまじまじと見つめた。まるで、いままで陳列窓を見たことがないとでもいうかのようだった——歩くのを長引かせてくれるなら、なんでもよかった。彼はなにかを待っていた。だが、その「なにか」がなんなのかはさっぱりわからなかった。

「トルネードか」その名前の重々しさをこれまでになく感じてつぶやいた。それなら父親はつむじ風で、母親は嵐か。おかしくて笑ってしまった。笑いながらのんびり歩き、こちらを見たりあちらを見たり、ぶらぶらとあてもなく散策しながら待っていた……。

　だが、トラファルガー広場まで来て、はたと足を止めた。突然、仕事場が耐えがたいものに思えてきた。彼は立ちつくした。なにかが心の琴線に触れた。鳩の群れが噴水で水を飲んでいるのを眺めた。もう大遅刻だ。秘書は手紙の束にいらだって大騒ぎしているだろう。客たちはどうしてＴ・スミス氏は遅刻しているのかと首をかしげているに違いない。電話が鳴って……鳴って……

「ふん、鳴らしておけばいいじゃないか！」彼は心のなかでそう言った。「秘書も待たせとけばいい。客には遅刻の理由を考えさせておこう。いい経験になるだろうよ」

　暖かな日差しのもとでぶらぶらしながら、鳩が水浴びを終えて毛づくろいしたり、恋に熱をあげるさまを眺めた。晴れ空の魔法にかけられて愛が燃えあがったのだ。薄汚れた雀や、蠅でさえも、彼の足を止めた。

　気づくと、なぜいまもロンドンなんかに住んでいるのかと疑問に思っていた。すでにたっぷり稼いでいたし、引退しても充分やっていける。なんだって残り僅かな男盛りをこんな不愉快なことに費やしているんだろう。

　旅行で行ける国があるんじゃないか？　青い空ときらめく海のある国が？　世間が「進歩」と呼ぶ恐怖とは無縁で、原始的ではあっても、ずっと穏やかな国があるんじゃないか？　現代にあっても、熱い日差しに照らされて、歌いながら仕事をしているところが……？

　本で読んだことを思い出した。東洋の桃源郷や、太平洋に散らばる島々、珊瑚礁や金色の渚。そうした場所について読んだ話は鵜呑みにはできなかったが、読んだときに不思議と心が揺さぶられたことは覚えている。そういう国がきっと、いや、たしかに存在しているはずだと感じた。さまざまなことが起きる国、バスを捕まえたり電車に乗ろうと走ったりするだけが人生ではない国もあるはずだ。前に目にした、金色に輝く陽気な広告や、パスポート入れを思い出した……。

　頭のなかで、自分の求めるものすべてを満たすところがあるのか考えてみた。ありそうにない気がした。正真正銘の妖精郷でもなければ無理だろう。

　彼はこんな風に長いこと立ちつくしていた。きらめく噴水をじっと見つめていたが、薄汚れた鳩が水浴びしている水場はもはや目に入っていなかった。彼が見ていたのは、ずっと遠くまで伸びる珊瑚礁だった。悠然たる波がそこに寄せては砕けて白く輝く泡を残し、その向こうでは、南の海に浮かぶ神秘の島でココヤシが揺れている。そよ風が優しく頬を撫でた。海鳥の鳴き声が聞こえる……。

　そばに小柄な少年が立っていることにぼんやりと気づいた。大きな黒い目でこちらを見あげている。まっさきに注意を惹かれたのが、この物問いたげな目だった。まるで自分と夢想をわかち合っているような、同じものを見ているような目だった。たしかに、ほかの人間には見えていないものを見ていた。

　とはいえ、その少年は、最初に見たかぎりではどこにでもいそうだった――裏通りで学校から出てくる大勢の子どもとたいして変わらなかった。みすぼらしいなりで、痩せこけて飢え死にしそうな体をしており、心を惹かれるところはこれっぽちもなかった。ところがもう一度見てみると、トルネードは違いに気づいた。そこいらの貧しい子どもより顔立ちが整っているのだ。身なりがみすぼらしいにもかかわらず、風格のような、さりげない気品のようなものを漂わせていて、ある種の野生動物を思わせた。

　カペル・コートのＴ・スミス氏は、自分が少年をまじまじと――犬や野生動物がじっと視線を注ぐように――見つめていることに気づいた。興味や好奇心、驚きで頭がいっぱいだった。どれも自然に芽生えた気持ちで、自分では意識していなかった。

「切符はいかがですか」少年は心地よく甲高い声で言った。「たったの一シリングです」

「でも――今時たったの一シリングで――どこに行けるんだい？」トルネードは笑って尋ねた。

「どこにでも行けます」少年は大まじめに答えた。

「どこにでも！」トルネードは訝《いぶか》しんで繰り返した。胸が高鳴っていた。

　たしかに少年は手にいくつも青い紙きれを持っている。見たところ切符のようだ。それを見て彼は迷った。

「それじゃあ」とためらいがちに言った。「一枚いただこうかな」おもしろがっている風を装っていたが、本当はのどが詰まっていた。少年に一シリングをわたし、引き換えに青い紙きれを受け取った。手が震えていた。

　小柄な少年は背を向けて行きかけたが、不意に足を止めるともどってきた。

「くれぐれも失くさないでくださいね、トルネードさん」と照れくさそうに言った。「指示はぜんぶ裏に書いてあります」そしてまた背を向けた。

「どうして――名前を知っているんだ」トルネードが訊いた。いまでは全身が震えている。

　不思議な少年はにっこりした。見るものをうっとりさせる笑顔だった。

「そりゃあお客さんですからね、知ってますよ」と穏やかに言った。「めったにいないですし」

「ちょっとしか売ってないということかな――？」トルネードがしゃべり出した。

　少年は今度は本当に行ってしまった。消えたようにも思えた。それほどすばやく、通りすぎる群衆に溶けこんだ。

　トルネードは青い紙きれに目をやった。裏には、たしかになにか書いてある。肉細で華奢な字は奇妙なかたちで、インクのかわりに、銀の液体を使って記されていた。だが、指示そのものは、字に慣れてしまえば簡単明瞭だった。

「正午までに、リッチモンド・パークのロビン・フッド門に来てください」と書いてある。「オークの木の下で、編み物をしている少女がいます。そばには猫が一匹います。彼女にこの切符を見せれば案内してくれます」

3

しばらくの間、トルネードは紙きれをひっくり返したりいじくったりしていた。こんなのはただの遊びに決まっている。たぶん寄付を募るための宣伝かなにかだ。宝探しで病院の資金を集めているのだろう。近頃はこうしたやり口で、涙もろい大衆から金を引き出しているのだ……とはいっても、なにからなにまで、いまののらくらしたい気持ちにぴったりだったので、探し求めていた言い訳にできそうだった――仕事に行かない言い訳だ。

「行くぞ」自分にそう言い聞かせた。ずる休みする少年のようだった。「公園はきれいだろうし、だれかいるかもしれない」

　彼は出発した。

　あとで思い出して、トルネードはこんな風に思うことがよくあった。この不思議な出来事でもことさらに不思議だったのは、行こうと決めた途端に、投げ出した仕事も、事務所も、それまでの人生さえも、頭に浮かばなくなったことだ。まるでいつもの生活がいきなり終わったかのようだった。まったく新しい生き方をはじめたみたいだったが、この「新しい生き方」はいつもそこにあったらしい。いつも手の届くところにあって、ただそこへの道が見つからなかっただけなのだ。とにかく、いままでの鎖からも縛めからも解き放たれた。自分は自由だという、経験したことのないよろこびが全身を走り抜けた。

　ついに自由になったのだ！　住み慣れたキャンプを後にしたジプシーのような気分で、世界ぜんぶは自分のものであり、心の赴くままに放浪できるのだと感じていた。事務所も住居もミス・スランバブルも消え去り、あたかもはじめから存在していなかったかのようだった。

　どうやってリッチモンド・パークまで行ったのかはよくわからなかった。なにも覚えていないのだ。バスかタクシーを使ったのか、歩いたのか、ほかの方法を使ったのかはなんとも言えなかった。彼にしてみれば、信じられない短時間でロビン・フッド門に着いたということだけで充分だった。ただそこにいたのだ。

　もどかしげにあたりを見まわしたが、はじめは、切符の記載に合う人物はまったく見当たらなかった。太陽が雲ひとつない空から照りつけていた。木や草はまだ早春のみずみずしさを残している。新鮮で清らかな大地の香りがする。彼は深々と息を吸った。楽々と都会の騒音と悪臭から逃れられて、無性にうれしかった。陽光がまぶしく輝いている。体のなかで血が騒いでいた。

　公園の管理人が子守りの女の子とのんびり話をしていた。ときおり自動車がほこりを巻きあげて道を通りすぎたが、音はしなかった。ただの写真のようだった。だがどこにも、オークの木の下で、猫のそばに座っている少女は見当たらなかった。

　ポケットに手を突っこんで青い切符を取り出し、もう一度はじめから読み直そうとしたが、切符を握った途端、探している人物が真正面にいると気づいた。

　少女がオークの木の下に座っていた。まさに記されている通りで、そばでは黒猫が前足をなめている。彼は目を凝らした。ついさっきまであそこにはだれもいなかった。だが、驚きはなかった。この出来事は、なぜか予想できていた。

　心が躍ったが、とまどいはしなかった。それでも、束の間、動揺が全身に広がったらしく、切符を落としてしまった。それがふわりと地面に落ち、彼が慌てて拾おうと屈むと、少女も猫も消えた。ただ、たしかに消えたとは断言できなかったかもしれない。切符を拾うのに気を取られていたのだ。だが、切符はどこにも見当たらない。大きな青葉が足下に落ちているだけだった。その葉をさっと拾いあげると――思った通り、彼は切符を手にしていた。

　少女と猫が消えたのは、やはり見間違いだったに違いない。どちらも目の前にいるし、人生のようにはっきり見える。

　彼は歩き出した。少女は彼が近づいてくるのを見ていた。そしてほほえみかけた。

「切符、見つかりましたね。安心しました」と彼女が言った。「失くしちゃったかと思って心配していたんです――ほかの方みたいに」優しい声だった。

「普通は失くしちゃうのかい?」思わず尋ねていた。

「普通なら、そうですね」彼女は答えた。

「それで、本当に道を案内してくれるのかな?」少し間をおいて、彼は続けた。

　少女はその質問をおもしろがっているらしい。

「もちろん案内しますよ」

　彼は心のどこかでためらい、恐れていた。自分が訊きたかった質問を恐れ、期待外れの答えが返ってくることを恐れていた。深く息を吸った。そして質問を口にした。

「行き先が――〈妖精郷〉でも?」出てきたのはささやき声だった。「切符に書いてあるのはそういうことなのかな――はるばる〈妖精郷〉まで行けるってことかな?」

「わたしはそこに住んでます」少女はただそう答えた。

「名前は〈偶然〉っていいます。妹の〈幸運〉といっしょに住んでます」とつけ加えて、猫を指した。

「そりゃあどういうことだね。妹さんが猫だって?」トルネードは訊いた。

少女はなにも答えずに猫を見た。トルネードがその視線を辿ると、猫の目がまじまじと自分を見つめているのに出くわした。かすかな震えが走り抜けるのを感じた。もう説明はいらないように思えた。自分を見つめるその目は猫のものではなく、人間のものでもなかった。彼は悟った。この目は精霊のものだ――数多の世界が生まれては滅ぶのを見てきていながら、いまもなお生き続けているなにかの――なにものかの――目だ。

背筋に冷たいものが走るのを感じた。口から飛び出そうとしていた数々の質問はのどで消えてしまい、言葉にならずじまいだった。数秒ほど、息が止まった。一方からもう一方へ、不安そうに視線を移した。数分の間、だれもしゃべらなかった。

トルネードはやっとの思いで公園の門へ目を向けた。驚いたことに、微妙な変化がすでに起こっていた。門はぼやけていて、子守りの女の子と管理人はにじんで見えた。一生懸命に目を凝らし、視界をはっきりさせようとしたが、とても薄い帳が、自分と、いまでは古く感じられるなじみの世界との間に降りているようだった。どうがんばっても帳を見通すことはできなかった。この奇妙な柔らかい帳は、自分の見るものと、いつも〈現実〉だと思っていたものとの間に降りていた。

彼は再び少女のほうを向いた。彼女にも変化が起きているように思えた。なぜか、さきほどより際立っているかに見えた。その髪は、さきほどまで色褪せた金髪だと思っていたのだが、いまでは色が深みを増している。目は淡い青だったが、いまではきらめいている。まるで秘められたランプが光を放っているかのようだ。彼女は輝き、光をふりまきはじめた。刻々と美しさを増していった。ある種の輝きが雲のように彼女を包んでいるようで、この光はそこら中できらきらしていた。

そして、トルネードは、なんとも不思議な具合に自分も変身しつつあると気づいた。かすかな震えが、頭のてっぺんから足のつま先まで走り抜けた。自分が変わりつつあり、なんらかの方法で、これまでとは異なる在り方に適応しようとしているのを感じた。

自分のなかのすべてが信じがたいほどに速められ、活発になり、強められ、さらなる高みへ引きあげられて、加速していった。いまではいくつもの思考が、さらに猛烈な速さで頭を駆け抜けていた。すばやさが基調となっていた。この調子ならすぐに思考は要らなくなる。少なくとも人間が知る思考は必要なくなる。新しい力が体に満ちてきた。すでに、少女たちと話す必要はなくなっているように思えた。言葉も、それを口に出すことも必要なかった。というのも、不思議なやり方で、少女たちは言葉にならなかった質問に答えてくれたからだ。血が荒々しく血管を駆けめぐっていて、その力は体をばらばらにしてしまいそうなほど強かった。すさまじい勢いで流れ、ほとばしっていた。それでも、彼はまったく気にしなかった。この未知の状況にあっては、いつもの身体感覚を、そして体そのものを失ったことなど、ひどく些細に思えて気にも留めなかった。そんなことを考えるよりずっとおもしろいものがいくつもあるのだ。

　見慣れた景色はすでになくなっていた。公園の門も、管理人と管理人の小屋もとっくに消えており、背の高い木々のこずえだけが白い霧めいたものの上に見えている。それも見ている間に、渦のようなものとともに消えた。なじみの世界は消えてしまった。

　気づくと砂利道にいた。両脇にはヒースが生い茂っていて、道の先にはひと気のない砂浜があった。

　太陽がまぶしく照りつけていて、水面《みなも》がきらめている。はるか彼方に島がぼんやりと見える。かもめの群れが渚で輪を描いて飛んでおり、アオサギが一羽、もの憂げに頭上で旋回していた。

　あたりを見まわして、少女と猫を探した。猫はいなくなっていて、かわりに黒髪のかわいらしい少女が立っていた。その姉である金髪の少女がそばに立っていて、重々しい笑みを浮かべていた。

「わたしたちのことは〈偶然〉と〈幸運〉とでも呼んでください」と彼女は言った。「人間にはそう呼ばれていますから。まあ、ただの名前ですけれどね。〈運命〉と〈宿命〉と呼ぶ方もいますけど、それもまちがっています。本当はただの〈行い〉と〈報い〉なのです」言葉を切ると、彼の目をじっと見た。「難しすぎたかもしれませんね」優しい口調で続けた。「でも、もしわからなくても、きっとマーリンが教えてくれます。彼は〈妖精郷〉の住民でいちばん賢いのですからね」

4

トルネードは名前について細かいことを言う気分では

なかったし、〈偶然〉がマーリンの話で言わんとしていたことについても同様だった。新しい生命が血管で脈打っているのが感じられたし、胸は幸せで高鳴っていた。着古した服を旅の途中で脱ぎ捨てていたことに気づいたが、ほとんど驚かなかった。いつもはその服を着てシティ地区へ行っていた。いまは革の胴着だけ着ていて、日焼けした脚はむき出しであり、靴のかわりに鹿皮のサンダルを履いている。ベルトでは狩猟用の長いナイフが揺れていた。ただ、ひとつだけ足りないものがあった。いつもおなじみの、そこにあるはずのものだ。なんなのかはわからなかった。ないことはわかっていたが――ただそれだけだった。

　彼は驚きもせずに一連の変化を見守っていたが、同時に、一瞬だけ記憶が閃いた――たぶん、夕べ見た夢の記憶だろう。夢というのはときおり、こんな風に欠片となって気まぐれに浮かびあがってくるものだ。

「ミス――えっと――スラン――」その名前は途中までしか思い出せなかった。「夢のなかで行こうとしていた、あの拷問の場所――ベルが鳴りに鳴って――手紙が――手紙の山が――T・スミス氏――」手で目を覆い、なんとなくがんばって思い出そうとした――「やれやれ、あれはまったくひどい夢だったな――なにか忘れているが――いったい……なんだったかな……」

　ふたりの少女がそばを走り抜けるのを見ると、夢の記憶は意識からすっかり消え去った。夢がいつもこっそり姿を消して、忘れられるのとそっくりだった。彼が重ねてきた歳月は木の葉のように落ちて、若々しい生命力が血管にみなぎっていた。冒険が呼んでいる。いつの世も変わらぬ声で呼んでいる。彼は笑いながら小道を走っていって、波打ち際にいる連れ合いに加わった。少女ふたりが小さなヨットに乗りこむと、ほのかに光る白い脚が見えた。ヨットは入江に置いてあって、舳先を黄色い砂浜に乗せ、艫《とも》を水面に浮かべていた。彼がやってくると、ふたりは動きを止めて彼を見た。ヨットから飛び降りると砂浜に腰を下ろして、彼にもそうするように身ぶりで示した。

　トルネードはふたりのそばに座った。

「〈妖精郷〉に連れて行ってくれる小船があるんですけれど」〈偶然〉がいたずらっぽく笑いかけながら言った。「乗る勇気はおありですか?」

「あるよ」彼は答えた。「どんな危険があるんだい?」

　姉妹はちょっとの間ひそひそと相談していた。答えたのは〈幸運〉だった。

「もどってこれないという危険があるわ」と言った。

「絶対にもどってこれないの。それに、勇気がなかったら〈竜ヶ原〉を渡れないから、あなたは家にも行けない」

「わたしの家だって！」彼は叫んだ。

励ますようなまなざしを向けて、ふたりは笑った。その笑い声は、夏の草地からかすかに聞こえてくる、心地よい鈴の音を思わせた。

「そう、あなたの家ですよ」〈偶然〉が説明した。「あなたの家はずっとここにあったじゃありませんか。ご自分でここに建てたのでしょう。退屈な歳月を過ごしながら、小さな家を夢見ていましたよね。森の縁に建っていて、近くには池があって、黄昏時には鹿が水を飲みに来る。そして森の空き地では、紅葉した木の葉が落ちはじめると、牡鹿が鳴く。ヨットがはるか彼方の神秘の島へ連れて行ってくれる。あるいは、黒髪か金髪の少女がにこやかな目で幸せそうに笑っている。それがあなたの夢でしょう？」

まさしくその通りだった。何年も何年も、これまでの生涯を通じて、そうしたものを夢見てきた。子どもの頃から、遍歴の騎士が川の浅瀬を渡ろうとする者に目を光らせているところを夢見てきた。ときには夢のなかで、城壁に囲まれた町を見た。さまざまな旗で彩られていて、古めかしい奇妙な家々が建ち並ぶなかに、曲がりくねった狭い街路が伸びていた。幾たびも同じ町を見たので、しまいにはロンドンの狭い住みかにも劣らぬほどなじみ深くなった。ひとりで町中を巡れるほどだった。武具職人がどこに店を構えているかも、革職人がどこに住んでいるかも知っていた。さらには、教会のそばの古風な広場で開かれる市場で、店を切り盛りしている人々の顔もみなよく知っていた。にもかかわらず、自分が町でどういった地位にあるのかははっきりしなかった。夢のなかでさえ、少しとまどっていた。こちらを見て気づいてくれるひともいたが、ほかの者には無視された。まるでそこにいないかのようだった。それでも、ある意味では、ここは自分の町だと感じていた。町は隅々まで知り尽くしていた。弓の射場《いば》から、勇ましい馬上試合が開かれて槍が砕け散る闘技場にいたるまで、すべて知っていた。

彼は連れのふたりを見た。どちらも自分の考えを読んでおり、説明する必要はないとわかった。

「〈竜ヶ原〉のことを教えてほしいな」と彼は言った。内心では奇妙に恐れおののいていた。「竜は危ないの？」

「とっても怖いわよ」〈幸運〉が言った。「番人だから、だれでも通してくれるわけじゃないの。あなたには触らないでしょうけど」

「どんなひとを締め出しているの？」彼は訊いた。

〈幸運〉はちょっと考えた。「それはもう、たくさんいるわね」やがてそう答えた。「動物や子どもをいじめるひとはまずだめ。それからお金にがめついひとや欲深いひと。自分が快適に暮らすことや、服や外見のことばっかり考えているようなひとね。あと、太っていて肌がつやつやしているひともだめ。おわかりでしょ」

　トルネードはため息をついて、「よくわかるよ」と同意した。「なにがあっても通さないだろうね。そんな連中がいたら台無しになってしまう」

「あ、それから、どんな危険であっても、絶対に避けようとするひともだめね」〈幸運〉がつけ加えた。

「ふむ」トルネードはつぶやいて、考えこんだ。

「向うに見えるのが〈妖精郷〉？」しばらく経ってから、はるか彼方にぼんやりと見える島を指して尋ねた。その島には、砂浜にはじめて来たときに気づいていた。輪郭がはっきりせず、とても遠くにあるようだった。

　〈幸運〉が口を開くと、その表情も声も重々しさを増した。「行ってみればわかるでしょうけど、あそこに上陸するのは難しいわ」と言った。「あそこはハイ・ブラジル（アイルランドの西にあると考えられていた幻の島）とか、アヴァロン島とかいった名前で呼ばれてる。大冒険で命を落とした者の魂があそこに行くのよ。アーサー王が最後の戦いを終えて、休息しに行ったのもあの島だった。それからふたつの王国を手に入れに行ったの」

「ふたつの王国？」トルネードは声をあげた。

「そうよ」〈幸運〉が答えた。「だって、彼は永久に君臨しているでしょう、子どもの心と――〈妖精郷〉に？」

　彼女はふり返って姉のほうを見ると、暖かな笑みを交わし、またトルネードのほうを向いた。

「さて、あなたとはお別れね」と彼女は言った。「あれがあなたの小船よ。あそこにいる、片方の翼に黒いまだらがあるかもめについていって。彼が案内してくれるわ」

　姉妹は脇に退いて待っていた。トルネードはいつまでもふたりと話せそうだったが、少女の声音から、そしてふたりの顔に浮かぶほほえみから、いまが出発のときなのだと悟った。なにはともあれ、自分は危険を冒そうとしない連中とは違う。そうやって心を落ち着かせようとした。

　小船に乗りこみ、マストを立てた。穏やかな風が陸地から吹いてきた。彼はふたりの少女にさよならを言うと、勇ましく海に乗り出した。帆を張った。小さなヨットは彼方の不思議な目的地へ、楽しげに水面を滑っていった。ふり返ると、〈幸運〉と〈偶然〉が黄色い砂浜にまだ並んで立っていて、こちらを見守っていた。彼が手をふると、ふたりも手をふってくれた。少し経ってからまたふり返ってみると、ふたりが背を向けて内陸へ歩み去るところだった。やがてどちらも木々の合間に見えなくなった。

　かもめはいつも前方を飛んでいて、ときおり青空高く舞いあがったかと思うと、急降下して、波の頂をかすめながら軽やかに飛んだ。しばらくの間、小船のまわりを旋回していることもあり、トルネードの頭の近くをよぎって、好奇心旺盛なきらめく目で彼の顔を見つめた。

　風は岸から離れるほどに強まり、トルネードは小船が実際はものすごい速さで走っていることに気づいた。陸地はすぐに見えなくなり、ハイ・ブラジルの霞がかった岸辺がはるか前方に見えるだけだった。こんな具合に帆走して数時間も経ったに違いない。水平線に黒い点を認めた。風はずっと強まっていて、小船はますます速力を増しているかに見え、ものすごい勢いで波から波へ跳んでいった。

　ここ一時間か二時間ほど、彼は船に無理をさせているのではないかと思って、速さを緩めたりしていたが、この小船が勇ましく走っているのを見て、いまではしたいようにさせていた。なにしろ魔法の船だから、どうすれば浮いていられるかくらい心得ているだろうと考えて、心を落ち着かせた。

　陸が近づいてきた。みるみるうちに近づいて、細部まではっきり見えるようになってきた。高い丘が内陸に連なっているのが見えたが、海岸沿いの土地は平らで木々に覆われているようだ。家も住民の姿もない。海岸にもまったくひと気がない。しかも、そこは険しい海岸だった。巨岩がいくつも海に突き出ていて、そのまわりで波が白く砕けていた。岸辺で平らなところはほとんど見当たらない。

　ちっぽけな小船で上陸するのは不可能に思えた。だが、トルネードはかもめを信じて疑わず、その導きに従って――まっすぐ岩に向かった。一度か二度、かもめが頭をさっとこちらに向けたことに気づいた。まるで安心させようとしてくれているみたいだった。岩はどんどん近づいてきた。恐ろしくて少し気分が悪くなったが、いまさら引き返すことはできない。波の唸りがそこら中で轟き、しぶきで顔がびしょ濡れになった。小船が大きな寄せ波のうねりにつかまったかと思うと、そのままぎざぎざの岩につっこんでいった。彼は息をのんだ。

　最後の瞬間、もうだめかと思ったそのとき、狭い水路がいきなり目の前にひらけた。小船は険しい岩壁の間を通り抜けて、小さな入り江に入った。入った途端、すべてが静まりかえった。風はあたりを囲む高い岸壁にさえぎられていて、青い水面にはさざ波さえ立っていない。海水が狭い砂浜を穏やかに洗っていた。そして、驚いたことに、そこには荒削りの岩板でつくった小さな埠頭があった。細い枝をより合わせた輪っかもあり、小船を泊めておけそうだった。すぐにヨットを舫《もや》うと、砂浜に降り立った。

　かもめは仕事を終えて満足したように、幾度か頭上を旋回し、さよならを告げるように甲高く鳴くと、海を目指してまっすぐ飛んでいった。トルネードは別れのあいさつがわりに手をふった。かもめが黒いまだらのあるほうの翼をはためかせて、あいさつを返してくれたような気がした。彼はかもめが飛び去って、広く青い海原に注ぐまばゆい陽光に溶けこむまで見守っていた。

5

　トルネードはしばし立ちつくして、あたりの様子を観察した。埠頭からは小道らしきものが伸びていて、まっすぐ森へ続いている。道は鬱蒼たる木々に隠されて、すぐに見えなくなっていた。あらゆる方向を調べてみたが、この小道以外に歩いて行けるところはないようだった。陸側で通れそうな箇所はないし、背後には当然、海が広がっている。最良にして唯一の方法は、この道を終着点までたどっていくことだった。とにかく、どこかしらには通じているはずだ。

「さて、お次は竜か！」気をもみながらそう考えると、不安の波が押し寄せてきた。歩き出しながら、思わずベルトの長い狩猟用ナイフをいつでも抜けるようにしたが、本気の竜を相手にしたら、ナイフなんて役に立たないことはよくわかっていた。にもかかわらず、危険を冒しているという疑う余地のない事実にうれしくなっていた。そのことが、自分にはハイ・ブラジルに足を踏み入れる資格があると証明しているからだ。

　慎重に先へ進みつつ、両側にも前方にも目を注いでいると、木々はますます鬱蒼と茂り、大きくなっていき、しまいには緑のトンネルのなかを歩いているような気がしてきた。枝が頭上で合わさっていた。そこかしこに木漏れ日が差して、道端の不思議な花を燃える宝石のように見せていた。地面は苔むしていて、足はまったく音を立てなかった。森は墓場のように静まりかえっていた。風はそよとも吹いていなかった。

　不意にひらけたところに出た。木はまばらになり、大きな空き地が目の前に広がっていた。鹿があちこちでのんびりと草を食んでいる。トルネードは獲物を嗅ぎつけた犬のように動きを止め、ほとんど意識せずにさっと木の後ろに隠れて、鹿の群れを見た。アカジカやダマジカがいて、ちらほらノロジカもいる一方、遠くには別の見慣れない鹿がいた。だが、あちこちの群れを見わたし、それぞれの群れでいちばん立派なものを見定めているうちに、ふと、まったく別の、それも非常に風変わりな動物の姿に注意を引かれた。

　最初に目に入ったときは寝そべっていたが、見ているうちにゆっくり立ちあがって伸びをした。牡鹿より大きく、色は揺り木馬に似ていて、黒と白のまだらがある。その正体はまちがえようがなかった。長くまっすぐな角が一本、額から生えているのが見えたのだ。彼は息をのんだ。一角獣だ。その目は穏やかにあたりを見つめており、まるで驚きもせずに、よそ者が近くにいることを受け入れているかのようだった。

「これほど優雅で、美しい動物だったとは！」目を見張りながらつぶやくと、体に震えが走った。一角獣が歩む草地は〈妖精郷〉以外にはないと思い至り、本当にやってきたという実感が湧いたのだ。

　長いこと木の後ろに立って、このもの静かな動物を観察したり、鹿へ視線をさまよわせたりしていたに違いない。というのも、竜の試練に近づいていることをすっかり忘れていたのだ。そんなときに、いきなり空からうなり声が聞こえた。トルネードがさっと目をあげると、六つの黒い影がすさまじい速さで森へ降りてくるのが見えた。それも、彼がその縁で隠れている空き地へ降りてくる。竜の前方には炎がほとばしっているようで、どうやら口から出ているらしい。奇妙でやかましい、こすれるような音や、叫ぶような、うなるような騒々しい音を立てていた。

「こりゃすごい！」彼は叫んだ。「竜だ！」

　心も神経もかなり衝撃を受けたが、大いにそそられた好奇心のおかげで、恐怖は手に負えないほどではなかった。それにしても奇妙だったのは、全感覚を目の前の印象深い光景に集中していたはずのこの瞬間に、まったく別のなにかを考える余裕があったこと——なにかを忘れていたことだった。いつも身近にあったものがなくなっているという確信がまたもどってきた。手をナイフに走らせたが、ナイフはちゃんとあった。ナイフ以外でいつも持っていたものがあったはずだが、それがなにかはどうしても思い出せなかった。いつも持ち歩いていたものだ。身を守るために頭上で使っていた。だが、それがなんなのかは想像もつかなかった。それを持ってきていない——ということしかわからなかった。

　こうした考えが束の間脳裏に浮かんだかと思うと、すっかり消え去り——彼はまた全感覚を竜に向けた。いまではずっと高度を下げて梢をかすめており、見ているうちに、一匹また一匹と空き地に降下して、草を食む鹿に混じって身を横たえた。群れなす鳥のように静かだった。鹿のほうも竜が来たところで慌てたりはしていないらしく、静かにわきへ退いて、竜たちが着地できる余地をつくった。一角獣は相変わらず、角を木にこすりつけていた。

　ただ、どう見ても竜は鳥ではなかった。炎の噴流は、飛んでいる間は鼻孔からほとばしっていたが、いまはもうやんでいる。とはいえ、恐ろしい口が開くと赤い輝きが見えたし、うっすらとした煙がぎざぎざの口まわりで渦巻き、凪いだ空気に立ち昇っていた。巨大な脇腹が呼吸に合わせて膨らんだりしぼんだりして、それとともにおかしな音が聞こえた。こすれるような、鎖が鳴るような、金属的とさえいえそうな音で、どうやら体のなかからしているようだった。

　トルネードはいまでは心底震えあがっていた。おぞましい獣が現れて、血が凍った。どの竜もひと口で自分をのみこめるし、あの燃える息を受けたら一瞬で灰になってしまう。しっぽのただのひとふりで——骨も肉も砕かれて、ぐちゃぐちゃになってしまう。竜は鮮やかな緑の鱗で覆われていて、動くたびにそれがこすれるような音を立てていた。脚と爪は強烈な真紅色で、スープ皿ほどもある大きな目は赤や緑にかわるがわる輝いており、なかで炎かなにかが燃えているようだった。

　竜は着地して翼をたたんでいたが、その翼は背中の上で優に三十フィートの高さにそびえていた。

　彼はますます目を見張り、目を見張るほどに竜が嫌いになった。自分がやってきた途端に竜が到着するなんて、タイミングがあまりによすぎる気がした。きっと竜がやってきたのは、自分がやってきたからなのだ。六匹はみな、彼が木に隠れているところの真正面に整列していて、彼がたどってきた小道は、唯一の小道なのだが、竜の列の真ん中を通っていた。竜は軍隊並みにきっちりと列をなしていて、小道の両脇に三匹ずつ並んでいた。

　身を隠している幹の陰からこっそり覗いて、こうしたことを細かく見て取った。気分は鹿皮のサンダルまで沈みこんでいった。

　それでも、〈偶然〉と〈幸運〉が話してくれたことは固く信じており、迷いはなかった。思い返してみれば、ここまで無事にやってこれたのもふたりが導いてくれたおかげだ。ふたりを最後まで信じなければ、自分は己の探求に値すると立証できなくなる。とはいっても、彼の足の筋肉は紙みたいだった。動く勇気もなかったし、動けなかった――そのとき、不意に彼方から甲高い鳴き声が聞こえてきた。目をあげると、翼にまだらのあるあのかもめが木々の上を飛んでいるのが見えた。ぐるっと一度旋回してこちらを見やると、再び甲高い声をあげて、空へ溶けこんでいった。

　これこそは彼が行動を起こしたきっかけだった。ありったけの勇気をふりしぼり、打って出た。木の後ろから歩み出ると、ゆっくり、だが着実に足を進め、待ち受ける竜のほうへ向かった。

　近づいていくほど、竜が嫌いになった。気がくじけそうだった。全身が震えた。それでもまっすぐ歩いていき、ひるんでいることなどおくびにも出さなかった。すでに数ヤードも離れていないところに、恐ろしい隊列の最初のひと組がおり、その間にはちょうど触れずに通るだけの幅しかないことに気づいた。ちょっとつまづいたり、一インチでも右や左に寄ったりすれば、すさまじい口に触れてしまう。それどころか、彼がゆっくり進むうちにも、右側にいた竜が大きくあくびをして、途方もない口を見せた。大きなとがった歯が並んでいて、赤い舌がぞっとするほど意味深長に出たり入ったりしていた。むろん、それは唇をなめているのだった。だが、その向かいにいる左側の竜はいっそう恐ろしい動きをしていた。巨大なしっぽをもぞもぞさせ、左右にふりはじめたのだ。飛び出す前の猫のしっぽみたいだった。ものすごい後ろ脚をしっぽの下で寄せているらしく、子猫がじゃれてボールに飛びかかるときにそっくりだった。

　トルネードは自分がボールになった気がした。全身が汗でぐしょぬれだった。両脚はかろうじて体を支えていた。それでも彼はゆっくりした足取りで前へ進み続け、どんどん近づいていった。

　いよいよ巨大な頭の一組目に差しかかった。怪物はじろりと目を向けてきたが、動かなかった。彼はゆっくりと進み、通り過ぎた。二組目に差しかかると、二匹の目はやはり後を追ってきた。体は身動きもしなかった。硫黄の燃えるにおいが鼻を刺した。そこには別の、妙になじみ深いにおいがまじっている気がしたが、それがなにかははっきりしなかった。名前は知っているのだが、もうひとつの人生とともに消え去っていた。その人生もやはり思い出せなかった。

　さらに四つの頭を通り抜ける間も、竜たちは身じろぎもしなかったが、大きな燃える目でじっと追いかけてきた。

　隊列の真ん中まで来ると、トルネードはいますぐ走り出したいという強烈な衝動を抑えるのでやっとだった。頭に浮かんでいたのは、全力疾走で一気に駆け抜けることだった――あとは幸運に任せるのだ。だが、いざ考えがまとまると、「〈幸運〉に任せる」という言葉でふと気づいた。この計画を実行すれば、臆病さも失敗もさらけ出すはめになる。〈幸運〉と〈偶然〉を信じるというのは、逃げ出すことではない。〈運命〉がある。そして〈運命〉は、たしかに容赦ないが、勇気と決意には従うものだ。彼は恐ろしい道を先へ歩き続けた。

　ようやく終わりまで来た。ひどい目には遭わずに済んだ。怪物の最後のひと組を無事に通り過ぎた。竜は最後まで一匹も動かなかった。たったの数フィートとはいえ隊列からは離れていたし、竜たちはまだ森の草地でじっとうずくまっている。やったぞ！　決意を貫いた！　自分がハイ・ブラジルの伝統にふさわしいと証明できたんだ！　たしかに間一髪ではあったが。

　トルネードは走り出さないようにしながら、息を乱し、心臓を小さな太鼓のように高鳴らせて小道をたどった。一角獣が近づいてきて、風格のある頭を下げると、危険なほど尖った角を肩にこすりつけてきた。彼は一瞬、その穏やかな目を覗きこんだ。鹿の群れは静かにわかれて道を空けると、また食事にもどった。平穏そのものだった。なにしろ、かなり大きい群れが前を横断するまで、しばらく待たなければならないほどだったのだ。

　まだふりかえっていなかったが、不意にこすれるような、すさまじくやかましい音がして、しゅうしゅう、ほうほうという声が聞こえた。頭をめぐらすと、巨大な竜が空へ舞いあがったところだった。目を見張る光景だった。竜は楽々と上昇した。鼻から炎と煙を吐き出し、鱗からは鎖を打ち鳴らすような騒々しい音を立てていた。森の上に出ると、六匹は途方もなく大きな雁の群れみたいに、Ｖ字の編隊を組んで空を渡っていった。高く昇っていくにつれてその姿はどんどん縮んでいき、吠える声も小さくなって、しまいには見えなくなった。

　鹿も一角獣も、この恐ろしく騒がしい出来事にちっとも注意を向けていないことに気づいた。静けさと平穏が再び森を包んだ。

6

トルネードは深々と息を吸うと、これまでになく幸せに感じた。こんなに幸せなのはありえないように見えたが、自分はそれを感じているのだ。ずっと追い求めてきたなにかにどんどん近づいていた。もうしばらく道草をして、愛らしい一角獣と仲良くなりたくてたまらなかったが、本能がぐずぐずすべきではないと警告していた。さらに先へ進まねばならない。なぜなら探し求めているものが山場を迎えるのは、これからなのだ。

　空き地の反対側にやってきた。太陽は沈もうとしていて、影はどんどん長くなっていった。食べ物をどうするか、どこで、どうやって眠るかといったことをぼんやり考えはじめた。疲れてはいなかったが、日没とともに眠るのは自然に思えた。苔や羊歯の上で眠るのだろうか。木の実を探しまわるのだろうか。せせらぎの調べを耳にして、のどが渇いていると気づいた。膝をついて、きらめく水をたっぷり飲んだ。

　立ちあがると、森の様子が異なって見えた。ついさっき膝をついたときと、まったく同じではなかった。あたりを見まわした。なにか妙な変化が起きているように思った。この森は前にも見た気がする。いまや森の縁に近づいていたが、その見かけはなじみ深いと言ってもよさそうなほどだ。見慣れているという印象はゆっくり歩いていくにつれて、ますます強まった。この小道は、思い違いでなければ、あそこのふしくれだったオークの古木を過ぎたところで、急に左へ曲がる。小さな家が建っていて、そばには池がある。家に近づいて扉をノックすると、扉が開いて……。

　たしかに、想像していた通りだとわかった。森を抜けると、小道は急に左へ曲がった。小さな家が、彼が望んでいた家が建っていて、夢のなかでずっと大切にしてきた池があった。ひまわりの間に見え隠れしているあの姿は〈幸運〉か、それとも〈偶然〉だろうか？　はっきりとは見えなかった。まっすぐ並ぶひまわりの向こうに消えてしまった。そこには一角獣がいて、そびえるジギタリスの上から穏やかにこちらを見つめていた。きっと裏道を通って、迎えに来たのだ。晴れやかな気持ちが高まった。声をあげて歌いたくなった。ついにやってきた

——わが家だ！

　トルネードは血潮をたぎらせながら、堂々とした足取りで扉のところへ行った。自信たっぷりにノックした。少し待った。最初はだれも出てこなかった。もう一度ノックしたが、やはりだれも出てこない。足音さえない。

いつしか、そこはかとなく落ち着かない気分になっていた。そうか！　入り方が違うんだ。思い出したようで、手が思わず脚の横に伸びた。まるでそこにあると思っているものを探しているみたいだった。

　探しているのはポケットじゃないか？　とにかく、ポケットはいつも通りそこにある。探していたものもそのなかにあった。硬く、しっかりとしている。彼は鍵を取り出して、苦もなく錠に差しこんだ。扉はいつも通りたやすく開いた。なかに入った。これまたいつも通りだ。目の前には秘書の女性が立っていて、その後ろには、これまたいつも通りに、机の上に手紙が山積している。

　電話がしびれを切らして鳴りに鳴っている……。

　秘書はなかばとがめるような表情を浮かべて、恭《うやうや》しくおはようございますとあいさつした。

「ちょっと遅刻したかな……？」Ｔ・スミス氏は、ほんの少しだけ申し訳なさそうに言った。「その——実は——ずっと歩いてきたんだ。申し訳ない」そしてつけ加えた。「ほら、今朝はとてもいい天気だったから……」

「そうですね、スミスさん」秘書が答えた。「曇ってしまったのが残念ですわ」ふりかえって電話に出た。ずっと鳴り続けていたのだ。

　彼女がそう言っている間も、彼は気づいていた。朝早くにはあった輝きがたしかに消えている。外に見える空は暗く、険悪だった。ひと雨降りそうだ。秘書は電話でおしゃべりしている。彼は待ちながら、耳を傾けた。

「ミス・スランバブルでした」と彼女は知らせて、受話器を置いた。「スミスさんは傘をお忘れになっているとのことでした。使いのひとにすぐ送らせたそうです」

「ああ——なるほど——そうか」彼はあいまいにつぶやいた。「たしかに——なにか——忘れているなと思ったんだよ」

　腕時計に目をやった。ほんの十五分遅れただけだった。

　それからさらに十五分ほど経ったころ、小柄な使い走りの少年が傘を持ってやってきて、青い紙きれを差し出した。Ｔ・スミス氏は、目をきらきらさせた男の子に一シリング払ってから、受取証として紙切れに署名した。深く考えもせず、こう署名した。「トルネード・スミス」と。

《Le forum du Roman Fantastique》創作

天蓋の彷徨

君島慧是

「――チェックアウトは十四時までにお願いしております。タクシーのお手配のほか、最寄り駅まで送迎バスのご用意もございます。明日のお帰りですと、いまご予約をおあずかりすることもできますが」

母はフロントの女性に、バスはいりませんと告げて、宿泊者カードに垂れてくる髪を肩にはらった。

「本当にホテルなのね」

つぶやきながら、母はカードに沙綾ひとりの名前を書く。沙綾は、カウンターから顔がでるぐらいの位置からそれを見ていた。学校でも、五年生のなかでは背が低いほうだ。

「なにかありましたら、どうぞフロントまでお気軽にお申しつけください」フロント係は娘に、次は母親のほうをむいて「お電話でも、どうぞお気軽に」

「助かります」

「なにかご不明な点はございますか？」

フロント係は再び少女にむきなおる。少女は大きな窓のむこうを見ていた。そのせいで自分に発せられた言葉に気づくのにすこし遅れた。ラウンジの外は噴水のある庭だ。庭のさきは木立で、さっき車から一瞬みえた湖はみえなかった。

「沙綾、返事！」

びくっとフロントにむきなおる。フロント係は「お気になさらず」と、母に手を浮かす。

「大丈夫、です」

沙綾が答えると、フロント係は真鍮製の鍵を両手でさしだした。古風な、家のものより三倍は大きな鍵だ。

「わからないことがあったら、いつでもおっしゃってください」

沙綾も両手で鍵を受けとった。


まえのおじいさん先生は、「子供の不眠症は珍しいね」といって、薬を処方するのが治療のすべてだった。

駅前にあるメンタルクリニックは遅くまでやっている。弟の俊哉を学童に迎えにいって、母の仕事帰りに待ちあわせても、充分まにあう。その便利さをはじめは母が気に入っていた。ろくに話もせず、薬を与えるだけの治療に、さきに不満を持ちはじめたのも母だった。小学五年生なのに、沙綾が薬がないと眠れない、となることを、なにより恐れているようだった。薬がなくても眠れるようにするのが治療じゃない、と、じきに零《こぼ》すようになった。


薬を飲むしかないなら仕方がない、と沙綾は思っている。それより、眠れないことでお母さんに迷惑をかける自分が厭だった。

頓服薬を飲めば、確かに眠れるのだ。

薬を飲んだら、すぐ布団にはいる。そう指示を受けている。布団に入ってしばらくは、いつものようにうだうだしている。それが三、四十分もすると、頭のなかに潜りこんだ手で強引に押さえつけられるように眠くなる。普通に眠くなるのとはだいぶ違う。「もうろう」に、「無理やり」頭のなかを支配されているようだ。しばらくは頭のなかを言葉や風景が駆けまわっている。気がつくと目覚ましが鳴っている。朝になっている。

確かに眠れはする。だが薬で眠るのは好きじゃなかった。

薬で眠ったあとは、起きてもスッキリしない。なにをしてもだるい。食事も億劫で、学校に行っても先生の言葉がうわの空だ。放課後もついだらだらしてしまう。好きな本にも、ゲームにも集中できない。

先生に、薬を変えて、量も減らして貰ったこともある。だが体調は変わらなかった。

普段なら夜の十時に布団に入っても、うとうとするのは明け方。七時には起きて学校の支度をする。これが一週間、多少の時間の差はあれ毎日つづく。土日のどちらかはなかば眠り、なかば横になって一日が過ぎてしまう。

眠れなくても最初は平気だった。ひとりで過ごすのはもとから得意だ。本を読んだって、絵を描いたっていい。五日もすると、寝られないことのつらさが身に染みてきた。授業中、ぼうっとしているし、なにをやっても集中できない。本を読んでもおなじ行を何度もなぞっている。ゲームではミスを繰りかえす。おなじところをぐるぐるまわっている。頭のなかも一緒だ。おなじことをぐるぐる考えてしまう。月に一度は熱っぽくなって、風邪をひきやすくなった。

　四六時中だるくて授業中もうわの空。頭のなかに霞がかかったように、長時間ぼうっとしている——となると、寝なくても、薬を飲んで寝たあととあまり変わらない。

　それでも薬を飲むのは、精神的に楽だからだ。

　なにより寝ているあいだは考えなくてすむ。自分から解放されている。眠りたい眠れない、と焦ることもない。

　母が職場の人に教えてもらったという心療内科の先生のところに行ったのは、夏休みが終わってすぐだった。

「いい先生だといいね」

　初めて降りた駅の立ち食いそば屋で、そばを食べる合間に母がいった。沙綾はうどんをすすりながら頷いた。

「ちょっと旅行みたいだね」

「うん！」とうどんをのみこんだ。夏休み中は、母の仕事が忙しくて、旅行らしい旅行ができなかった。またお母さんに迷惑かけていると思っていたところだ。この反応は沙綾の気を楽にした。自宅からこの駅まで一時間半近くかかった。高いカウンターは食べづらかったが、カツオの匂いたっぷりのお出汁は美味しかった。

　その男の先生は、沙綾を見るなりペンを置いて、好きなことはなにか訊いた。本は読む？　漫画は？　どんな本が好き？　映画は？　食べものならなにがいい？　ゲームはやる？　最近なにが面白かった？　そんな話をしているうちに、母がいま通っている先生ともらっている薬の話をしはじめた。

　先生は黙って聞いていた。母のはなしが終わるとペンをとって、カルテになにか書きながら、旅行はできますか？　と訊いた。

「一泊二日、二泊か、三泊になるかもしれません。どうでしょう。沙綾ちゃん、ひとりでお泊り平気かな？」

「沙綾、独りでですか？」母が丸椅子からタイトスカートのお尻を浮かす。

「そうです。どうかな」先生は沙綾をむく。

「平気です」と沙綾。

「でも、まだ」と母。

「平気だよ、来年は修学旅行だってあるんだから」

「それは学校が……。あのう、いったい、なんなんです？」

「宿泊施設があるんです。おなじ症状の患者さんに評判でしてね。まあ、ホテルなんですが。沙綾ちゃんなら合うかもしれない。試してみるの、いいかと思いまして。必要なのはパジャマ。食べものにアレルギーがあれば、云っておけば対応してくれます。あとは使い慣れた歯ブラシとか、読みかけの本とかゲーム……着替えぐらいかなあ」

「クリニックからいただいているお薬は」と母。

「いりません。でも念のために、捨てずにとっておいてください。このホテルも、合うあわないがありますので」

先生をとおして予約がとれたのは、それから二ヶ月後だった。

車を降りたのは、城館風の建物のまえだった。

車をだしてくれたのは、母の友達の澤田さんだ。男の人で、半年ほどまえから母と弟と沙綾の三人を、よくドライブや食事に連れて行ってくれる。弟、俊哉はこの週末、おなじ小学二年生の友達の家にお泊りだ。

着いたときには、車の時計は十六時をまわっていた。車まわしをかこむ薄暗い林から、甲高い鳥の声がしていた。

馬蹄形のポーチで母と娘をおろすと、澤田さんは「ぼくは駐車場で待っているから」と車をだした。玄関前には茶色い詰め襟の制服を着て白手袋のドアマンがいた。

「ほんとうにホテルなのね」母は呟いて娘の手を引いた。

「あらあ！　いいじゃない！」

部屋にはいるなり母がそういった。「すごくいいじゃない！　きれいねえ。これでひとり用？　わたしが泊まりたいぐらいだわ」

昔家族で泊まった熱海の旅館より広い。天井が高くて、西欧のお城のなかにありそうな家具ばかりだ。それに。

「すごい、沙綾みて、お姫様みたいじゃない！　ベッドのこれ、知っている？　天蓋っていうのよ」

「てんがい？」

「そう。ベッドのためのお屋根！　いいなあ」

沙綾はベッドの四角から、四本の柱に支えられたゴブラン織りの覆いを見あげた。

緑色の織物には、細かい絵がびっしり描かれている。織物のはしには、赤茶色の艶やかな糸を束ねた房が、等間隔で垂れていた。

ポーターが母娘の話ににこにこしながらカーテン、次いで窓を開けてくれた。植物のにおいが部屋いっぱいにはいる。針葉樹の香気に、体の奥にある眠気まで拭い去られる気がした。そこに「みて」と母が窓の外を指さす。

窓に近づくと、弓なりにかこむ木立のむこうで、青碧の湖面が西日に輝いていた。

「なにかあったらフロントの人にいうのよ。お母さんに連絡してもいいからね、電話でも、いつでもいいからね」

　返事をして、車のなかの母と澤田さんにおざなりに手をふる。頭のなかは、一刻もはやく部屋に戻り、試してみたいことでいっぱいだ。車を見送ると、沙綾は館内に駆けもどった。

　部屋は三階だ。探検を兼ねて、フロントの横で裾をひろげた大階段を登りかけたときだった。

「そろそろお夕食のお時間でございますよ」

　女の人の声がした。フロントから、チェックインのときの女の人が身を乗りだして教えてくれた。

　二階のレストランに行くと、白いテーブルクロスのかかった大きな楕円形のテーブルに案内された。おなじテーブルに他にも客がいて、みな間隔を空けて座っている。

　窓辺や壁際の四人がけ、六人がけのテーブルには、二人連れの若者や、三人連れのおばさんたち、五、六人の釣客のグループ、老夫婦などが食事を楽しんでいる。

　テーブルのそこには、沙綾の名前が書かれたカードが置いてあった。生まれてはじめて、誰かに椅子をひいて貰って腰掛けた。目のまえには銀の食器と皿が、ひとりぶんずつ用意されていた。

　中央に白いバラが飾られたその大きなテーブルには、中学生ぐらいの女の子がひとり、坊主頭に丸くハゲのある男の子がひとり。大学生ぐらいの青年や、学校の先生みたいな男の人が別々に何人か。母ぐらいの年格好の人に、おじいさんやおばあさんもいる。ふたり用や、四人がけのテーブルにも、ひとり客の姿がちらほらある。眺めているうちに、目のまえの皿に金色のスープが注がれた。つづいてキノコのサラダ、焼きたてのパンの籠がはこばれる。

　パンの籠ひとつに対して、ひとりが食べていいのか。わからずに籠を置いたウェイターを見あげると「パンはお替りもございます。どうぞお気軽にお申しつけください」といってくれた。お礼のありがとうございますが、云いたいのに恥ずかしく、口のなかでまごまごした。

　いただきます、と手をあわせる。記憶にある限りの映画やドラマの食事シーンと推測で、フォークとナイフとスプーンを優雅に、テーブルマナーがすっかり身についている貴婦人のように、使いこなそうとした。魚料理に肉料理、手のこんだ皿がつぎつぎ運ばれる。夢みたい！と何度も思い、たまに小さく夢みたいと声にでた。味は見た目以上だ。

　貴婦人はデザートが運ばれるまでだった。

「お客様、お客様」

ささやく声に、沙綾は目をこすった。左に傾いていた姿勢を直す。

目を開けると、テーブルでは緑色のアイスクリームが溶けかかっている。車のなかで眠ればいいからと、昨晩は頓服薬を飲まなかった。澤田さんのまえではいつも緊張する。それでなくても、食べたあとはいつも眠くなる。

「お部屋まで、ご案内いたしましょうか?」

何度か皿を運んでくれたウェイターだった。沙綾の椅子の横にしゃがみこんで、顔を覗いて訊ねてくれる。

「平気です。大丈夫」

デザートスプーンをとると、うたた寝の恥ずかしさに目を伏せながらアイスを口に運んだ。レストランには他にもうたた寝をしていたり、欠伸をかいた眠そうなお客がいてほっとした。ピスタチオのアイスははじめて食べる味で、びっくりするほど美味しかった。お母さんにも食べさせてあげたいと思った。

数分後、スプーンがデザート皿に落ちる音を、沙綾はとても遠い音のように聞いた。

左の肩になにか触れて目が醒めた。目をこすりながら「ごめんなさい」と呟く。

「いいえ」さきほどのウェイターだ。「アイスクリームが溶けてしまいましたね。新しいものをお持ちいたします」

「いいです。大丈夫です。これ食べます」

出されたものは残さず食べるよういわれている。スプーンで溶けたアイスを掬っているうちに、生クリームを添えた洋梨のタルトが運ばれた。まだ暖かいタルトに生クリームが沁みるのも残さず食べた。紅茶を飲み干し、ごちそうさまをして椅子から滑り降りた。

二階はレストランに読書室のほかは、客室に面した廊下があるだけだ。三階はつきあたりに大きなバルコニーとランドリールーム、自動販売機室があるほかは、客室ばかりだった。

「うしろは森なんだ」

三階の廊下の窓から、湖とは逆側が見えた。

深い森だ。建物の正面側の木立とはまったく印象が異なる。手前にある木立のごく一部が、ホテルの明かりと、僅かな街燈に浮かびあがっている。闇に沈んだ森のさきは真っ暗でなにも見えない。山のように一帯が巨大に高く、せりあがっているのが、夜空よりも黒いシルエットでうかがわれる程度だ。

鍵を使ってドアをあける。部屋の電気をつけると、お姫様気分が蘇る。

沙綾はバスルームを見、クローゼットや冷蔵庫の扉を開け閉めした。冷蔵庫には三種類のジュースと牛乳にミネラルウォーター、数種類のチーズのセットに缶詰、チョコレートのお菓子にクッキーとバナナが入っていた。冷蔵庫のうえのメニュー表にはビールやワインなどが書いてあるが、アルコール類は一本もない。ベッド脇にある電話のうえに貼られた紙には、短縮番号のリストに「めざまし」「がいせん」等、ひらがながふってあった。

　突然、丸テーブルでものが震える音がした。

　スマートフォンだ。

――お夕飯、食べた？　と母からメッセージが届いていた。

「食べた！」と返事をおくり返す。

――どうだった!?　美味しかった？

「すっごいすっごい、すっごかった。おいしかった!!」

――いいなあ!!

「いっぱいあって、おいしくて、映画みたい!!　お母さんにも俊哉にも食べさせたかったよー!!!」

――明日ゆっくり教えてね。困っていることない？

「ない！」

――あんまり遅くまで起きてないようにね。またなにかあったら報告してね！

　夜は短い。ここが自分の部屋なのは明日までだ。沙綾はあらためて室内を見まわした。チェストに机に椅子、ソファセット、ベランダにもテーブルや椅子がある！白いティーカップに丸テーブル。それにあのベッド！

　ポットのお湯が保温なのを確かめて、置いてあった茶葉で紅茶を淹れた。ソーサーごとカップを持ってベランダにでる。

　庭では何人かの宿泊客が散策したり、ベンチで寛いだりしていた。湖の近くにも街燈が灯っている。木立のあいだの小径から、湖にむかう人もいる。湖畔で明るいのはホテルに近いこのあたりだけだ。湖に沿ったうんと遠くに、町あかりだろうか、ぼんやり平たく明るいところがある。他に目につくのは山と樹木のギザギザのシルエット。秋のこの時期にしては、空を近く明るく感じる。紺色の空に、青白い雲が浮かんでいた。空も林も、湖もひろく、大きい。沙綾はぶるっと肩を震わせた。寒くなってきた。ソーサーのうえのカップをかたかた揺らして、早々に部屋へ引っこんだ。

　次にむかったのは書斎机だ。椅子にかけてみた。机のすべての抽斗を開けてみる。聖書にホテルの館内説明書に案内パンフレット。抽斗からとりだしては、ぱらぱら捲る。くすんだ金色の机上灯をつけてみる。聖書やパンフレットを脇に退けて、銀の紋章がはいったホテルのレターセットから便箋をだした。聡明な貴族のお嬢様のように、なにか書こうとする。ペンを持った頬杖でしばらく考えたが、一番仲のいい友達の名前を一行目に書いただけで、さきがつづかなかった。

うとうとしてきた。でもベッドへ入るにはまだ早い。この夜をできるだけ長引かせたかった。部屋の説明書をみながら、ラジオをつけてみた。つづいて目覚ましをセットしたときだ。

お母さんが明日、迎えにこなかったらどうしよう。

そんな考えが頭をよぎる。母の帰りが遅い晩や、待ち合わせのときなどによく考える。

そうしたら、わたし、ここの子になるのかな。受付していたお姉さんみたいに。ここで働くのかな。あの人がお仕事教えてくれるかな。それともお料理運んだり、お掃除したり。それともやっぱり、警察に連れて行かれる？　どこか知らないところに預けられて……。それならここのほうがいい。ここならいいな。さっきのお姉さんみたいに働かせてもらえないかな。ここのえらい人、そうさせてくれないかな。頼んでみようかな。ベッドのはしに腰掛けて、丸テーブルの外周を覆う花の彫刻を指でなぞっていると、とめどなくそんなことが思い浮かんだ。

横になりたくなった。着替えようかな、と立ちあがろうとしたときだ。枕のうえに、ピンク色のカードがあるのに気がついた。

——お客様へ

お寛ぎのところ、失礼いたします。このベッドでお休みになるコツをお教えいたします。旅の一興と思い、ぜひお試しください。

おやすみになるまえは、真っ暗になさらず、ベッドランプのご使用をおすすめいたします。

ここからななめうえにあります、壁で貝殻の形をした間接照明でございます。枕から壁にむかって左うえにあります銀色のツマミで、点灯、消灯のほか、明るさを調節していただけます。とても暗くすることも、明るくすることも可能です。どうぞお好みの明るさに調整なさって、ベッドにおはいりになってみてください。

この度は当館をお選びいただき、誠にありがとうございます。スタッフ一同、お客様が快適に、有意義にお過ごしいただけますよう、勤めさせていただきます。お気づきの点、ご要望などございましたら、どうぞお気軽にフロントやポーターまでお申しつけください。
――それではどうぞ、良い夜を。おやすみなさいませ。

沙綾はベッドに面した壁をみあげた。二枚貝の形をした乳白色のライトがある。壁の銀色のツマミをひねってみた。貝殻の照明が黄色く灯る。さらにツマミをまわす。徐々に明るくなっていく。が、天井のメインライトが明るすぎて、貝の照明の明るさがいまひとつはっきりしない。

天井のライトのスイッチ……と目で壁をなぞっていると、時計が目にはいった。もうすぐ十時だ。

「やだいつの間に！」

慌ててパジャマに着替える。洗面台で歯を磨く。眠くなったら危ないので、お風呂には入らなくてもいいよと先生と母にもいわれていた。スマートフォンの目覚ましも確認。入口脇のスイッチで部屋のメインライトを消す。机に近づいて机上灯、ベッド脇のスイッチでフットライトも消した。

ベッドに入ると、雲に包まれている気分だ。洗いたての清潔な綿の匂いがする。頬をシーツにこすりつけると、綿の奥に、日向の匂いがした。布団に潜ったまま、銀のツマミに手を伸ばす。しかしそれには、枕をよじ登らなければならなかった。このベッドには、映画にでてくるような大きな枕が、みっつもあるのだ。

ツマミをまわすと、貝殻の照明は白く明るくなったり、黄色く弱まったりする。しばらく試していると、びっくりして、肩が竦《すく》んだ。視野の端で長いものが動いている気がしたのだ。

天蓋を支える柱だった。木製で、螺旋の溝が下から上までつづいている。その彫刻が、灯《あか》りの変化で伸びたり縮んだりしているように見えるのだ。

原因がわかると、沙綾はほっとして、暗めの柔らかい光になるまでツマミを調節した。

気に入った明るさになると、あらためて横になった。天蓋の柱には蜜みたいな艶がある。貝殻照明のせいで、螺旋の溝の陰影が、さっきよりずっとはっきりしている。

足元のほうの柱を見ると、やはりおなじ彫刻が入っている。ベッドが大きいせいか、二本とも、とても遠くに感じられた。左足のうんとさきにある柱を、したからうえへ、なぞるようにみあげる。とにかく長く感じる。きっとねじれのせいだ。沙綾はそう思う。それにしても、なんて高さだろう。部屋の天井も、ホテルの屋根もないみたい。夜空のうんと高く、遠くまでつづいている。変なの。そんなわけないのに。頭ではわかっている。だが柱が追い越した、紺色の雲さえ見えるようだ。

　うんと高い、柱のさき。そこから視線をずらす。「うわあ」と声がでた。

　一面、森の絵だ。描かれた植物は、迷路のようにいり組んでいる。

　木立や藪の景色のあいだに、紫色の帽子をかぶった狩人、孔雀、鳥、鹿、蝶、猟犬などが描かれている。暗く絞った照明に、実にはっきり、ゴブラン織りの立体感をともなって浮びあがっていた。うんと目を近づけて細密画を見るようだ。

　柱のさきはあんなに遠くに見えた。なのに織物はなんて近さだろう。柱と織物、ふたつの距離はほとんど変わらないはずだ。なのに片方はとても遠く、片方はいやに近い。距離の違和感に、沙綾は軽い目眩を覚えた。

　織物を見つめる。なんてこまかいのだろう。藪の絵に目を凝らす。奥にも木々が見える。

　木々を見ようとする。手前の藪が、公民館で観たお芝居の書割のように左右に退いてゆく。木立の奥には低木の茂み。低木の奥には、蔦のカーテン……。視線は織物の景色の奥へ、奥へと、いざなわれてゆく。低木の藪は左右に遠のき、潜った蔦は、あとに退く。

　すすんでも、すすんでもつづく森。永遠に夜を遊ぶためにできた迷路のように。部品が幾重にも重なりあう機械式時計のように。果てしない闇のなかにできた舞台の、無限につづく書割のように。

　赤い実のなる木のあいだをとおった直後だった。矢の入った筒を背負った人にぶつかりそうになった。沙綾は悲鳴をあげてよろめいた。ぶつかりそうになった相手がふりかえり、咄嗟に手をとって、体を支えてくれた。

　相手は紫の帽子をとって会釈した。

「こんにちはお嬢さん」

「こんにちは」ちがった、こんばんはだ。いってから思い直した。

「どうやら、迷っておられる？」

「そうなの、わたし」ただ、てんがいを、見ていただけなのだけれど。

「いいんだよ。ここではよく迷う人がいる。迷いついでに、教えてあげる。この奥に黄金の木があるんだ」

「黄金って、金の!?」

「しい。大きな声をだすと、鹿に聞かれるよ」

「しか？」この人、織物の狩人とおんなじ格好……沙綾は訊きかえしながら、相手に思った。

「黄金の木に近づく人間をよく思わないんだ。とても立派な木だよ。森の王様なんだ。行ってご覧。このまま奥にむかうんだ」狩人は沙綾がきたのとは逆のほうを指さした。「あんな特別な木は、森のずっと奥の、神聖なところじゃないとできやしないからね」

疲れていた。今日はいろいろあった。だが黄金の木と聴いて、疲れは吹き飛んだ。

狩人と別れると、沙綾は黄金の木を目指した。幾重にも連なる森の木々を、次つぎ背にしてすすむ。迷っている気もした。森の暗さを、怖いと思わなくもなかった。しかしそれより、あたりの景色の、なんともいえない奥深さに惹かれていた。途中鹿が横切った。鳥がばさばさ飛んできた。また別の鳥が、近くの枝に止まってしばらく沙綾を見おろしていた。孔雀がいた。青い蝶を見た。途中、ひょっとしたらここは、ホテルの裏側にひろがるあの森だろうかと思った。暗く妖しく、どこか心惹かれる森を、沙綾は彷徨いつづけた。鳥の声が聴こえた。遠く近く啼きかわしている。それが目覚めだった。

「黄金の木い」

唸りながら、目を瞑ったままシーツに顔を擦りつける。着けなかった。でも、なんて目覚め、なんて気持ちがいい！

しばらくベッドのなかにいた。二度寝をしてもいいと思った。今日は自由だ。怒る人もいない。だが上掛けを跳ねあげてベッドから降りた。カーテンと窓を開ける。ベランダにでる。体がぶるっと震えて両手で肩を抱いた。寒かったが、よく晴れている。木立のむこうで湖面が朝の光をうけて白く輝いていた。部屋でなにか鳴りだした。目覚まし時計だった。

レストランで朝食を食べてから、外の探検にでるため一階に降りた。昨日今日と、食堂で見かけた中学生ぐらいの少女が、父親らしき人とフロントにいた。少女がこちらをむく。沙綾が会釈すると、近づいてきた。

「あなたも、眠れなかったの？」

少女が訊ねた。沙綾は頷いた。

「私も。でもここでは三泊ともぐっすり」

「ひとりで？　三泊もしたの？」頷く少女に、沙綾は質問を重ねる。「ここだと、よく眠れるの？　どうして？」

「わからない。わたし最初は、ベッドに横になって、天蓋を見ていただけだもん。でも見ているうちにね、笑わない？」

沙綾は固く口を引き結んで頷いた。

「天蓋の絵のなかをね、迷っている気がしたの。見ているうちに、柄のなかに入って、迷っている感じ。三日ともだよ！　そのままたぶん、寝ちゃった」

「いっしょ！　わたしも迷ったよ森のなか」

「え？　あなたの部屋、森なの⁉」

違うの？　と沙綾が聞き返すと、少女は「わたしのところ、お城だった」という。沙綾は思わず「お城⁉」と大きな声をだした。少女の父親が、フロントのカウンターを離れながら、行くよ、とこちらに声をかけた。

「すっごくきれいなの」少女は早口でまくしたてた。「お部屋がいっぱいあって大きくて。うちの近所の看護師さんも、ここで不眠症直したんだって。もし心配だったらもう一泊してごらんよ。でも、たぶんもう大丈夫」

　少女は沙綾に手をふって、父親を追いかけた。フロントの人たちが、遠ざかるふたりに頭をさげる。ドアマンの開けたドアをとおってふたりが見えなくなると、沙綾はフロントを見あげた。眠れるようになるの？　毎日？なんで？　訊ねるかわりに、フロントにいる男の人と女の人を見ていた。ふたりともにこにこと、書類を整理したり、後ろの格子型の棚に鍵を戻したりしてなにもいわない。

　二時間後、散歩から帰ってきた沙綾は、フロントで固定電話の受話器を握りしめていた。

　――そんなによく眠れたのはお母さんも嬉しいけれど……。あなたまさかご飯が美味しくていっているんじゃないでしょうね？

「そうそうお母さん、朝ご飯もすごかったよ！　ワッフルでしょ、スパゲッティに、メロンもいくら食べても、あ、違うの、そうじゃない！」

　――もう、澤田さんの予定もあるのに。バスと電車で、ひとりで帰ってくることになるかもしれないよ？　それでもいいの？

「いい！　できます！」

　――ホテルの人のいうことちゃんときける？

「大丈夫！」

　――帰ったら、ずっと納豆ご飯だからね！

「納豆ご飯大好き！」

　――もう……。ほんとうにしようがないなあ。

暗い声で「ホテルの人に電話変わって」と母がいった。わーいと叫びたいの堪えて、フロントの男の人に受話器を渡す。口を手で抑えてその場で飛び跳ねる。フロントの人が電話を切るのを待って、お城のお部屋、と云いたくなった。が、やめておいた。今夜こそ黄金の木に辿りつけるかもしれないのだ。

「目で迷うんだ」

「目で、迷う？」沙綾が繰りかえすと、狩人は頷いた。ふたりは切り株のうえに座っていた。

「目ではいり、目で歩く。彷徨う視線が、きみの足になる」

「それって、やっぱり見ているだけなの？」

「違うよ。きみはここにいるじゃないか」

「あ、そうか。じゃあ、これは夢のなか？」

「いいや。森のなかだよ。こうしておれと話しているだろ？」

「確かにそうだけれど」沙綾は釈然としない。

「あれ？」狩人は、改めて沙綾を見た。「へえ。きみは昨日より大人になったようだね」

「まさか。一日しか経っていないんだよ？」

「いや、なっているよ。なって見える。きみが気づかないだけだ」

「そんな急にかわれっこないのに。そういえばベッドの柱も変だった。とても遠くて、高いところまでね、のびている気がした」

「あの螺旋は、眠りの空へつづいているんだ」

ねむりのそら。沙綾は呟く。

眠りの空は、見あげていると眠りの空間に上昇させる。眠りのほうに引き寄せるんだ。視線からね。

見るだけで引き寄せられるの？

そう。見て昇る。見て彷徨う。

見ているだけで？ 不思議だね。

本来眠りとは、不思議なものだよ。

わたし、不思議なことで困っていたんだ。

でも、もう治る。

ほんとう？ と沙綾が狩人を見ると、狩人は頷いた。

もう大丈夫。ここから持っていくのは安心だけ。しばらく来られなくても、思い出すこと。眠れない時のおまじない。横になって眺めたときの景色を思い出すんだ。それが入口になる。最初からじゃなくてもいい。螺旋の柱とか、天蓋とか、この森についてとか。そのうちじっと見る。きみの記憶の抽斗、そこに、空につづく螺旋の柱とこの森があります。いつも傍に。ここで見つめた景色を、ぜひ——。

「沙綾？」

訊ねられ、えっ？ と声をあげた。驚いて息が止まりそうだった。母の顔を見あげて手を握る。フロントの男の人の話を聴きながら、森のなかにいる気がしていた。狩人の話を聴いていると思いこんでいたのだ。

「ご宿泊、誠にありがとうございます」

《Le forum du Roman Fantastique》翻訳

ローシーン・ドゥの肖像

The Portrait of Róisín Dhu

ドロシー・マカードル
Dorothy Macardle
館野浩美 訳

（S・Hのために）

画家の溺死から一年が経ち、メイヴの主催するヒューゴー・ブレイクの企画展がフィラデルフィアで開かれた。「天才は夭逝する」みなは言った。

あの絵たちを思うと、人間が歩むようになるより前のアイルランドで永遠に生きる民と過ごした夢の生を思い出すような気がする。

一作を除いては、ブレイクは人の顔はおろか、人間であれ妖精であれ生あるものの姿を描いたことはなかったが、作品の中の光と大気は生命のわななきに満ちていた――まるで画家が描いたのは生命そのものだったのだとでもいうように。大作〈スリーヴ・ガリオン〉があった――荒涼として荘厳――北の空に岩山がそびえ、見る者は英雄的な行為を求める若々しく熱烈な渇望に、クーフリンやフィン（共に神話の英雄）の力に満たされる。天地創造の第一日の残映のような〈ロッホ・コリブ〉があり――ウーナの〈暁〉があった……。

批評家たちは感嘆に表現のすべをなくし、空疎な言辞をつらねた。曰く、「ブレイクは予言者のごとく描く」、あるいは「アストラル界に描く」等々。

展示室のいちばん奥、灰色の壁にただ一点、〈ローシーン・ドゥの肖像〉が飾られていた。彼女を前にすると、アイルランド人は男も女も崇敬に立ちつくし、老人の眼には涙が、若人の眼には炎が宿った。この絵を見て祖国へ発った男たちがいた。

ブレイクはこの心揺さぶる魅惑的な顔を現実に見たのだろうか、そんな疑問を抱く者もいた。肖像の眼は神の秘密を知り、唇には終わりのない苦しみの記憶と受忍と予感とがあった。それでいて、あかるく静かな顔からは、人を死の彼方への渇仰に向かわせる美の光がさしていた。

　ヒューゴーのローシーン・ドゥがこの世の女性だったはずはない、とわたしたちは言い合った。死すべき人間の顔に煩わされながらあの不滅の夢を――あの恐れを超越した恍惚、苦悩を超越した光輝を――男たちが生命を捧げる過酷で優しいアイルランドの聖性を描いたはずがない。

　周知のとおり、メイヴは画家のただひとりの友人だった。外野が「女性はいたのか」と喧《かまびす》しくしても、メイヴは答えなかった。けれどある晩、わたしたち五人だけでウーナの炉辺を囲んでいたとき、信じられないような不思議な話を聞かせてくれた。

「当面は誰かれかまわず話すつもりはないの。わかってくれる人なんて滅多にいないだろうし、良いところも悪いところも知り尽くしていなければ、ヒューゴーがまるで……薄情だったみたいに思われそうで。でもあなたたちには話しておくわ。いたのよ」

「ちょっと信じられないな」リアムが言った。「ヒューゴーが描いたのは生身の人間じゃない。人間の魂ですらない」

「ある意味ではそのとおりなの」メイヴはあいまいに答えた。「なんとかわかってもらえるよう話してみるわね。

　彼は誰よりも孤独な存在だった。わたしの代母がフランスで救いだしたときは、悲惨と反抗心のちっぽけな塊だった。代母に彼を売った飲んだくれは、子供を飢え死にさせる寸前だった。母親は、あの女優のノーラ・ラフタリー。夫を捨ててフランソワ・ラウールと駆け落ちして、子供も連れていって、そして死んだ。父親のブレイク氏は狩りの最中に馬もろとも崖から飛び出した――悲しみでおかしくなっていたのね、そうして子供は寄る辺ない身の上になった。読み書きを教えたのはわたし。絵を描くことはすでに知っていた。

　とうとう最後まで、気性の激しい孤独な子供のままだった。母を憐れみ愛していたがための苦しみは、帰ってきてからは母の祖国に捧げた。外国で勉強していたときも、ずっと耐えがたい郷愁に苦しめられていた。ロッホ・コリブの湖畔にあった代母の家の、わたしたちが〈暗黒塔〉と呼んでいた塔は、彼のいちばんのお気に入りの場所だった。

　あんな極端に、それもいつも、苦悩と喜びを行き来していた人をほかに知らない。絵の具以外の表現手段は壊滅的——支離滅裂になるか黙りこくるかだったけれど、彼の絵は、最初は視覚としてやってくるのではなくて、雰囲気を深く感じとるところから始まったようね。知覚の瞬間から、それが心の中で形と色をとる瞬間までは、苦痛に悶える野生の生きものみたいになった。描くつもりの場所を昼も夜もうろつきまわって、じれったさに怒り狂いながら、ふさわしい光と影の時が来て、霊が実体を得るのを待つ……。そうして求めるものを見いだすと、満たされた幸福がおとずれて、完成するまで来る日も来る日も描きつづけた。そういうときは、夕方には子供みたいにくたくたになって、人懐っこくて、上機嫌なの。

　作品はあれほど激しいのに、描くときはじっくり集中して、おそろしく細やかで、恋する男のようだった。まさにそう——なんであれ、そのとき想像力を虜にした霊に我も忘れるくらい恋していた。絵ができあがって幻視から醒めると、ふさぎこんで死を望んだ。ほんとうに若かった。

　わたしはヒューゴーを叱咤して、そんな気分からひっぱりだそうとした。〈ロッホ・コリブ〉を仕上げたばかりの四月にいっしょにいたのだけれど——あの作品の無垢で天上的なやすらかさは知っているでしょう、まるで子供の魂みたいな。ヒューゴーは湖に近づこうとしなかった。『もうおれにとっては何の意味もない』憂鬱そうに言った。『用済みなんだ』

『ヒューゴー！』わたしは笑った。『あなたは吸血鬼ね。ロッホはあなたに魂を捧げたんだわ』『そうだ。そのとおり。死骸は醜いものだ』

　そんなふうに無気力で停滞した調子がひと月つづいて、ヒューゴーは全世界を憎んでいた。憎しみのやり場を与えてあげようと、ロンドンに連れていった。二日後には古巣の塔に飛んで帰り、泥炭と潮風と、帰りを歓迎する泥炭の炎のかぐわしい香りを吸って、愛情あふれるまなざしでアイルランドを眺めていたわ。翌朝、ロッホで水浴びをして戻ってくると、わたしが見たいと願っていた、生まれ変わって感嘆しているような顔で言った。『ローシーン・ドゥを描くことにした』それから求める女性を探してアイルランド西部を歩き回る旅に出た。

　わたしは言葉にならないほど驚くと同時に興奮した。ヒューゴーは人物画をひどく見下していたけれど、そういえば学生時代、頭部や手の習作を見たある芸術家が、息を呑んで『レオナルド』とささやいたこともあったのを思い出した。

　いったいどんな女性を連れてくるのだろうと考えてい

た。

戻ってきたのは二週間くらいあと、暗くなってから、ロッホをボートで渡って、ヒューゴーとあの子のふたりだけでやってきた。

夕食後、ヒューゴーは塔の円形の広間で泥炭の炎にあたりながら、彼女は王の娘なのだと言った。

彼女は英語がぜんぜんわからなかったけれど、自分のことを話しているのを察してヒューゴーに微笑みかけ、わたしは彼の言葉をアイルランド語で繰り返してあげた。彼女は真剣な顔でうなずいた。『そのとおりです』

窓辺から椅子に戻る彼女を見ていると、こわいような気さえした――彼女の美しさはあまりに繊細で、この世ならぬ感じで……

〝悲しげな誇りを湛えたその朱唇〟……イェイツの詩が思い出されてならなかった。いっぽうで、それは眠れる者の美しさ、人生や悲しみや愛を知らない者の美しさだった……そう……まだ光を秘めた女の顔だった……

ヒューゴーが話をするあいだ、彼女は影になった隅に座って、じっと考えこんでいた。ヒューゴーは有頂天で、自分の手柄に子供じみた喜びをあふれさせ、明日が待ちきれないようすだった。

彼女の名前はヌーラといった。父親はブラスケット諸島の王――迷信深く横暴な老人だった。ヒューゴーは父親とも兄弟たちとも、いっこうに話をつけられなかった。『誰かひとりついてきて、見張っていればいいって持ちかけた』ヒューゴーは言った。『でもぜんぜん聞きいれてくれなかった。

ご老体はスペインの大公みたいに厳《いかめ》しかった。〈正直な御仁よ、疑っているわけではない。だが娘はわが娘で、遠く世に出ていく必要はない〉そう言うんだ。

兄弟たちも負けず劣らず頑固だった。〈絵に描かれるのはよくない、奪われる〉だと。

おれを騙してボートに乗せ、〝アイルランドまで〟漕いでゆき、岸につくなりつまみ出した。〈遠い旅路に神の祝福あれ〉しかつめらしく挨拶していったが、島では二度と歓迎されないって含みがあったね。おれがどんなに激昂したかは想像がつくだろう』って。

それはまあね。毎晩毎晩、本土の岩場をうろついて破れかぶれの策を考えていたところへ、ある夜、ヌーラがやってきた。闇のなか舟を漕いできたのは、彼女のために老王の怒りを買う危険も辞さなかった若者たちだった。ヒューゴーは彼らにお礼をはずんでヌーラを連れ帰った。

ヒューゴーは得々として語り、ヌーラはときどき目を上げて、みちたりた優しいまなざしで彼を見つめた。わたしの心は重くなった。この結末はひとつしか考えられない。ヒューゴーは、最高にいいときは、愛情深くて親切で献身的——もうしぶんもなくね——でもわたしは古馴染みのヒューゴーの仕事が終わった後のありさまを知っていた。

　ヌーラはわたしの部屋で寝ることになり、暗闇のなか、そっとヒューゴーの仕事について訊ねてきた。『彼はあなたを親友だと言っていました』

　わたしは彼の子供時代について、彼の苦しみと才能について話した。彼女は耳を傾け、溜息をついた。

『そんなに長いこと孤独だったなんて可哀想に。でもこれからは孤独にはなりません』

『どうしてなの、ヌーラ』わたしは彼女のことを思って沈んだ気持ちで訊ねた。彼女の答えには言葉を失った。

『このわたしが愛を注いであげるから』

　ヒューゴーは自分と同じくらい世に見捨てられた存在を見つけたのね。彼女はどうなることかとわたしは案じた。ヌーラがおだやかな眠りについても、わたしは長く眠れずにいた。

　翌朝、塔の最上階にあるアトリエで仕事が始まった。わたしは家に戻るのをすっかりあきらめた。ヌーラにはわたしが必要になるだろうから。

　ヒューゴーはいつもより急いで仕事を進めているようで、明るくなると同時に始めて、暗くなるまでいっときも休まなかった。ヌーラの忍耐には驚かされたけれど、彼女のために手加減を求めることはしなかった。わたしはいちど、ヒューゴーが描いている最中にアトリエに入っていって、絵をだいなしにしたことがあった。ほんのささいな邪魔で彼の幻視は飛び去ってしまうから、わたしはそっとしておくことを学んだの。

　毎日毎日、ようやく食事や休息をとりに下りてきたとき、ヒューゴーの眼にこもった力の暗い輝きで進み具合がわかった。呪文が効くのを確かめた若いドルイドもかくやというところだった。

　いっぽうでヌーラを襲った変化には心おだやかではいられなかった。ヒューゴーは彼女を消耗させていた。顔は透きとおって光を放つようで、眼は大きく暗く、底知れない苦痛を覗きこむような表情を見せることもあった。魅力ある女に何年もかかって起こる変化が数日のうちにおとずれたかに見えた。ろうそくの明かりのもとに座って、自分自身の思いを追うように影を見つめているときの彼女の美しさは、息も止まるほどだった。日ごとにもっとすばらしく、もっと悲愴になっていった。

　ある晩、彼女が疲れきってそっと寝室にひきとり、ヒユーゴーは忘我のようすで炉端に座っていたとき、意を決して問いただすことにした。

『ヒューゴー』どきどきしながら、つとめて何気なく口にした。『あなたのローシーン・ドゥを愛してるの?』

さっと上げた眼に暗い炎が宿っていた。『愛』と激情をこらえる声でささやいた。彼は立ち上がり、頭を高くもたげて深々と歌うように朗誦した。


『青い空を耕すだろう。

高い山を登るだろう。

ああ、夜どおし祈り明かすだろう
おまえの数多のなやみを癒やせるなら!』

(アイルランド語の古謡「ローシーン・ドゥヴ」の詩人ジェイムズ・クラレンス・マンガンによる英訳「黒髪のロザリーン」から)


それから溜息をついて出ていった。

ヌーラの顔は、日に日に見るのも辛い忍耐と諦念の表情を帯び、すべての人間的な幸せを従容として手放そうとするかのようだった。

とうとうわたしはもう一度ヒューゴーに訊ねた。

『あなたのローシーン・ドゥと結婚するつもりなの?』

彼はめんくらったように振り向き、いらだちと驚きの両方をこめた笑いを漏らした。

『何を訊くんだ。なんてばかげた質問だ、メイヴ』

結局、答えはなかった。

七週間が過ぎるころには、わたしの不安は深刻になっていた。ヌーラが死んでしまうのではないかとおそれた。彼女は死から目覚めたばかりの霊魂かと思うような美しさを加えて、苦しみと恍惚をひとつにしたふうで……。弱々しく疲れ果てていた。わたしにはほとんど話もせず、わたしがいることに気づいてもいないように見えた。いつも独り庭で眠っていた。

六月も後半に向かうころ、わたしはヒューゴーに言った。『あなたはモデルを使い潰そうとしている』

『おれは神が創ったよりも巧みに彼女を描いている』彼は答え、満足そうにつけくわえた。『あとちょっとで用は済む』

そのときどんなにぞっとしたかは口では言えないわ。定まらぬ思いに引き裂かれていた。ヒューゴーの邪魔をすれば——彼の幻視の魔法を破ったなら、絵をだいなしにするだけでなく、ヒューゴーを破滅させるかもしれない。幻視が壊れた後の激情、その裂傷に彼の理性が耐えられるとは思えなかった。

その夜、わたしは変わり果てたヌーラを見た。虚ろなまなざしの醜いヌーラがアトリエから下りてきて、まっすぐわたしの部屋に寝にいった。

ヒューゴーはもう彼女はいらないと言った。

つぎの日、彼女をボートでロッホに連れ出した。灰色に霧がかって、湖が最も美しく見える日和だった。彼方のトゥエルヴ・ベンズはハイ・ブラシルの（伝説の楽園の島）山々のようで、雑草やスゲが淡い金色にきらめいていた……けれどヌーラは湖の美しさを見ず、みずからは美しさをなくし、光もなく……眠たげで反応も鈍く、クッションにもたれていた。顔や手は蠟のようだった。

その夜、どんな危険を冒してでもヒューゴーに立ち向かい、彼がしてしまったことをもとどおりにさせるつもりだった。ヌーラが水際の柳の下に横たわって眠りについたので、広間のヒューゴーのもとへ向かった。暖炉のそばに立っていた彼は、わたしが入っていくと振り向いた。つつましく賛嘆しているような表情で、まるで自身の成果が崇拝すべきものである——おのれの理解を超えるものであるとでも言いたげだった。

『明日だ！　一時間で完成するだろう。見せてやる』彼はわたしに近づくと、昔からの愛情のこもったしぐさでわたしの手を取った。

『ほんとうにすばらしい親友でいてくれた』あと一時間！　それなら彼女も耐えられるはずだ。一時間のために彼をめちゃくちゃにするのはよそう。それでも、おそれとむごたらしさと罪の意識に苛まれて、ひと晩じゅう眠れないまま横たわっていた。

朝食の時間にヒューゴーの姿はなかった。先に食べて仕事を始めていた。ばあやのケイトが庭でベルを鳴らしてもヌーラは来なかった。おそれは朝の爽やかな空気と陽光に消え失せていた。雲雀が歌い、時は六月のなかば、ヒューゴーの成し遂げたことに対する喜びは、わたし自身の喜びでもあった。眠るヌーラを残していった柳のもとへ行った。彼女は静かに横たわっており、触れても身動きひとつしなかった。彼女は冷たくなっていた。

誰も呼ばず、夢中で塔の螺旋階段をのぼってヒューゴーのアトリエに駆けつけた。扉の前まで来て立ち止まった。以前に邪魔をして取り返しのつかない結果を招いてしまったことが、この期に及んでもわたしをためらわせた。音がしないように扉を開けて中に入り、立ちすくんだ。

ちょっと見ただけで頭がくらくらした、それほど驚くべき光景だった。ヒューゴーがイーゼルのかたわらに立っている。その前の台上に、うっすらと銀色に輝いて、ヌーラが立ってヒューゴーを見つめていた。まったき献身と優しく征服されざる愛——あなたたちがローシーン・ドゥの肖像に見たとおりのヌーラよ。

ヒューゴーはよろめき、絵筆を置いて片手で眼を覆い、それから振り向いてわたしを認めた。『終わった』もういちど台に目を向けたときには、ヌーラは消えていた。恐怖に心の底まで震えあがった。『来て！　彼女が死んでる』

ヒューゴーはわたしといっしょに水際まで急いだ。たぶん、わたしは彼がヌーラを蘇らせることができるのではと期待していたけれど、彼女は冷たく息絶えて、大きく眼をひらいたまま横たわっていた。

ヒューゴーは膝をついて彼女に触れ、そそくさと立ち上がってその場を去ろうとした。『まったく美しくない』かっとなって厳しい声で呼び止めると、彼はもういちどヌーラを見おろし、覆いかぶさるようにかがんで彼女を抱き起こした。

『メイヴ、メイヴ』彼は悲痛な声をあげた。『おれがやったのか？』

ヒューゴーは礼を尽くしてヌーラを島に連れ帰り、彼女は自分の妻になったのだと告げ、老王の心にもかなうほどの盛大な葬儀を執りおこなった。それからまた独りきりの家に戻ってきた。わたしは彼が戻るより先に発った。独りになりたいと言われていたから。

それから長いこと音信がなくて、胸騒ぎがして不安になった。何度も心配する手紙を出した後に、奇妙な、脈絡のない返信が来た。

『彼女はずっと離れずにいる』そう書いてあったわ。『待っている、近くで、とても近くで。でもおれに何ができる？　この牢獄のごとき体――この息苦しい生命――この有限の生命の重荷――この死んだ世界。絵はあなたに贈る、親友よ、そしてあなたが死んだあとはアイルランドに』

わたしが行けるようになる前に、彼が溺死したという知らせとともに絵が届いた。

湖の沖でボートが見つかったということよ」


語り終えたメイヴの顔はあおざめていた。彼女はしばらく片手で眼を覆った。

「彼は神秘を幻視した……」誰かが口にした。

ネスタはじっと炎を覗きこみ、黒い眼は予感に大きく見ひらかれていた。

「運命に記されているの」彼女は言った。「ローシーン・ドゥの恋人たちは死ななければならない」

From *Earth-Bound: Nine Stories of Ireland*. The Harrigan Press, 1924

オリジナルの『幻想と怪奇』は第二号（一九七三年七月）の編集後記で「読者の熱気以外に、こうした雑誌を支えるものはなにもないのである」と、読者に寄稿を呼びかけている。その成果として、第五号の山口年子「かぐや變生」（創作）と、佐々木滋子「吸血鬼考――エロディアードの一族」（エッセイ）が掲載された。

新たな『幻想と怪奇』にも寄稿を、と、まずは読者書評を募集し、第三巻に収録。同巻から評論、創作、翻訳の投稿を呼びかけはじめた。

今回収録した君島慧是氏の「天蓋の彷徨」は、第三巻での呼びかけに応えた唯一の創作。なお、夢についての物語である同作を、夢をテーマにした本巻に収録したのは、偶然である。

第五巻からは読者投稿ページを「Le forum du Roman Fantastique」と題して設け、ツイッターでも投稿を呼びかけた。

今回の応募では、創作（俳句を含む）は二十二編ともっとも多く、レベルの高い作品も数々見られた。既にジャンルとして周知された実話怪談風の作や、ラヴクラフトのような有名作家の模作がほぼなく、一方でＳＦ的な要素を持つ作品が目立ったのは興味深い。

応募作から、柳下亜旅氏の「蛙中人」、伊藤なむあひ氏の「天使についての試論」の二編を、八月刊の『幻想と怪奇７』に収録する。柳下氏は落語のような語り口、伊藤氏はドキュメンタリー風の筆致で、ともにＳＦ的な発想にユーモアを交えつつ、恐怖をも湛えている。御期待を。

『幻想と怪奇』は海外作品を中心としているだけに、翻訳部門の選定を甘くはできない。通常の収録作品に互するものでなくてはならないので、（一）訳文の巧さ、（二）原作の面白さ、（三）原作の「幻想」「怪奇」要素の強さの、三点を基準とした。応募者には翻訳家として仕事をしておられる方や、同人誌やネットで翻訳活動をしておられる方も多く、応募作十四編のうち半数が（一）を通過したが、最終的に以下の二編の収録を決めた。

館野浩美氏訳「ローシーン・ドゥの肖像」をいち早く本巻に収録したのは、基準点を全て高水準で備えているからである。原作者ドロシー・マッカードル（一八八九―一九五八）はアイルランドの小説家、劇作家、歴史家。本作は一九二四年の短編集*Earthbound*に収録された。

勝山海百合氏訳「稲妻マリー」は、原作者Ｓ・チョウリー・ルウ氏と版権契約のうえ、『幻想と怪奇７』に収録する。

書評は、評者が「怪奇」「幻想」を見いだしたものであれば、ジャンルは問わない。雑誌や電子書籍など、一般誌では取り上げられないものも歓迎している。なお、評論については、今後の投稿に期待したい。

次回の募集要項は、編集後記を御覧いただきたい。また『幻想と怪奇』編集室の公式ツイッターでも告知する。今後も読者の皆様の御寄稿をお待ちしております。

（Ｍ）

《幻想と怪奇 Reader's Review》

名探偵総登場　芦辺拓と13の謎

芦辺拓　行舟文化　一六〇〇円（税別）

〈評〉及川弘典

装画：影山徹

一九九〇年に『殺人喜劇の13人』で鮎川哲也賞を受賞してデビューした探偵小説家・芦辺拓は、幻想文学新人賞佳作入選、『妖異百物語』全二巻の共編、短編集『探偵と怪人のいるホテル』『奇譚を売る店』等の上梓と、怪奇と幻想の世界の住人という顔も持っている。

作家生活三十周年と著書一〇〇点突破を記念して刊行された『名探偵総登場　芦辺拓と13の謎』は、本格ミステリ（正統な謎解き物・倒叙ミステリ）、捕物帳、ナンセンス・ミステリ、幻想ミステリ、掌編、ラジオドラマの脚本、歌舞伎台本、ジュヴナイルと、収録作のジャンルが多岐に亘る〈芦辺ワールド見本市〉と言うべき自選傑作集。

物語への愛に溢れた芦辺作品において〝虚実の揺らぎと融合〟は重要な要素の一つ。収録作の中では「探偵と怪人のいるホテル」「怪人対少年探偵」「並木謎《なみきのなぞ》浪速《なにわ》からくり――正三と若き日の五瓶――」で使われており、他の芦辺作品への架け橋になっている。古風なホテルに招待された男の物語と江戸川乱歩風通俗ミステリの断片が繋がってゆく「探偵と怪人のいるホテル」での虚実が融合した瞬間に覚える奇妙な感覚は長編ミステリ『グラン・ギニョール城』と共通しており、「怪人対少年探偵」で自らの存在意義と対峙する少年探偵・七星スバルは『黄金夢幻城殺人事件』で様々な物語を横断するだけではなく次元の壁をも超える。「実は虚となり、虚は実となる」との台詞がある歌舞伎台本「並木謎浪華からくり」では実を虚にして融合させており、原作「五瓶劇場　けいせい伝奇城《でんきのしろ》」を含む〈五瓶劇場〉シリーズ（『五瓶劇場　からくり灯籠』に全作収録）での手法を深化させたのが最新長編ミステリ『鶴屋南北の殺人』だ。この三作での使い方は単なるメタ趣向ではなく、物語を軽んじる者（権威・権力）へ向けた刃にもなっている。これは芦辺の憤りの現れであるが、物語と上手く溶け込んでいるのでノイズにはなっていない。

本書のベストを選ぶとしたら、受け取って一週間後に次に回す決まりの回覧書類を追う主人公が衝撃の真実に辿り着く幻想ミステリ「輪廻《めぐ》りゆくもの」になる。ある知識が必要だが本格ミステリのテクニックを駆使し、真実に辿り着いた瞬間に世界の景色がガラリと変わるのが見事で、会心作と自負するのも納得の傑作だ。

物語を愛する芦辺拓の三十年の軌跡を堪能していただきたい。

ＭＯＮＫＥＹ vol.22 FALL/WINTER 2020-21 特集＝悪霊の恋人

柴田元幸責任編集　スイッチ・パブリッシング　一二〇〇円（税別）

〈評〉黒猫幻想堂

装画：しりあがり寿

『ＭＯＮＫＥＹ』といえば、主に現代のアメリカや日本の文学を扱う洒落た文芸誌とばかり思いがちだが、過去に特集「こわい絵本」（vol.3）、「死者の歌　イギリス・アイルランドの物語」（vol.5）を組んでおり、怪奇幻想の世界とも決して縁遠い雑誌ではない。その『ＭＯＮＫＥＹ』がvol.22の特集「悪霊の恋人」でエリザベス・ボウエンの名短編やＪ・Ｓ・レ・ファニュの「カーミラ」などを取り上げるとの情報に接したとき、まず目次と書影に度肝を抜かれた。何でも漫画家のしりあがり寿が、Ｅ・Ａ・ポーの「赤死病の仮面」にイラストを付けるのだという（じゃあ、この表紙イラストの猿も？）。うーん、全く想像できない……。

一抹の不安を抱えながら手に取った本号は、良い意味で期待を裏切ってくれるものだった。スコットランド民謡「ジェームズ・ハリス」の訳に続くのは、この歌を下敷きにして書かれたエリザベス・ボウエンとシャーリイ・ジャクスンの短編だ。戦時下を生きる人々の不安を織り込みながら原曲の世界を再構成したボウエンの「悪魔の恋人」、徐々に高まる恋人への不信感と共同体の悪意が棘《とげ》のように刺さるジャクスンの「悪霊の恋人」を読み比べるという、ありそうでなかった贅沢。続くレ・ファニュの「カーミラ」は、平井呈一の往年の名訳と比して軽やかな語り口で、現代の少女が話しているようにも思え新鮮だった。ヒロインとカーミラの二人が膝丈のワンピースを着ているように見えるイラスト（辻恵・画）もこのような文体の選択と無縁ではないだろう。

そしていよいよ、ポー「赤死病の仮面」の幕が上がる。見開きの上半分が本文、その下にしりあがり寿のイラストという大胆な誌面構成は、疫病の蔓延を尻目に引きこもった王たちが歓楽にふける館の七色の広間の描写とリンクして、まるで絵巻物のようだ。この短編の計算されつくした精緻な構造とは正反対のイラストがこうもしっくり来るとは、誰が予想しえただろう。

ここでは紹介しきれないが、本特集にはカルメン・マリア・マチャドや円城塔の短編も収められている。新訳で新たな命を吹き込まれた巨匠たちの名作と、同時代の作家たちの作品を同時に読めるのも、本号の魅力だろう。

山の人魚と虚ろの王

山尾悠子　国書刊行会　二四〇〇円（税別）

〈評〉石倉康司

装丁：ミルキィ・イソベ

山尾悠子はデビュー当初から一貫して、定型化された物語構造から遊離した眩惑的な風景を描いてきた。そして、物語の中ではE・A・ポー『アッシャー家の崩壊』のようなカタストロフィーが訪れる。その文体は非常に特殊で、似ている作風を見つけることが困難な、唯一無二の作家と言えるだろう。

二〇〇〇年代に入り、執筆を再開してからも作品の強度は衰えることはなかった。極彩色がほどこされた描写は、読み手に強烈なイマージュを喚起させる。一方で、近年の作品にはある変化が見られるようになった。それは、描かれる幻想が現実と、いや、生活と絡み合うようになったのだ。二〇一八年の『飛ぶ孔雀』では物語の舞台が日本ということもあり、その変化が顕著に感じられる。

『山の人魚と虚ろの王』もそういった、ある種のリアリズムとも言える生活感とめくるめく夢のような幻想が渾然一体となって描かれている。主人公は風変わりな若い妻を迎えた男。二人の新婚旅行での様々なエピソードが、アラン・レネ『去年マリエンバートで』のように時勢を前後させつつ語られる。読み手の意識の隙間をするりと抜けて進行する、ある種の曖昧さがまさに夢のようだ。対象的に細部の描写が非常にピクチャレスクに描かれている。特に料理に関しての匂い立つような表現は、食欲をそそられるほど。これら生活感の垣間見える描写は、見慣れた風景が夢の世界として異化されるような作用をもたらす。まさに幻想文学の本懐と言えるだろう。

「夢はもう一つの生である」とはジェラール・ド・ネルヴァル『オーレリア　夢と生』（篠田知和基訳）の最初の一文だが、物語の後半でこの言葉を思わせる、夢に関する重要な言及がある。夢が生きているのか、生が夢見ているのか。多元的な世界が広がり、新たな旅が始まる予感の中で物語は終わる。圧巻である。

最後に、ミルキィ・イソベによる丁寧な装丁についても触れておきたい。墨のようなマットな箱に銀色の塗料で描かれた装画は非常に美しい。作中の一場面の描写だが、オディロン・ルドンの描く眼を想起させる印象的な絵だ。中身に関しても、細やかな部分にまで神経が行き届いた丁寧な造本だ。まだらに凹凸のついた一風変わった紙質の遊び紙も面白い。電子書籍では味わえない、紙の本を持つことの喜びを存分に味わえる素晴らしい一冊だ。

山の人魚と虚ろの王

山尾悠子　国書刊行会　二四〇〇円（税別）

〈評〉**藪下明博**

装丁：ミルキィ・イソベ

幻想旅行譚である。或いは、夢のリアリティーに依拠した幻夢物語。驚異と空想に満ちた大人のお伽噺。迷宮へと導く、朦朧たる不条理ミステリー……といったところであろうか？

山尾悠子といえば、硬質な幾何学的文体で構築される幻想世界を、まるで散文詩のような語り口調を武器とし、読者を異次元空間へと誘う作家と評されて久しい。第一短編集『夢の棲む街』以来、一貫してこれらのテーマに沿い、高度なクオリティーを保持し続ける作家である。

本作も、紛れもなくその系列に属する作品であるが、どこか夢のような不条理に溢れ、それでいて明瞭なディテールの顕在化を可能とした、単なる幻想旅行譚とは一線を画す「夢の諸条件」に則した作品なのである。

物語は、若い妻を娶《めと》った男の新婚旅行の回想から始まる。箇条書きであること、時系列を無視した任意な時点へのハイパーリンク、象徴的な固有名詞と、断続的な反復動作によるエピソードの紹介などなど、全編に亘って夢の作法が見事開花している。

ネタバレになることを警戒しつつも、敢えて言及するならば、物語のエピローグではその不可思議の理由が判明する訳なのだが、始めのうち読者は、この馴染みのない夢の言語、山尾悠子らしからぬ朦朧とした文体に、ある種の戸惑いを覚えることは致し方ないことであろう。

凡そ、不条理極まるこの物語の筋を無理やり辿ってみると……若い妻との新婚旅行で、旅客列車に乗り、ホテルに泊まり、決闘騒ぎと、妻の浮遊と、夜の宮殿、山の人魚団、硬いパンをかじる仕草、火事場騒ぎと……もう、これ以上の羅列は必要あるまい。この小説の魅力は、順に筋を追って楽しむよりも、寧ろバラバラに散りばめられた一つ一つのヴィジョンを、パズルの如く並び替え、知らずに謎が解けるというプロットの妙味にあるのだ。いやこの小説が、ミステリーであったとしての話であるが。

巻末付録の四つの「短文集」は、その重要な鍵となっている。フロイトの『夢判断』を引くまでもなく、圧縮、移動、象徴、願望充足が、この「散文詩」から明確に読み解くことが出来るのだ。付録ではなく、まさに本文そのもの。極めて多面的に構成された、夢判断のサンプルとなっている。そして、このまことしやかなタイトルも、ファンには堪らない夢の仕掛けと映るに違いない。山尾悠子の魅力が、存分に発揮された「夢」の書下ろし小説。

《書評》

真夜中のカーボーイ

山田五郎　幻冬舎　一三〇〇円（税別）

〈評〉荒俣宏

死出の旅は紀州ドライブがおススメ

著者の山田五郎さんとは年に数回、TV番組の楽屋で会う。そんなときはよく南方熊楠や熊野古道の話題が出る。なぜなのか、ふしぎだったが、この小説を読んで理由が分かった。

余命幾ばくもなくなった元恋人の要望で、二人の思い出の地「紀州」へ最後のドライブに出る。出発地は大阪。古い近代建築が残る大都会の描写は、著者らしい路上観察学的な妙味がある。この旅を大阪から始めるのも、地獄のごときニューヨークから楽園の地マイアミへのバス旅行を描いた映画『真夜中のカーボーイ』へのオマージュらしい。乗り込んだ車はまっ赤なメルセデスSL550のオープンカーだ。車中は当時の音楽や映画のうんちくのじゃれ合いである。が、やがて紀州路に入る頃から、話題は、熊楠の死の話に移り、やがて、熊野古道に今も息づく熊野信仰へとドライブし始め、華厳滝から青岸渡寺への「黄泉《よみ》がえり」コースへ進んでいく。映画と同じように死の間際にある元恋人を常世に送り返すのに、咥え煙草とグラサンの老カップルが、まっ赤なオープンカーで観音巡礼を開始する。

作者の意図は、同時代の空気を吸った読者にはよく分かる。むろん軽薄だが、そこに折口信夫の死生観をたっぷりと詰め込んだ、古代的でありながら万葉振りを切り捨てた不思議な短歌の謎が割り込んでくる。その結果、旅は折口短歌の意味を解明するかたちで熊野信仰の謎に迫る展開を辿るのだ。

つまり、著者はあの「補陀落《ふだらく》渡海」を『真夜中のカーボーイ』スタイルでやり遂げようと望んだのだ。わたしもじつは同じことを考えていた。熊楠を語ったり、熊野信仰を学んだり、折口のマレビト論にしびれてはきたが、恐怖と念仏とご詠歌をお伴に補陀落する気はない。ヒネクレ意地っ張りらしく、明るく平静に、他人事のように旅立つつもりだ。なぜならこの旅は、黄泉（に）返る旅だから。折口もそうだったのでは、と、この小説を読みながら思った。

装丁：田島照久

《書評》

妖怪少年の日々 アラマタ自伝

荒俣宏　KADOKAWA　二七〇〇円（税別）

〈評〉牧原勝志

カバーデザイン：山下武夫（クラップス）

帯の文言に「知の巨人・荒俣宏はいかにして形作られたか?」とある。「知の巨人」という言葉には、空回りしたまま使い古された感も否めないが、荒俣氏を現すのに限っていえば、これほど的確な言葉もないだろう（もちろん、体格とは関係はない）。

自伝と題してはいても、本書は読者が想像するような自伝の形には収まらない。本書を起筆するまでの人生のあいだに興味を抱いた対象と、その「導き手」あるいは「師匠」を、荒俣氏は回想に並行して列挙していく。その分野は漫画、魚類をはじめとする海の生物、サボテンなど多岐にわたり、師匠と目した相手にも平田弘史、中西悟堂、龍胆寺雄といった名が並ぶ。自伝ではあるが、人名・件名索引がないのが惜しまれるほどだ。その多岐にわたる対象と師匠の中には、怪奇小説における平井呈一、妖怪における水木しげる、さらには平井の紹介で知遇を得た紀田順一郎の各氏があり、それぞれとの交流はとりわけ深く語られている。

だが、荒俣氏の興味の多方面ぶりは、単なる多趣味とは異なる。個々の興味の対象が実は、巨大な一つの対象の構成要素であり、本書を読み進むにつれてその「一つの対象」が徐々に姿を現してくる。本書はもちろん自伝である。だが、幼少時から好奇心のかたまりであった氏が、自らの好奇心の向かった先にあったものの正体を、自伝の形で謎を解き、明らかにしたのではないだろうか。

まさに破格の自伝と呼ぶべき本書だが、もちろん自伝らしいエピソードもふんだんに語られ、一つ一つが心に深く響く。御本人以上に江戸っ子気質の強い両親や祖父母、親戚たち。幼少時の上野教会の保育園や、豊島病院そばの貸本屋や、大山商店街の映画館の思い出。家を揺るがして通っていく進駐軍の車列。魚の飼育のため海水を汲みにいった江ノ島。同人誌『リトル・ウィアード』に時間を注ぎ込んだ大学時代。コンピュータに取り組む一方で文筆業を充実させていった会社員時代。その間に出会った人々もまた、師匠たちと同様に、荒俣氏の人生において大切な存在であることがうかがえる。

そして、本書の結びとなる、角川武蔵野ミュージアムについて書かれた「付記」からは、著者が展望する未来が感じられる。

文字どおりの「知の巨人」の後を、私も引き続き追い続けていきたい。

【立原透耶氏、日本SF大賞特別賞受賞】

『時のきざはし　現代中華SF傑作選』の編者・立原透耶氏が、中華圏SF作品の翻訳・紹介の業績に対し、第四十一回日本SF大賞特別賞を受賞した。四月十七日にオンライン配信された贈賞式には、立原氏の受賞を祝う動画メッセージが、『三体』の劉慈欣氏をはじめ、『時のきざはし』に作品が収録された江波、何夕、糖匪の各氏ら十余人の中華圏SF作家から寄せられた。YouTube「第41回 日本SF大賞贈賞式」で視聴できる。

呉明益『複眼人』（KADOKAWA）が好評を博し、劉慈欣『三体Ⅲ死神永生』（早川書房）と大恵和実氏編の中国史SFアンソロジー『移動迷宮』（中央公論新社）も刊行間近。中華SFがさらに注目を集める中、新紀元社では立原氏編の中華SFアンソロジー第二弾と、韓松『紅色海洋』の刊行を準備中。詳細は次巻にて。

【無頼牧師、魔界を往く！　ホラー・ウエスタン『死人街道』ついに刊行】

お待ちかね、ジョー・R・ランズデール『死人街道』（植草昌実訳）が、この六月ついに刊行！

神を疑い、拳銃だけを信じて旅する牧師ジェビダイア・メーサー。その行く先には怪物が跳梁し、硝煙と鮮血の臭いが立ちこめる。

メーサーが布教に立ち寄った町、マッド・クリークに、生ける死者が現れた。町民たちがひた隠す惨事はやがて死者の大群を呼び寄せる……中編「死屍の町」に、以下の四短編を併録。

「死人街道」囚人護送のための近道は死してなお彷徨う悪人の縄張りか？

「亡霊ホテル」ゴーストタウンのホテルで、人狼王が牧師を追い詰める！

「凶兆の空」村はずれの古井戸に潜む吸血怪物は魔道書に召喚されたのか？

「人喰い坑道」銀山を占拠する地底の悪鬼にコルト・ネイヴィが咆吼する！

解説は『血と炎の京』の朝松健。

【近刊：ストーカー賞受賞、ジョン・ランガンの傑作The Fisherman】

妻を癌で失ったエイブ。大事故で天涯孤独の身の上になったダン。二人は悲しみを逃れるため釣りに没頭する。ニューヨーク州北部の渓流ダッチマンズ・クリーク。そこに古くから伝わる伝説は、二人の心にある願いを芽生えさせた。失ったものを取り戻せる？　そんな馬鹿な、ありえない……だが、そう信じさせるものがここにはある。

アルジャーノン・ブラックウッドさながらの自然描写。M・R・ジェイムズを連想させる細密さと文学性。ロバート・E・ハワードと競う力強いアクション。そして、H・P・ラヴクラフトに劣らぬ壮大な宇宙観。ホラーの粋が、この一作に濃縮されている。

「牙の子ら」「テクニカラー」などで知られるアメリカン・ホラーの旗手、ジョン・ランガンの長編を初紹介。二〇一六年ブラム・ストーカー賞長編賞受賞作。今秋刊行予定。

寄稿者一覧

（五十音順）
（括弧内の数字は掲載頁）

荒《あら》居《い》蘭《らん》（２０３）

漫画原作者。マグコミにて漫画『大正折リ紙少年』連載中。『ショートショートの宝箱』『異形コレクション』（光文社）などに作品を発表するほか、ショートショート講座「だれでも小説家」講師（世田谷文学館）もつとめる。

荒《あら》俣《また》宏《ひろし》（２９０）

作家・博物学者。著書多数。近著に『妖怪少年の日々　アラマタ自伝』『小説 妖怪大戦争 ガーディアンズ』（共にＫＡＤＯＫＡＷＡ）がある。年来の調査・取材を経てこの五月、遂に編書『平井呈一　生涯とその作品』（紀田順一郎監修　松籟社）を上梓。

井《い》上《のうえ》雅《まさ》彦《ひこ》（１９４）

小説家。星新一ショートショートコンテスト受賞を経てデビュー。主な著書に『ファーブル君の妖精図鑑』（講談社）、『夜会 吸血鬼作品集』（河出書房新社）、『四角い魔術師』（出版芸術社）。企画監修をつとめる書下ろしアンソロジー《異形コレクション》が九年ぶりに再スタート。第49巻『ダーク・ロマンス』、第50巻『蠱惑の本』に続く、今年の最新刊は、第51巻『秘密』（6月刊行予定）。

植《うえ》草《くさ》昌《まさ》実《み》（１３６／１７８）

翻訳者。山口雅也総指揮『甘美で痛いキス　吸血鬼コンピレーション』（二見書房）にマグレガー「疲弊した漂着船長の事件」が収録された。近刊にジョー・R・ランズデール『死人街道』（新紀元社）がある。

渦《うず》巻《まき》栗《くり》（２４４）

翻訳者。『幻想と怪奇４』（新紀元社）にアルジャーノン・ブラックウッド「モートンの怪死」が収録されている。ラムジー・キャンベル『グラーキの黙示』（サウザンブックス近刊）に「フランクリンの章句」を収録予定。

君《きみ》島《しま》慧《けい》是《し》（２６６）

小説家。『てのひら怪談　ビーケーワン怪談大賞傑作選』（ポプラ社）他『てのひら怪談』シリーズ、『リトル・リトル・クトゥルー史上最小の神話小説集』（学研）、『みちのく怪談コンテスト傑作選２０１０』『同　２０１１』（荒蝦夷）、『おのみち怪談』（本文社）に作品収録。

齋《さい》藤《とう》靖《やす》朗《あき》（３０）

ウェブサイト「種村季弘のウェブ・ラビリントス」(http://www.asahi-net.or.jp/~jr4y-situ/tanemura/t_index.html) 管理人。『詐欺師の勉強あるいは遊戯精神の綺想　種村季弘単行本未収録論集』（幻戯書房）、『水の迷宮』（国書刊行会）の解題を執筆。『活字倶楽部』（桜雲社）でブックレビューを担当（軽美伊乃名義）。

榊《さかき》原《ばら》晃《こう》三《ぞう》（２３４）

フランス文学者。一九三〇年、愛知県に生まれる。訳書多数。幻想文学系統では、トポール『幻の下宿人』（河出文庫）、トゥルニエ『聖女ジャンヌと悪魔ジル』、レイ『ウィスキー奇譚集』（共に白水社）などがある。九六年歿。

嶋《しま》田《だ》洋《よう》一《いち》（１５４）

翻訳家。訳書に、ピーター・ワッツ『ブラインドサイト』、マイクル・フリン『異星人の郷』（ともに東京創元社）、《宇宙英雄ペリー・ローダン》シリーズ（共訳・早川書房）ほか多数。

斜《しゃ》線《せん》堂《どう》有《ゆう》紀《き》（２１２）

小説家。主な著書に『キネマ探偵カレイドミステリー』（ＫＡＤＯＫＡＷＡ）、『楽園とは探偵の不在なり』（早川書房）など多数。近著に『ゴールデンタイムの消費期限』（祥伝社）がある。

館《たて》野《の》浩《ひろ》美《み》（２７９）

翻訳者。訳書にサーバン『人形つくり』、共訳書にジーン・ウルフ『ピース』、『ダフォディルの花　ケネス・モリス幻想小説集』（いずれも国書刊行会）がある。

種《たね》村《むら》季《すえ》弘《ひろ》（２２）

ドイツ文学者、評論家。一九三三年、東京都に生まれる。著書、訳書、編書多数。幻想文学系統の訳書にマイリンク『ナペルス枢機卿』（国書刊行会）、ホフマン『くるみ割り人形とねずみの王様』など、編書に『ドイツ怪談集』『日本怪談集』（以上、河出書房新社）などがある。二〇〇四年歿。

田《た》村《むら》美《み》佐《さ》子《こ》（112）
英米文学翻訳家。主な訳書にエヴァンジェリン・ウォルトン《マヒノギオン物語》シリーズ、ピーター・トレメイン『憐れみをなす者』（共に東京創元社）、A・C・スミス『魔術師の帝国3《アヴェロワーニュ篇》』（共訳、アトリエサード）がある。

垂《たる》野《の》創《そう》一郎《いちろう》（32／36〜）
翻訳家。主な訳書に、レオ・ペルッツ『夜毎に石の橋の下で』、J・B・キャンベル『イヴのことを少し』、編訳書に『怪奇骨董翻訳箱』（以上、国書刊行会）がある。

夏《なつ》来《き》健《けん》次《じ》（76）
翻訳者。訳書にW・H・ホジスン『幽霊海賊』（アトリエサード）、ブライアン・ラムレイ『ネクロスコープ』（創元推理文庫）、ライアン・ギャティス『血まみれ鉄拳ハイスクール』（文藝春秋）他。年内にG・W・M・レノルズ『人狼ヴァグナー』（国書刊行会）、『英米古典吸血鬼小説傑作集』（仮題／編訳　東京創元社）を予定。

南條《なんじょう》竹《たけ》則《のり》（9）
作家・翻訳家。著書に『ゴーストリイ・フォークロア』（角川書店）など、訳書にマッケン『白魔』、ジェイムズ『消えた心臓／マグヌス伯爵』（共に光文社）、ラヴクラフト『インスマスの影』『狂気の山脈にて』（共に新潮社）など多数。

藤《ふじ》原《わら》ヨウコウ（6）
イラストレーター、挿絵画家。最近の仕事に、武内涼『源平妖乱　鬼夜行』（祥伝社）装画、夢枕獏『JAGAE　織田信長伝奇行』（小説NON。五月号で完結）挿絵などがある。

ひらいたかこ（表紙イラスト）
イラストレーター。「不思議の国のアリス」をテーマに、奇妙な世界を独自の視点から表現した画集『アリス、アリス、アリス！』（東京創元社）を三月に出版。軽井沢絵本の森美術館「鏡の国のアリス」展（前期、三月一日〜六月二十一日）に参加。後期にも参加予定。

YOUCHAN（装丁）
イラストレーター。紀蔚然『台北プライベートアイ』（文藝春秋）装画、『東京人』（都市出版）六月号特集「江戸東京探偵散歩」本文イラスト等を手掛ける。個展「文学山房　ゾランさんと探偵小説」（仮題）をギャラリーゑいじう（新宿区）にて開催（六月九日〜十七日）。詳細は youchan.com をご確認ください。

若《わか》島《しま》正《ただし》（216）
京都大学名誉教授。主な訳書に、ウラジーミル・ナボコフ『ロリータ』（新潮文庫）、著書に『乱視読者の英米短篇講義』（研究社）、『ロリータ、ロリータ、ロリータ』（作品社）がある。

◆**投稿募集**

『幻想と怪奇』では、プロ・アマ不問で投稿を募集しております。

【創作・翻訳】共に上限二万字を目安に。翻訳は著作権確認のため、原題、著者名、出版社／掲載誌、発表／刊行年を、原書表記のまま応募原稿に付記してください。

【評論】上限四千字程度。

【書評】過去二年以内に刊行された本の書評。八百字以上、一千字以内。

いずれも自作未発表のものを。

編集室での厳正な選考のうえ、優秀な作品を十一月発売の『幻想と怪奇8』以降に収録いたします。採用者には規定の原稿料をお支払いいたします（書評のみ相当額の図書カードで）。

締切は九月末日。応募原稿は左記のアドレス、もしくは奥付記載住所の「株式会社新紀元社内『幻想と怪奇』編集室」宛に。メール送信のさいは、原稿のファイル形式は問いません。

romanfantastique@shinkigensha.co.jp

◆新緑の候、東京は三度目の緊急事態措置の下にあります。編集室のある神田神保町では、新刊書店は営業しているものの、都からの休業要請もあってか、古書店のほとんどが休業。今は、本にかかわるすべての人たちの無事と健康を祈るばかりです。そして、本巻が書店に並ぶ頃には、世の中が少しでも落ち着き、明るい話題が少しでも多く聞かれますように。

◆序文と、齋藤靖朗氏の解説にあるように、本巻の企画は種村季弘氏の未発表翻訳原稿をお預かりしたことから始まりました。貴重な原稿をより良い形で読者に届けたい。だが、河出文庫『ドイツ怪談集』の新装復刊も記憶に新しい今、ドイツ幻想文学とはまた別の、独自の企画を……と悩んだ結果、種村氏が訳したマイリンクの短編のテーマ〝夢〟で、この巻をまとめることにしました。原稿をお預けくださった齋藤氏に、あらためて御礼申し上げます。

◆今回は他にも、既刊の五点にも増して多くの方々にお力添えをいただきました。ことに「本の中にアンソロジーを」というアイデアを快諾し、種村氏トリビュートの小アンソロジーの編訳をしてくださった垂野創一郎氏と、作品選定のこの上なく心強い協力者、スティーヴン・ジョーンズ氏に、もう一度ここで御礼を。

◆三月下旬に締め切った読者投稿には、創作を中心に多くの御応募をいただきました。収録作品についてのお知らせは別のページに。そして、上記のとおり、再度の募集をいたします。皆様のさらなる御応募をお待ちしております。

次回配本

『幻想と怪奇7
ウィアード・テールズ』（仮）

H・P・ラヴクラフト
ロバート・E・ハワード
クラーク・アシュトン・スミス
ニツィン・ダイアリス　他

二〇二一年八月刊行予定

幻想と怪奇　6

夢境彷徨　種村季弘と夢想の文書館

2021年6月6日　初版発行

企画・編集　牧原勝志（『幻想と怪奇』編集室）

発 行 人　福本皇祐
発 行 所　株式会社新紀元社
〒101-0054 東京都千代田区神田錦町1-7 錦町一丁目ビル2F
Tel.03-3219-0921　Fax.03-3219-0922
http://www.shinkigensha.co.jp/
郵便振替　00110-4-27618

協　　力　紀田順一郎　荒俣 宏
Stephen Jones
題　　字　原田 治
表 紙 絵　ひらい たかこ（Pen Studio）
デザイン　YOUCHAN（トゴルアートワークス）

組　　版　株式会社明昌堂

印刷・製本　中央精版印刷株式会社

ISBN978-4-7753-1921-5
Printed in Japan